Nocturne

Données de catalogage avant publication (Canada)

McBain, Ed, 1926-

  Nocturne

  Traduction de: Nocturne

  ISBN 2-7640-0190-8

  I. Martinache, Jacques. II. Titre.

PS3515.U582N6214 1997   813'.54   C97-940778-4

Titre original: *Nocturne*
traduit par Jacques Martinache

© 1997, Hui Corporation
© 1997, Presses de la Cité, pour la traduction française
© 1997, Les Éditions Quebecor, pour la présente édition

Bibliothèque nationale du Québec
Bibliothèque nationale du Canada
ISBN 2-7640-0190-8

LES ÉDITIONS QUEBECOR
7, chemin Bates
Bureau 100
Outremont (Québec)
H2V 1A6
Téléphone: (514) 270-1746

Éditeur: Jacques Simard
Coordonnatrice à la production: Dianne Rioux
Conception de la page couverture: Bernard Langlois
Photo de la page couverture: Robert Peak / The Image Bank
Impression: Imprimerie L'Éclaireur

Nocturne

Ed McBain

ROMAN
SUSPENSE

LES ÉDITIONS
Quebecor

Pour Rachel et Avrum Ben-Avi

La ville décrite dans ces pages est purement imaginaire. Les personnages, les lieux relèvent de la fiction. Seul le travail de police se fonde sur des techniques d'investigation établies.

1

Le téléphone émettait son bourdonnement quand Carella entra dans la salle des inspecteurs, où l'horloge murale indiquait 23 h 45.

– Je suis pas là, déclara Parker en enfilant sa veste.

Carella décrocha.

– 87e district. Inspecteur Carella...

Et écouta.

Hawes pénétra à son tour dans la salle en soufflant dans ses mains.

– On arrive, promit Carella, avant de raccrocher. Pas la peine, garde-le, dit-il à Hawes, qui commençait à enlever son manteau.

La femme gisait juste derrière la porte de son appartement, encore enveloppée d'un vison démodé qui virait à l'orange. Elle avait coiffé ses cheveux en leur donnant ce qu'on appelait autrefois des ondulations. Bleu-argent, les cheveux. Marron-orange, le vison. Bien qu'il fît −11°C dans la rue ce soir-là, elle ne portait sous son manteau qu'une robe-tablier en coton à fleurs. Chaussures à talons richelieu éculés. Collants faisant des plis. Prothèse auditive à l'oreille droite. Quatre-vingt-cinq ans environ. Quelqu'un lui avait tiré deux balles dans la poitrine. Quelqu'un avait aussi tué son chat, une grosse femelle au pelage rayé, taché de sang, percé d'un trou dans la poitrine.

Les flics de la Criminelle étaient arrivés les premiers et spéculaient déjà sur ce qui s'était passé.

— Les clefs sont par terre, elle a dû se faire flinguer au moment où elle rentrait, supputa Monoghan.

— Elle ouvre la porte, *bam !*, dit Monroe.

Il faisait froid dans l'appartement et les deux hommes avaient gardé leur tenue d'extérieur, manteaux, feutres et gants noirs. Dans cette ville, la présence sur le lieu du crime d'inspecteurs de la brigade criminelle était obligatoire, même si l'enquête incombait en fait à leurs collègues du commissariat local. Monoghan et Monroe aimaient à se voir dans le rôle de professionnels dispensant avis et conseils – de mentors créatifs, pour ainsi dire. Ils pensaient que le noir était une couleur, ou une absence de couleur, qui seyait à des mentors professionnels de la Crime. Semblables à deux pingouins géants, épaules arrondies, tête baissée, ils examinaient la vieille femme morte allongée sur le tapis râpé. Carella et Hawes, en entrant dans la pièce, durent les contourner pour éviter de marcher sur le cadavre.

— Hé, qui voilà, fit Monoghan sans relever les yeux.

Carella et Hawes étaient glacés. Par une nuit pareille, ils n'avaient besoin ni d'avis ni de conseils, créatifs ou non. Tout ce qu'ils souhaitaient, c'était se mettre rapidement au boulot. Il flottait dans l'entrée une odeur de whisky – ce fut la première chose que les deux flics remarquèrent. La seconde fut la bouteille brisée dans le sac en papier brun, juste hors de portée de la main osseuse, déformée par l'arthrite, de la vieille. Ses doigts repliés semblaient extraordinairement longs.

— Z'étiez en train de bringuer quelque part ? leur demanda Monoghan.

— Nous, ça fait déjà vingt minutes qu'on est là, grogna Monroe avec irritation.

— Marrant, votre java ? s'enquit Monoghan.

— Les embouteillages, expliqua Hawes avec un haussement d'épaules.

C'était un grand type large de carrure, vêtu d'un pardessus en tweed qu'un oncle lui avait envoyé de Londres à Noël. On était maintenant le 20 janvier, Noël était loin, le 21 à un battement de cœur seulement – mais le temps n'avait aucune importance au 87e district. Les mouchetures rouges du tissu semblaient des étincelles tombées de sa chevelure flamboyante. Son visage aussi était rougi par le froid, et la mèche de cheveux blancs surmontant sa tempe gauche faisait penser à une plaque de glace. C'était la couleur que sa peur avait prise quand un cambrioleur l'avait taillladé, des années plus tôt. Le médecin des urgences avait rasé les cheveux pour dégager la blessure, et ils avaient repoussé blancs. Les femmes lui disaient qu'elles trouvaient ça sexy. Il répondait que c'était dur à coiffer.

— Elle a dû surprendre un casseur, estima Monroe. La fenêtre de la chambre est encore ouverte, ajouta-t-il avec un mouvement de la tête. On a pas voulu y toucher avant l'arrivée des gars du labo.

— Eux aussi, ils doivent faire la nouba, marmonna Monoghan.

— L'escalier d'incendie est juste derrière la fenêtre, reprit Monroe, avec un nouveau signe de tête. Il est entré par là.

— Tout le monde fait la fête, à part nous, se plaignit Monoghan.

— La vieille aussi, elle allait se faire une petite fête, c'est sûr, dit Monroe.

— Une boutanche de gnôle bon marché dans le sac, fit observer son collègue.

— Elle a dû sortir quand les marchands de vins étaient encore ouverts.

— C'est samedi, ils restent ouverts la moitié de la nuit, rappela Monroe.

— Elle a pas voulu prendre de risques.

— Des risques, elle en prendra plus, prophétisa Monroe.

— Vous savez qui c'est? demanda Carella.

Il avait déboutonné son manteau et, les mains dans les poches, la posture nonchalante, il regardait la morte. Seuls ses yeux trahissaient l'émotion qu'il ressentait. Il aurait dû demander « qui *c'était* », parce que quelqu'un l'avait réduite à l'état de cadavre baignant dans une flaque de mauvais whisky.

— On a pas voulu y toucher avant l'arrivée du légiste, se disculpa Monroe.

Par pitié, pensa Carella, plus d'histoire de bring...

– Encore un qui doit faire la bringue, grommela Monoghan.

Minuit était venu et parti sans fanfare. Mais le matin ressemblerait à la nuit un long moment encore.

Ce ne fut une énorme surprise pour personne quand le médecin légiste attribua la mort à plusieurs blessures par balle. Cela, avant même que l'un des techniciens découvre une paire de balles enfoncées dans la porte derrière la vieille, et une troisième dans la plinthe, derrière le chat. Calibre 38, apparemment, mais même les mentors créatifs n'étaient pas disposés à émettre une hypothèse. Les techniciens les glissèrent dans des sachets et les étiquetèrent pour les envoyer au labo. On ne releva aucune empreinte digitale sur l'appui de fenêtre, le châssis, l'escalier d'incendie. Pas de traces de pas non plus. Au grand soulagement de tout le monde, le technicien qui était sorti sur l'escalier rentra et ferma la fenêtre derrière lui.

Les pardessus tombèrent.

Le gérant de l'immeuble leur apprit que la morte s'appelait Mrs Helder, qu'elle devait être russe, ou quelque chose comme ça. Ou allemande, il ne savait plus au juste. Elle habitait là depuis près de trois ans. Une femme très tranquille, qui ne causait jamais d'ennuis, même s'il pensait qu'elle buvait un peu.

L'appartement était ce qu'on appelait un F1. Dans cette ville, ce que certains qualifiaient de F1 n'était en réalité qu'un studio en forme de L, mais celui-ci avait une vraie chambre, quoique minuscule. Elle donnait sur la rue, ce qui était regrettable car le vacarme des klaxons était incessant et insupportable, même à cette heure matinale. Ce n'était pas une partie de la ville et du district particulièrement agréable. L'immeuble se trouvait dans Lincoln Street, près de la River Hard et du marché aux poissons qui s'étirait le long des quais, d'est en ouest, sur quatre pâtés de maisons.

L'équipe de nuit avait pris son service à minuit moins le quart et serait relevée à huit heures moins le quart. Dans certaines villes américaines, les services de police ont supprimé l'équipe de nuit, parce que le travail d'inspecteur réclame rarement une réaction immédiate, sauf dans les affaires de meurtre, où tout retard de l'enquête donne à l'assassin un précieux avantage. Dans ces villes, ce qu'on appelle le QG, le Central – ou ce que vous voudrez – dispose d'un réseau de lignes d'urgence qui permet de tirer un flic du lit en moins d'une minute. Pas dans cette ville. Dans cette ville, quand votre nom apparaît sur le tableau de roulement, vous tirez un mois de ce qu'on appelle fort justement l'équipe du matin, même si vous travaillez pendant les heures vides de la nuit. L'équipe de nuit – le « cimetière », comme on dit familièrement et sans affection – dérègle votre horloge interne et bousille aussi votre vie sexuelle. Il était à présent minuit cinq. Dans sept heures et quarante minutes exactement, l'équipe de jour prendrait le relais et les inspecteurs rentreraient se coucher. En attendant, ils se trouvaient dans un petit F1 qui empestait l'alcool et la pisse de chat. Le sol de la cuisine était jonché d'arêtes et des restes de plusieurs têtes de poisson.

– Pourquoi il a buté le chat, d'après toi ? interrogea Monroe.

– Peut-être qu'il aboyait, suggéra Monoghan.

– Y a des bouquins où c'est un chat qui trouve le coupable.

– Y a des bouquins où c'est toutes sortes d'amateurs qui trouvent le coupable.

Monroe consulta sa montre et demanda :

– Bon, vous avez l'affaire en main ?

– Bien sûr, répondit Carella.

– Si vous avez besoin d'avis ou de conseils, vous nous donnez un coup de fil.

– En attendant, vous nous tenez au courant.

– En trois exemplaires, rappela Monoghan.

Dans la chambre, il y avait un grand lit, couvert d'un édredon qui semblait d'origine étrangère, et une commode qui, sans le moindre doute, provenait d'Europe, avec des poignées tarabiscotées, des ornements peints sur le dessus et les côtés. Les tiroirs contenaient des dessous, des chaussettes et des collants, des pulls et des blouses. Dans celui du haut, une boîte à bonbons en fer-blanc renfermait des bijoux de pacotille.

La pièce n'avait qu'un placard, bourré de vêtements qui avaient dû être élégants une bonne cinquantaine d'années plus tôt mais étaient maintenant terriblement démodés et, dans la plupart des cas, élimés et troués. Une faible odeur de moisi s'échappait du placard. De moisi et de vieux. Grand âge des habits, grand âge de la femme qui les avait jadis portés. Il émanait de cet endroit une ineffable impression de tristesse.

Silencieusement, ils se mirent au travail.

Dans la salle de séjour, ils remarquèrent un lampadaire avec un abat-jour à franges.

Des photos noir et blanc encadrées de gens étranges dans des lieux étrangers.

Un sofa aux pieds sculptés, des coussins en piteux état et des têtières en dentelle jaunie.

Un tourne-disque avec un 78 tours sur le plateau. Carella se pencha pour déchiffrer la vieille étiquette rouge RCA Victor ornée de l'image du chien fixant le pavillon d'un antique phonographe :

Des 78 tours et des 33 étaient empilés sur la table à côté du tourne-disque.

Contre un mur, un piano droit, aux touches couvertes de poussière. A l'évidence, personne n'en avait joué depuis longtemps. C'est quand ils soulevèrent le dessus du banc qu'ils trouvèrent l'album de coupures de presse.

On doit se poser des questions sur ce genre d'album. A-t-il été créé et tenu par la personne qui en est le sujet ou par un tiers ?

Rien n'indiquait qui avait laborieusement rassemblé et collé les diverses coupures de presse et autres documents réunis dans l'album.

La première page présentait un programme de l'Albert Hall de Londres, où une pianiste russe de vingt-trois ans nommée Svetlana Dyalovich avait fait des débuts triomphaux dans le *Concerto en si bémol mineur* de Tchaïkovski, avec Leonard Horne dirigeant le London Philharmonic. Les critiques rassemblées du *Times*, du *Spectator* et du *Guardian* ne tarissaient pas d'éloges sur la « prodigieuse musicienne », la « virtuose », et s'émerveillaient de son « tempérament électrique », de sa « capacité d'excitation animale », de son « génie physique pour atteindre les sommets de la sonorité et de la vitesse d'exécution ».

La critique du *Times* résumait toutes les autres par cette phrase : « Le piano, sous les mains de Mlle Dyalovich, était un second orchestre, presque aussi puissant et en tout cas aussi éloquent que le premier. La musique était aérienne, superbe, assez riche en couleurs et en sentiments pour satisfaire le compositeur lui-même. Il faut souligner ici l'accueil le plus délirant qu'un pianiste ait reçu depuis maintes saisons à Londres, l'apparition d'un nouveau talent pianistique qui ne peut être ignoré ou minimisé. »

Suivait un concert tout aussi triomphal au Carnegie Hall de New York, six mois plus tard, puis trois concerts en Europe, le premier avec l'orchestre de la Scala de Milan, le deuxième avec l'Orchestre symphonique de Paris, le troisième avec le Concertgebouw des Pays-Bas. Coup sur coup, elle avait offert dix récitals en Suède, en

Norvège et au Danemark, avant d'en donner cinq autres en Suisse et de terminer l'année par des concerts à Vienne, Budapest, Prague, Liège, Anvers, Bruxelles et, de nouveau, Paris. Rien d'étonnant donc à ce qu'en mars de l'année suivante *Time* eût fait l'honneur d'un portrait à la musicienne de génie alors âgée de vingt-quatre ans. La couverture du magazine montrait une grande femme blonde en robe noire, assise devant un piano à queue, longs doigts minces posés sur les touches, sourire confiant aux lèvres.

Ils tournèrent les pages.

Année après année, les critiques saluaient ses extra-ordinaires dons d'interprète. L'accueil était partout le même dans le monde. Des formules comme « talent à couper le souffle », « technique conquérante », « puissance léonine » se répétaient dans tout ce qu'on écrivait sur elle. On eût dit que les critiques ne trouvaient pas de vocabulaire assez riche pour décrire l'art de cette femme phénoménale. A l'âge de trente-quatre ans, elle avait épousé un imprésario autrichien nommé Franz Helder...

– Nous y voilà, dit Hawes. Mrs Helder.

– Mouais.

... et donné naissance un an plus tard à son seul enfant, qu'ils avaient appelé Maria, du nom de la mère de son mari. A quarante-trois ans, quand Maria en avait neuf, vingt ans exactement après qu'une jeune fille de Russie eut pris la ville d'assaut, Svetlana était retournée à Londres pour un concert commémoratif à l'Albert Hall. Le critique du *Times*, avec un notable manque de retenue britannique, qualifia la soirée de « sublime » et compara Svetlana à une « tornade venue des steppes ».

Pendant dix ans, elle était ensuite restée absente des salles de concert. « Je n'aime pas voyager, avait-elle confié aux journalistes. J'ai peur de prendre l'avion et je n'arrive pas à dormir dans le train. En outre, Maria devient une jeune fille, elle a besoin de toute mon attention. » Pendant cette période, Svetlana s'était consacrée exclusivement à des enregistrements pour RCA Victor, chez qui elle commença par graver dans la cire l'œuvre de ses débuts, le *Concerto en si bémol mineur* de Tchaïkovski, puis le *Concerto en ré mineur* de Brahms, l'une de ses œuvres préférées. Elle avait ensuite interprété des œuvres de Mozart, Prokofiev, Schumann, Rachmaninov, Beethoven, Listz, respectant toujours scrupuleusement les intentions du compositeur, ce qui incita un critique admiratif à écrire : « Ces enregistrements révèlent que Svetlana Dyalovich est avant tout une musicienne consommée, attentive au plus haut point aux directions indiquées par le compositeur. »

Peu après la mort de son mari, Svetlana était revenue sur scène en triomphatrice, délaissant Carnegie Hall en faveur du théâtre de son premier succès, l'Albert Hall de Londres. Les billets pour cet unique récital s'étaient vendus en une heure et demie. Svetlana avait alors cinquante-trois ans, sa fille, dix-neuf. L'artiste avait joué la *Toccata en* do *majeur* de Bach-Busoni, la *Fantaisie en* do de Schumann, la sonate n° 9 de Scriabine, et une mazurka de Chopin, avant que le public, debout, ne l'acclame longuement.

Mais ensuite...

Silence.

Après ce concert donné trente ans plus tôt, il n'y avait plus rien dans l'album. Comme si cette artiste fabuleuse avait tout bonnement disparu de la surface de la terre.

Jusqu'à ce jour.

Où une femme que le gérant de l'immeuble connaissait sous le nom de Mrs Helder gisait morte sur le sol d'un appartement glacé, à minuit et demi, par la plus froide des nuits.

Ils refermèrent l'album.

L'hypothèse avancée par Monoghan et Monroe semblait plausible. Une femme descend s'acheter une bouteille, un voleur pénètre par la fenêtre en pensant que l'appartement est vide. La plupart des appartements sont cambriolés dans la journée, quand on peut raisonnablement présumer que l'endroit sera désert. Mais il y a parmi les casseurs des junkies désespérément en manque, ou des débutants, qui pénètrent dans un appartement quand l'envie leur en prend, à n'importe quelle heure du jour ou de la nuit, pourvu qu'il y ait quelque chose à rafler. Bon, supposons que le type ne voit pas de lumière à l'intérieur ; il fracture la fenêtre – bien que les techniciens n'aient relevé aucune trace d'effraction –, il entre, il habitue ses yeux à l'obscurité et à la configuration des lieux, quand il entend une clef glisser dans la serrure ; la porte s'ouvre, la lumière s'allume, et une vioque s'avance dans la pièce, un sac en papier brun d'une main, un sac à main de l'autre. Il panique. Lui tire dessus avant qu'elle ait le temps de crier. Abat aussi le chat pour faire bonne mesure. En bas, dans l'entrée, un homme entend les coups de feu, se met à gueuler. Le gardien rapplique, appelle la police. Mais le casseur s'est enfui depuis longtemps.

– Vous aurez besoin du sac à main ? voulut savoir un des techniciens.

Carella, qui fouillait avec Hawes le petit bureau du living, se retourna.

– Parce que nous, on a fini, ajouta le technicien.

– Des empreintes ?

– Juste quelques-unes, toutes petites. Celles de la victime, sûrement.

– Qu'est-ce qu'il y a, dans le sac ?

– Rien. Il est vide.

– Vide ?

– Le voleur a dû le vider par terre et prendre ce qu'il y avait dedans.

Carella réfléchit.

– D'abord, il la flingue, tu penses ? Ensuite, il vide le sac par terre et il fauche ce qu'il y avait dedans ?

– Ben... ouais, fit le technicien.

Même à lui, ce scénario semblait ridicule.

– Pourquoi il ne s'est pas juste tiré avec le sac ?

– Ils font des trucs bizarres, tu sais bien.

– Ouais, convint Carella.

Il se demandait s'il y avait de l'argent dans le sac quand la vieille dame était descendue acheter sa gnôle.

– Fais voir...

Le technicien lui tendit le sac. Carella regarda à l'intérieur, le retourna, regarda de nouveau. Rien.

– Steve ?

Cotton Hawes, resté près du bureau.

– Un portefeuille, dit-il, montrant l'objet.

Ils y trouvèrent une carte Visa avec une photo d'identité de la dénommée Svetlana Helder dans le coin supérieur gauche.

Ainsi que trois cents dollars en billets de dix, de cinq et de un.

Carella se demanda si elle avait un compte chez le marchand de vins du coin.

Ils ressortaient de l'appartement quand une femme qui se tenait sur le seuil de sa porte, au bout du couloir, leur dit d'un ton hésitant :

– Pardon...

Hawes la détailla.

Vingt-sept, vingt-huit ans, estima-t-il, brune et svelte, avec des traits quelque peu typés qui indiquaient des origines orientales, ou tout au moins méditerranéennes. Des yeux d'un marron très sombre. Pas de maquillage ni de vernis à ongles. Elle serrait un châle écossais rouge autour de ses épaules, sur un peignoir de bain. Aux pieds, des pantoufles fourrées de peau de mouton. Il faisait légèrement plus chaud dans le couloir que dehors, dans la rue. Légèrement. Dans la plupart des immeubles de la ville, on arrêtait le chauffage vers minuit, et il était une heure moins le quart.

– Vous êtes de la police?

– Oui, répondit Carella.

– Je suis sa voisine...

Ils attendirent.

– Karen Todd...

– Inspecteur Carella. Mon collègue, l'inspecteur Hawes.

Aucun des policiers ne tendit la main. Non parce qu'ils étaient de sales machos, mais parce que les flics serrent rarement la main des « civils ». De même que les flics ne trimballent jamais de parapluie. Vous voyez un type qui se tient à un coin de rue sous une pluie battante, les mains dans les poches, vous pouvez parier que c'est un flic.

– J'étais sortie, dit Karen. Le gardien m'a raconté qu'on l'a tuée.

– Oui, c'est exact, confirma Carella en observant les yeux de la femme.

Pas un battement de cils. Elle eut un hochement de tête quasi imperceptible.

– Je ne vois pas qui aurait pu lui vouloir du mal, fit-elle. Une femme si gentille...

– Vous la connaissiez bien? demanda Hawes.

– On bavardait de temps en temps. Ç'avait été une grande pianiste, vous savez? Svetlana Dyalovich – c'était son nom d'artiste.

Une pianiste, songeait Hawes. Une artiste superbe qui avait fait la couverture de *Time*.

– Avec des mains toutes déformées, maintenant, soupira Karen, en secouant la tête.

Les policiers la regardèrent.

– L'arthrite, expliqua-t-elle. Elle avait mal tout le temps. Vous avez remarqué qu'on ne peut pas ouvrir les flacons de pilules contre la douleur? Parce qu'en Amérique c'est plein de dingues qui cherchent à faire du mal aux gens. Qui est-ce qui aurait pu vouloir lui faire du mal? se demanda-t-elle de nouveau en secouant la tête. Elle souffrait déjà tellement. L'arthrite. Ostéo-arthrite, comme dit son médecin. J'y suis allée une fois avec elle. Chez son docteur. Il m'a dit qu'il la mettait sous Volta-rène parce que la Naprosyne ne lui faisait plus d'effet. Il n'arrêtait pas d'augmenter les doses. Quelle tristesse.

– Vous la connaissiez depuis longtemps? dit Carella.

Autre façon de demander « vous la connaissiez bien? » Il ne pensait pas une seconde que Karen Todd avait quelque chose à voir dans le meurtre de sa voisine, mais sa bonne vieille mère lui avait dit un jour que tout homme est suspect jusqu'à ce qu'on vérifie ses déclarations. Ou toute femme, en l'occurrence. Toute personne, diraient les débiles adeptes du « politiquement correct », ce qui est encore pire que trafiquer les bocaux et les bouteilles sur les rayonnages des supermarchés.

– J'ai fait sa connaissance quand j'ai emménagé ici.

– C'était quand?

– Il y a un an, en octobre. Le 15, en fait.

Date de naissance de grands hommes, pensa Hawes, sans le dire.

– Ça fait plus d'un an que je vis ici, reprit Karen. Quatorze mois, en fait. Pour ma pendaison de crémaillère, elle m'avait apporté une miche de pain et une boîte de sel. Ça porte chance, il paraît. Elle était russe, vous savez. Ils avaient des traditions, là-bas. On n'a plus de traditions en Amérique.

Faux, pensa Carella. Le meurtre en est devenu une.

– C'était une vedette, là-bas. Ici aussi, en fait.

Énervants, ces tics verbaux, pensa Hawes.

– Elle me racontait qu'elle jouait pour les rois et les reines dans le monde entier, en fait. Elle avait beaucoup de souvenirs.

– Elle vous racontait ça quand?

– Oh! l'après-midi. Nous prenions le thé ensemble de temps en temps.

– Chez elle?

– Oui. Encore une tradition. Le thé. Elle avait un service à thé ravissant. C'était moi qui servais, à cause de ses mains. Nous bavardions, nous écoutions des disques qu'elle avait enregistrés quand elle était célèbre. Et nous prenions le thé en fin d'après-midi. Cela me faisait penser à T.S. Eliot.

Moi aussi, ça me fait penser à T.S. Eliot, pensa Hawes, sans le dire.

– Alors, quand vous dites que vous la connaissiez juste assez pour bavarder avec elle, vous incluez ces après-midi chez elle...

– Oh! oui.

– ... quand vous écoutiez de la musique ensemble.

– Oui. Chez moi aussi, en fait. Certains soirs, je l'invitais pour un petit dîner. Elle était seule, solitaire, et... bon, je voulais l'empêcher de commencer à boire trop tôt. Elle avait tendance à boire sec, le soir.

– Sec?

– C'est-à-dire... Elle commençait le matin, dès qu'elle se levait, en fait. Mais le soir... elle buvait parfois à tomber ivre morte.

– Comment le savez-vous? demanda Hawes.

– Elle me l'avait avoué. Elle était très franche avec moi. Elle savait qu'elle avait un problème.

– Elle cherchait à le régler?

– Elle avait quatre-vingt-trois ans. Qu'est-ce qu'elle aurait pu y faire? En plus de son arthrite, elle devait por-

ter un Sonotone, et, dernièrement, elle avait commencé
à entendre des sifflements dans sa tête, un bruit de
bouilloire, vous voyez? Et quelquefois un grondement,
comme une grosse machine. C'était vraiment insupportable. Son oto-rhino voulait l'envoyer chez un neurologue pour faire des analyses, mais elle avait peur.

— Ça remonte à quand? voulut savoir Hawes.

— Avant Thanksgiving. C'était tellement triste, tout
ça.

— Ces thés, ces petits dîners... commença Carella. Il
n'y avait jamais personne d'autre que vous et Miss Dyalovich?

Il préférait ça à Mrs Helder. La couverture de *Time*...
Il ne faudrait jamais finir en Mrs Helder.

— Non, juste nous deux. En fait, je ne crois pas qu'elle
avait d'autres amis. Elle m'avait dit un jour que tous les
gens qu'elle avait connus quand elle était jeune et
célèbre étaient morts maintenant. Elle n'avait que moi,
je pense. Et la chatte. Elle était très attachée à cette
pauvre Irina. Qu'est-ce qui va lui arriver? Elle ira dans
un refuge?

— Mademoiselle Todd, il a aussi tué la chatte, dit
Hawes.

— Oh! mon Dieu. Oh! mon Dieu, fit Karen, qui resta
un moment silencieuse. Elle descendait de bonne heure
tous les matins pour lui acheter du poisson frais, vous
vous rendez compte? Aussi froid qu'il fasse, une vieille
dame arthritique. Irina adorait le poisson.

Les yeux marron de Karen s'emplirent de larmes, et
Hawes eut envie de la prendre dans ses bras pour la
consoler. Au lieu de quoi, il demanda :

— Elle a de la famille?

Des gens à prévenir, pensa Carella, soupirant presque.

— Une fille mariée, à Londres.

— Vous connaissez son nom?

— Non.

— Et dans ce pays?

— Une petite-fille, je crois, quelque part dans cette
ville.

— Vous l'avez rencontrée?

— Non.

24

– Et son nom, vous le connaissez?

– Non, désolée.

– Miss Dyalovich vous aurait-elle parlé de coups de téléphone ou de lettres de menace?

– Non.

La routine, pensait Carella.

– Aurait-elle remarqué quelqu'un rôdant autour de l'immeuble...?

– Non.

– Qui l'aurait suivie...?

– Non.

– Vous lui connaissiez des ennemis?

– Non.

– Quelqu'un avec qui elle aurait entretenu une brouille?

– Non.

– Avec qui elle se serait disputée?

– Non.

– Quelqu'un avec qui elle était en mauvais termes?

– Non.

– Elle avait des dettes?

– J'en doute.

– Quelqu'un lui devait de l'argent?

– Elle vivait de l'aide sociale. Quel argent elle aurait pu prêter?

Une célébrité des six continents, qui finit par vivre de l'aide sociale dans un immeuble pouilleux de Lincoln, pensa Hawes. A boire du thé et du whisky. A écouter ses vieux 78 tours. Les mains toutes noueuses.

– Cette petite-fille, vous ne l'avez jamais vue?

– Non, je ne l'ai jamais rencontrée. Je vous l'ai dit.

– Là, je vous demande si vous ne l'avez jamais vue. Sortant de l'appartement, par exemple. Ou dans le couloir. Est-ce qu'elle rendait visite à sa grand-mère? C'est ce que je vous demande.

– Ah! non. Je crois qu'elles ne s'entendaient pas.

– Alors, il y a bien quelqu'un avec qui elle était en mauvais termes, fit observer Carella.

– Oui, mais dans la famille, répondit Karen, écartant la remarque d'un haussement d'épaules.

– C'est Miss Dyalovich qui vous avait dit qu'elle ne s'entendait pas avec elle?

– Oui.

– Quand?

– Oh! il y a deux, trois mois.

– C'est venu comme ça?

– Non, elle se plaignait de ce que sa fille unique vive si loin d'elle, à Londres...

– Et comment est-ce que ça a débouché sur la petite-fille?

– Eh bien, elle a dit que si seulement elle s'entendait mieux avec Priscilla...

– C'est comme ça qu'elle s'appelle? fit aussitôt Hawes. La petite-fille?

– Oh! oui. Je suis navrée, ça vient juste de me revenir.

– Priscilla comment?

– Je ne sais pas.

– Ça vous reviendra peut-être.

– Non, je ne l'ai jamais su, je crois bien.

– La notice nécrologique nous l'apprendra, dit Carella.

Il était exactement une heure du matin.

L'homme qui tenait la boutique de vins et spiritueux leur déclara que son meilleur soir, c'était le samedi. Il vendait plus dans l'heure qui précédait la fermeture, le samedi soir, que n'importe quel autre jour de l'année. Le seul soir où il vendait plus, c'était celui du réveillon du Nouvel An. Et plus encore quand le réveillon tombait un samedi.

– Le plus gros soir de l'année, dit-il. Je pourrais rester ouvert toute la nuit et vendre tout ce qu'il y a dans la boutique.

On était déjà dimanche, mais le commerçant avait l'impression que c'était encore samedi. On se serait cru aussi encore à Noël, bien qu'on fût déjà le 21 janvier, avec le petit sapin qui clignotait en vert et rouge dans la vitrine. De petites pancartes en carton accrochées au plafond répétaient inlassablement JOYEUSES FÊTES, et le dessus des tables et des comptoirs était couvert de bouteilles enveloppées de papier-cadeau.

Le propriétaire du magasin s'appelait Martin Keely.

Petit bonhomme trapu avec un nez d'ivrogne et des bretelles assorties, il devait avoir soixante-huit, soixante-neuf ans, par là. Il ne cessait d'interrompre leur conversation pour servir de nouveaux clients. A cette heure de la nuit, il vendait surtout du mauvais vin à des mendiants qui entraient chez lui d'un pas traînant avec la recette de la journée. Cette ville changeait après minuit. On voyait des gens différents dans les rues, sur les trottoirs. Dans les boîtes et les bars encore ouverts. Dans le métro et les taxis. Une ville différente, peuplée d'habitants différents.

L'un d'eux avait tué Svetlana Dyalovich.

— A quelle heure elle est venue, vous vous en souvenez? demanda Hawes.

— Vers onze heures.

Ce qui collait plus ou moins. Le type en bas dans l'entrée avait entendu les coups de feu à onze heures vingt environ. Le gardien avait appelé le 911[1] cinq minutes après.

— Qu'est-ce qu'elle a acheté?

— Du Four Roses.

La marque de la bouteille qu'elle avait laissé tomber par terre quand on lui avait tiré dessus.

— A combien?

— Huit dollars quatre-vingt-dix-neuf.

— Elle a payé comment?

— En liquide.

— La somme exacte?

— Qu'est-ce que vous voulez dire?

— Elle avait l'appoint?

— Non, elle m'a donné un billet de dix dollars. Je lui ai rendu la monnaie.

— Où elle l'a mise?

— Dans son porte-monnaie. Elle a sorti un billet de dix de son sac, elle me l'a donné. Je lui ai rendu un dollar et un *cent*, elle les a mis dans son porte-monnaie.

— Le dollar, en pièces aussi?

— Non, c'était un billet.

— Et vous dites qu'elle a mis l'argent dans son sac?

1. L'équivalent de Police-Secours. (N.d.T.)

– Non, dans son *porte-monnaie*[1]. Un petit porte-monnaie. Pour mettre les pièces. Avec un fermoir en haut, qu'on ouvre par une pression du pouce et de l'index. Un porte-monnaie, quoi, conclut le commerçant, qui commençait à montrer un énervement immotivé. Vous savez ce que c'est, un porte-monnaie? Un porte-monnaie, c'est pas un sac à main. C'est un porte-monnaie. Personne ne sait plus parler anglais dans cette ville?

– Où elle l'a mis, ce porte-monnaie? demanda Carella d'une voix calme.

– Dans la poche de son manteau.

– Le vison, dit-il en hochant la tête.

– Non, elle portait pas un vison. Elle portait un manteau en drap.

Les inspecteurs le regardèrent.

– Vous en êtes sûr? demanda Hawes.

– Certain. Un tissu bleu de mauvaise qualité. Un foulard sur la tête – en soie, je crois. Joli. Mais il avait connu des jours meilleurs.

– Un manteau de drap et un foulard en soie, dit Carella.

– Ouais.

– Vous dites que quand elle est venue ici, hier soir, à onze heures...

– Non, je dis pas ça du tout.

– Elle ne portait pas un manteau de drap et un foulard en soie?

– Je ne dis pas qu'elle est venue hier soir à onze heures.

– Quelle heure était-il, alors?

– Oh! il était onze heures. Mais c'était hier matin.

Ils trouvèrent le porte-monnaie dans la poche d'un manteau bleu accroché dans le placard de la chambre.

Il contenait un dollar et un *cent*.

1. En anglais, le mot *purse* signifie « bourse », « porte-monnaie ». Aux États-Unis, il peut aussi signifier « sac à main ». *(N.d.T.)*

2

En 1909, il y avait quarante-quatre journaux du matin dans cette ville. En 1929, ce nombre était tombé à trente. Trois ans plus tard, du fait des progrès techniques, de la concurrence, de la standardisation du produit, des erreurs de gestion et, soit dit en passant, de la Grande Crise, leur nombre se réduisit à trois. Il n'en restait aujourd'hui plus que deux.

Pour ne pas devoir attendre quatre ou cinq heures du matin, quand les quotidiens arriveraient dans les kiosques, les inspecteurs téléphonèrent au journal populaire du matin, à tout hasard, même s'ils ne pensaient pas qu'il publierait une notice nécrologique sur une pianiste de concert, aussi célèbre eût-elle été. Il s'avéra qu'ils se trompaient : le journal monta l'affaire en épingle, mais uniquement parce que Svetlana vivait dans l'anonymat et la pauvreté après trente ans de gloire, et que sa petite-fille... mais c'était une autre histoire.

Hawes eut au téléphone le rédacteur chargé de la rubrique nécrologique au quotidien dit sérieux, un homme extrêmement coopératif, disposé à lire toute la notice, jusqu'à ce que Hawes lui assure que tout ce qu'il désirait, c'étaient les noms des membres vivants de la famille de Miss Dyalovich. Le rédacteur sauta au dernier paragraphe, celui qui précisait que Svetlana avait laissé une fille, Maria Stetson, qui vivait à Londres, et une petite-fille, Priscilla Stetson, qui vivait ici même dans la grande méchante ville.

– Vous savez qui c'est, n'est-ce pas? dit le rédacteur.

– Oui, bien sûr, répondit Hawes, croyant qu'il parlait de Svetlana.

– Nous ne l'avons pas mentionné dans la notice parce qu'en principe, elle porte exclusivement sur la personne décédée.

– Je ne vous suis pas.

– La petite-fille. C'est Priscilla Stetson. La chanteuse.

– Ah! bon? Quel genre de chanteuse?

– Boîte de nuit. Piano-bar. Cabaret. Des trucs comme ça.

– Et vous ne sauriez pas où elle chante, par hasard?

Dans cette ville, un grand nombre de sans-logis dormaient le jour et rôdaient la nuit. La nuit est dangereuse pour eux; il y a des prédateurs un peu partout, et une caisse en carton n'offre qu'une mince protection contre un individu déterminé à voler ou à violer. Alors ils errent dans les rues tels des spectres, ajoutant une note stygienne au paysage nocturne.

Les réverbères sont allumés. Les feux de circulation passent du rouge à l'orange et au vert tout au long de la nuit, mais la ville semble obscure. Ici ou là, la lumière d'une salle de bains s'allume. Sur la façade par ailleurs uniformément grise d'un immeuble d'habitation, une lampe brûle dans la chambre d'un insomniaque. Les immeubles de bureaux étincellent de lumière, mais seules s'y affairent les femmes de ménage préparant les espaces pour la journée de travail qui commence lundi matin à neuf heures. Cette nuit – on a encore l'impression que c'est la nuit, même si le matin est déjà vieux d'une heure et demie –, les câbles des ponts qui enjambent le fleuve sont festonnés de lumières vives qui se reflètent dans les eaux noires, en bas. Pourtant, tout semble terriblement sombre, peut-être parce que la ville est déserte.

A une heure et demie du matin, le public des théâtres est au lit depuis longtemps, et bon nombre de bars d'hôtel sont fermés depuis une demi-heure, déjà. Les boîtes et les discothèques resteront ouvertes jusqu'à quatre heures, limite légale pour servir des boissons alcoolisées, et heure à laquelle les *delis* et les *diners* commencent à servir le petit déjeuner. Les clandés tourneront jusqu'à six heures, mais, pour le moment et dans la plupart des quartiers, la ville demeure silencieuse comme une tombe.

De la vapeur s'échappe en sifflant des plaques d'égout.

Des taxis jaunes filent, éclairs murmurés, dans les rues désertes.

Une photo en noir et blanc de Priscilla Stetson était posée sur un chevalet devant l'entrée du Café Mouton, à l'hôtel Powell. Comme sur un plan d'identification dans un film d'amateur, les lettres au-dessus de la photo annonçaient *Miss Priscilla Stetson*. Dessous, cette précision, rédigée avec les mêmes caractères :

maintenant de 21 h à 2 h.

La femme sur la photo aurait pu être Svetlana Dyalovich sur la couverture de *Time*. Mêmes cheveux de lin tombant droits sur les épaules et coupés à la chien sur le front. Mêmes yeux pâles. Mêmes hautes pommettes slaves. Mêmes nez impérial et sourire confiant.

La femme assise au piano, vêtue d'une longue robe noire au décolleté osé, pouvait avoir une trentaine d'années. L'étendue de chair d'un blanc crémeux allant de la poitrine au cou était interrompue à la gorge par un collier en argent clouté de pierres blanches et noires. Elle chantait « Gently, Sweetly » quand les inspecteurs entrèrent et s'installèrent au bar, sur des tabourets. Deux douzaines de clients avaient pris place aux tables dispersées dans la salle exiguë, éclairée par des bougies. Il était deux heures moins vingt.

D'un baiser
Dans la brume de la côte
Bois mes lèvres
Et murmure
Je t'adore...
Doucement,

Tendrement,
Totalement,
Prends-moi,
Fais-moi tienne.

Priscilla Stetson plaqua le dernier accord de la chanson, baissa la tête, posa un regard plein de respect sur ses mains immobiles sur le clavier. Sous une salve d'applaudissements, elle murmura dans le micro du piano : « Merci beaucoup. » Releva la tête, rejetant en arrière les longs cheveux blonds. « Je vais faire une courte pause avant la dernière partie, alors, si vous voulez commander quelque chose avant la fermeture, c'est le moment. » Clin d'œil, large sourire. Après un petit riff de signature, elle se leva et se dirigeait vers une table occupée par deux hommes massifs lorsque les policiers se levèrent de leurs tabourets pour l'intercepter.

— Miss Stetson ? fit Carella.

Elle se retourna, souriante, l'artiste prête à saluer un admirateur. Avec ses hauts talons, elle devait faire un mètre soixante-quinze, soixante-dix-huit, et ses yeux bleu-gris étaient presque au niveau des siens.

— Inspecteur Carella, dit-il. Mon collègue, l'inspecteur Hawes.

— Oui ?

— Miss Stetson, je suis désolé de devoir vous annoncer la nouvelle, mais...

— Ma grand-mère, coupa-t-elle aussitôt, plus sûre d'elle qu'alarmée.

— Oui. Je suis navré. Elle est morte.

Priscilla Stetson hocha la tête.

— Que s'est-il passé ? Elle est de nouveau tombée dans sa baignoire ?

— Non, on lui a tiré dessus.

— Tiré dessus ? Ma grand-mère ?

— Je suis désolé, répéta Carella.

— Bon Dieu, mais qui... ? commença-t-elle. (Elle secoua la tête.) Dans cette ville... Où est-ce arrivé ? Dehors, dans la rue ?

— Non. Dans son appartement. Un cambrioleur, peut-être.

Ou peut-être pas, pensa Hawes, sans le dire, laissant Carella continuer à mener le jeu. C'était la partie la plus pénible du travail d'un policier : prévenir la famille que quelque chose de terrible était arrivé. Carella faisait du bon boulot, merci, pas la peine de l'interrompre. Pas à deux heures moins le quart, alors que le monde entier roupillait.

— Elle était ivre ? demanda Priscilla.

Carrément.

— Nous n'avons pas encore procédé à l'autopsie, répondit Carella.

— Elle était ivre, probablement.

— Nous vous le ferons savoir, dit Carella.

Avec plus de dureté qu'il ne l'avait souhaité – ou peut-être *exactement* comme il l'avait souhaité.

— Miss Stetson, poursuivit-il, s'il s'agit bien de ce que tout semble indiquer, un cambrioleur surpris dans son travail, nous cherchons une aiguille dans une botte de foin. Parce qu'il aura pris cet appartement au hasard, vous comprenez ?

— Oui.

— Par contre, si c'est quelqu'un qui voulait sa mort, et qui a pénétré chez elle dans l'intention délibérée de l'assassiner...

— Personne ne voulait sa mort.

— Comment le savez-vous ?

— Elle était déjà morte. Plus personne ne savait qu'elle existait. Pour quelle raison quelqu'un aurait pris la peine de lui tirer dessus ?

— Quelqu'un l'a fait, en tout cas.

— Un cambrioleur, alors. Comme vous le disiez.

— Le problème, c'est que rien n'a été volé.

— Qu'est-ce qu'il y avait à voler ?

— A vous de nous le dire.

— Comment ça ?

— Apparemment, il n'y avait aucun objet de valeur dans l'appartement – mais y en avait-il avant le passage du cambrioleur ?

— Quoi, par exemple ? Les bijoux de la couronne du tsar ? Ma grand-mère n'avait même pas un pot de chambre pour pisser. Ce qu'elle touchait de l'aide sociale, elle le buvait. Elle était ivre du matin au soir. C'était une pathétique vieille garce pleurnicheuse, une artiste déchue qui n'avait de précieux que ses souvenirs. Je la haïssais.

Mais dis-nous ce que tu ressens vraiment, pensa Carella.

Il n'aimait pas beaucoup cette jeune femme à la beauté innée, aux manières acquises de fille dessalée de la grande ville. Il se serait bien passé d'être là à lui parler, mais il n'aimait pas non plus les cambriolages qui tournent au meurtre, surtout quand il n'y a peut-être pas eu cambriolage, pour commencer. Et même si c'était à l'arraché, il allait apprendre quelque chose sur la grand-mère de cette femme, n'importe quoi sur la grand-mère qui l'aiderait à résoudre l'affaire d'une manière ou d'une autre. Si quelqu'un avait voulu sa mort, bon, très bien, ils le chercheraient jusqu'à ce que l'enfer se transforme en banquise. Sinon, ils rentreraient à la brigade et attendraient un mois, un an, cinq ans qu'un camé se fasse coincer pour un cambriolage et avoue avoir tué une vieille quand toi et moi nous étions jeunes, Maggie. D'ici là...

— Quelqu'un d'autre est animé des mêmes sentiments? demanda-t-il.

— Qu'est-ce que vous voulez dire?

— Vous la haïssiez, dites-vous.

— Quoi? Si c'est *moi* qui l'ai tuée? Allons. Je vous en prie.

— Un problème, Priss?

Surpris, Carella se retourna. L'homme qui se tenait près de lui était l'un de ceux que la chanteuse s'apprêtait à rejoindre quand il l'avait interceptée. Avant même de repérer le flingue glissé dans un holster sous la veste de l'homme, Carella l'aurait étiqueté garde du corps ou truand. Voire les deux. Haut de deux mètres, et accusant probablement cent dix kilos sur la balance, il se tenait en équilibre sur la demi-pointe des pieds, les poings à demi serrés le long du corps – posture avertissant Carella qu'il pouvait le virer dans la minute si besoin était. Le policier n'en doutait pas.

— Tout va bien, Georgie, répondit Priscilla.

Georgie, soupira intérieurement Carella, et il se raidit en voyant l'autre type se lever et se diriger vers eux. Hawes, soudain, fut lui aussi sur ses gardes.

– Parce que, si ces messieurs te dérangent...

Carella sortit sa brème dans l'espoir de mettre fin à toute discussion.

– Nous sommes de la police.

Georgie regarda la plaque, sans paraître impressionné.

– T'as un problème, Georgie ? fit l'autre en s'approchant.

Son frère jumeau, aucun doute. Même tenue, jusqu'à la quincaillerie sous la veste de costume aux larges épaules. Hawes montra lui aussi son insigne. Ça ne fait jamais de mal de répéter un argument.

– Police, dit-il.

Il doit y avoir de l'écho, dans cette salle, pensa Carella.

– Miss Stetson a des ennuis ? s'enquit le frère jumeau de Georgie.

Cent vingt-cinq kilos de muscles et d'os drapés de Giorgio Armani. Pas de nez cassé, mais, à part ça, le cliché intégral.

– La grand-mère de Miss Stetson a été assassinée, déclara Hawes avec calme. Tout va bien. Pourquoi ne pas retourner à votre table, mm ?

Un murmure parcourut la salle. Quatre costauds qui entouraient la vedette de la boîte, il se passait sûrement quelque chose. Et s'il y a une chose que les gens de cette ville n'aiment pas, c'est les histoires. Au moindre signe d'ennuis, ils relèvent le bas de leurs jupons et courent se réfugier dans les collines. Même les personnes habitant la banlieue de cette ville (et il semblait y en avoir dans la salle), même les personnes étrangères à cette ville (et il semblait y en avoir dans la salle), dès qu'elles reniflent la moindre odeur d'ennuis, elles se carapatent, mec. *Miss Priscilla Stetson, maintenant de 21 h à 2 h* était en grand danger de faire la dernière partie de son tour de chant devant une salle vide.

– C'est à moi, dit-elle, se rappelant soudain l'heure. Nous reprendrons plus tard.

Et elle laissa les quatre hommes plantés là.

Comme des crétins machos qui font inutilement étalage de leur virilité, ils continuèrent un moment de se fusiller du regard, puis ils firent mentalement jouer leurs muscles dans un duel de regards de quelques secondes, avant que les deux flics ne retournent au bar, et les deux Dieu-sait-quoi enfourraillés à leur table. Priscilla, professionnellement au-dessus des pulsions masculines qui se manifestaient, chanta d'une voix chaude une dernière partie composée de « My Funny Valentine », « My Romance », « If I Loved You », et « Sweet and Lovely ». A l'une des tables, une femme demanda à son compagnon pourquoi on n'écrivait plus de chansons d'amour comme ça, ce à quoi il rétorqua : « Parce qu'on écrit maintenant des chansons de haine. »

Il était deux heures du matin.

Georgie (ou son frère jumeau Frankie, ou Nunzio, ou Dominick, ou Foongie) demanda à Priscilla pourquoi elle n'avait pas chanté ce soir l'air du *Parrain*. Elle leur répondit gentiment que personne ne le lui avait réclamé, les embrassa tous deux sur leurs joues respectives et leur souhaita collectivement bonsoir. Carella et Hawes, fins limiers qu'ils étaient, ne savaient toujours pas si ces types étaient gardes du corps ou mafiosi. Priscilla les rejoignit au bar.

— Trop tard pour un verre de champagne ? demanda-t-elle au barman.

Celui-ci savait qu'elle plaisantait et la servit dans une flûte. Des clients quittant la salle vinrent féliciter Priscilla, qui les remercia avec grâce. Elle n'était pas une star, juste une bonne chanteuse dans un petit club d'un modeste hôtel, mais elle savait se conduire. A la façon dont elle buvait son champagne à petites gorgées, ils devinèrent qu'elle buvait peu. Sa grand-mère avait peut-être quelque chose à voir là-dedans. Ce qui les ramenait au cadavre en manteau de vison miteux.

— Je vous l'ai dit, fit-elle, tous ses amis sont morts. Je ne pourrais pas vous donner un seul nom.

— Et les ennemis ? demanda Carella. Tous morts aussi ?

— Ma grand-mère était une vieille femme solitaire qui vivait seule. Elle n'avait ni amis ni ennemis, point.

— Alors, c'est forcément un cambrioleur, hein? suggéra Hawes.

Elle le regarda comme si elle venait de le découvrir. Le détailla des pieds à la tête. Rouquin avec une mèche blanche, des croquenots pointure 47.

— C'est votre boulot, non, d'établir si c'est un cambrioleur ou pas? répliqua-t-elle froidement.

— A propos, elle en avait une, d'amie, corrigea Carella.

— Ah?

— La voisine, au bout du couloir. Elle lui faisait écouter ses vieux disques.

— Je vous en prie. Elle les faisait écouter à qui voulait les entendre.

— Vous la connaissez?

— Qui?

— Karen Todd. Elle habite le même étage que votre grand-mère, au fond du couloir.

— Non.

— Quand l'avez-vous vue vivante pour la dernière fois? demanda Hawes.

— Nous ne nous entendions pas.

— C'est ce que nous avons cru comprendre. Quand, alors?

— Vers Pâques, quelque chose comme ça.

— Ça fait une paie.

— Ouais, dit Priscilla, qui garda un moment le silence. Il faut que je joigne ma mère, je suppose?

— Ce ne serait pas une mauvaise idée, approuva Carella.

— Pour la prévenir.

— Mm.

— Il est quelle heure à Londres?

— Je ne sais pas.

— Cinq ou six heures de plus, c'est ça?

Hawes secoua la tête, haussa les épaules.

Priscilla redevint silencieuse.

Le verre de champagne était vide, à présent.

— Pourquoi la haïssiez-vous? interrogea Carella.

— A cause de ce qu'elle s'est fait à elle-même.

— L'arthrite, ce n'était pas de sa faute, argua Hawes.

– C'était de sa faute si elle buvait.

– Qu'est-ce qui est venu en premier?

– Allez savoir, et de toute façon, peu importe. C'était l'une des plus grandes. Elle a fini comme un zéro.

– Des ennemis? redemanda Carella.

– Je ne lui en connaissais aucun.

– Alors, c'est forcément un cambrioleur, répéta Hawes.

– Tout le monde s'en fout de savoir qui c'était, leur lança Priscilla.

– Pas nous, rectifia Carella.

Il était temps d'arrêter l'horloge.

Le temps s'écoulait trop vite; quelqu'un avait tué la vieille dame et le temps jouait en sa faveur. Plus les minutes passaient, plus la distance augmentait entre lui/elle et les flics. Il était donc temps d'arrêter l'horloge, ce qui n'avait rien de particulièrement ardu dans ce bon vieux 87e. Temps de faire une petite pause, de réfléchir, de donner quelques coups de téléphone, temps de réclamer un temps mort.

Carella appela chez lui.

Quand il était parti la veille à onze heures, son fils Mark était brûlant de fièvre – 38° 9 – et on avait appelé le docteur. Fanny Knowles, la gouvernante des Carella, décrocha à la troisième sonnerie.

– Fanny, je vous réveille?

– Un moment, je vous la passe.

Il attendit. Sa femme ne pouvait ni parler ni entendre. Il y avait chez eux un appareil pour sourd et muet, mais taper de longs messages prenait du temps et c'était fastidieux. Il valait mieux que Teddy s'exprime par signes et que Fanny traduise. Il attendit.

– OK, dit enfin la gouvernante.

– Qu'est-ce que le docteur a dit?

– Rien de grave. Il pense que c'est une grippe.

– Et Teddy, qu'est-ce qu'elle en pense?

– Laissez-moi lui demander.

Il y eut un silence pendant lequel il se représenta les deux femmes, Fanny parlant par signes, Teddy lui répondant, toutes deux en chemise de nuit, la première, robuste Irlandaise d'un mètre soixante-dix, cheveux roux et lunettes à montures dorées, remuant rapidement les doigts dans la langue que Teddy lui avait apprise ; la seconde, un peu plus grande, belle, chevelure aile de corbeau et yeux sombres, remuant les doigts plus vite encore parce qu'elle s'exprimait ainsi depuis l'enfance. La gouvernante revint en ligne.

— Elle dit que ce qui l'inquiétait le plus, c'est quand il a commencé à trembler comme une feuille. Mais il va bien, maintenant, la fièvre est tombée. Elle pense que le docteur a raison, c'est juste une grippe. Mais elle dormira dans la chambre du petit, au cas où. Elle voudrait savoir à quelle heure vous rentrerez.

— Mon service se termine à huit heures, elle le sait.

— Elle se disait qu'avec le gosse malade et tout...

— Fanny, on est sur une affaire de meurtre. Dites-le-lui.

Il attendit. Fanny revint en ligne.

— Elle dit que vous êtes toujours sur une affaire de meurtre.

Carella sourit.

— Je serai de retour dans six heures, annonça-t-il. Dites-lui que je l'aime.

— Elle vous aime aussi.

— Elle l'a dit ?

— Non, c'est moi qui le dis. Il est deux heures du matin, on pourrait peut-être tous aller se recoucher ?

— Moi pas, soupira Carella.

Hawes parlait à un flic de la brigade des Viols appelé Annie Rawles et qui se trouvait être dans son lit à lui. Il lui racontait que depuis qu'il avait pris son service, il avait fait la connaissance d'une jolie femme de type méditerranéen, ainsi que d'une ravissante artiste aux longs cheveux blonds.

— Tu es sûr que c'est une femme, ton artiste ?

Il sourit.

— Qu'est-ce que tu portes ?

— Juste un 38 dans un étui d'épaule, répondit Annie.

– J'arrive.

– Tu parles.

On entendit de nouveau le tic-tac de l'horloge.

Toutes les heures de la journée se ressemblent à la morgue. C'est parce qu'il n'y a pas de fenêtres et que la lumière des tubes fluorescents est, au mieux, neutre. La puanteur aussi est la même jour après jour, palpable pour qui vient de l'extérieur, indécelable pour les médecins légistes qui charcutent les cadavres.

Le Dr Paul Blaney était un homme courtaud, avec une moustache brune rabougrie, des yeux dont tout le monde lui disait qu'ils étaient violets, mais qu'il trouvait lui gris-bleu. Il portait une blouse bleue tachée de sang, des gants de caoutchouc jaune, et était en train de peser un foie quand les inspecteurs entrèrent. Il laissa retomber l'organe dans un bassinet en inox, où l'on eût dit le plat de résistance de la famille Portnoy pour le dîner. Otant l'un de ses gants, dans l'intention probable de leur serrer la main, il se rappela où il venait de fourrer la sienne et remit aussitôt le gant. Il savait pourquoi les policiers étaient là et alla droit aux faits.

– Deux balles dans le cœur, dit-il. En plein dans le mille – ça ne ferait pas un mauvais titre, pour un film.

– C'est déjà fait, je crois, avança Hawes.

– *Dans le mille ?*

– Non, non...

– *Des mille et des cents*, tu veux dire.

– Non, *Deux Balles dans le cœur*, quelque chose comme ça.

– Tu confonds avec *Cœur à cœur*.

– Non, ça c'est une chanson, corrigea Hawes.

– *Coup de cœur*, alors.

– Oui, ça c'était un film. *En plein cœur*, peut-être.

– *Le Valet de cœur ?* proposa Blaney. Ça aussi c'était un film.

Carella faisait aller son regard de l'un à l'autre.

– Y a le mot « cœur » dans le titre, dit Hawes.

Carella continuait à les regarder alternativement. Tout autour d'eux, il y avait des corps ou des morceaux de corps sur les tables, les paillasses. Tout autour d'eux flottait l'odeur de la mort.

— Cœur, cœur, répéta le légiste à mi-voix, réfléchissant. *Au cœur des ténèbres?* On en a fait un film, mais sous le titre d'*Apocalypse Now*.

— Non, mais t'es pas loin.

— Coppola?

— Carella, rectifia Carella, s'étonnant que Blaney, qu'il connaissait depuis au moins un quart de siècle, écorche encore son nom.

— C'est un film de Coppola? demanda le médecin, ignorant la remarque.

— Je sais pas, répondit Hawes. C'est qui, Coppola?

— Le metteur en scène de la série des *Parrain*.

Ce qui rappela à Carella les deux truands du bar de l'hôtel. Ce qui lui rappela la petite-fille de Svetlana, et la raison de leur venue.

— L'autopsie, rappela-t-il à Blaney.

— Deux balles dans le cœur, répéta le légiste. Toutes les deux dans un espace grand comme une pièce d'un demi-dollar. Ce qui ne constitue quand même pas un exploit, parce qu'elles ont été tirées de près.

— De quelle distance?

— Pas plus d'un mètre, un mètre trente, je dirais.

— Elle était soûle? demanda Carella.

— Non. 0,02 gramme d'alcool dans le cerveau, un taux normal. Même chose pour l'urine et le sang.

— Tu peux nous donner une EHM après autopsie?

— Entre onze heures et onze heures et demie, hier soir. A peu près.

Aucune estimation de l'heure de la mort n'était entièrement sûre, ils le savaient tous. Mais celle de Blaney correspondait à l'heure à laquelle le type du hall avait entendu les détonations.

— Autre chose? s'enquit Carella.

— L'examen du crâne a révélé un névrome de Schwan partant du nerf vestibulaire, près du porus acusticus, et s'étendant à la fois au conduit auditif interne...

— En anglais, s'il te plaît.

— Un névrome acoustique...

— Je t'en prie, Paul.

– Bref, une tumeur du nerf auditif. Très grosse, et causant probablement une diminution de l'acuité auditive, des maux de tête, des vertiges, une perturbation du sens de l'équilibre, et un tinnitus.

– Un tinnitus?

– Tintement d'oreilles.

– Oh.

– La chromotographie du sang coagulé a révélé la présence de diclofénac, en quantité indiquant des doses thérapeutiques. Mais la corrélation entre concentration dans le sang et doses est au mieux semi-quantitative. Tout ce que je peux dire, c'est qu'elle en prenait, pas *pourquoi*.

– Mais pourquoi elle en prenait, d'après toi?

– Normalement, pour une autopsie, on n'examine pas les jointures, et je ne l'ai pas fait. Mais il suffit de regarder ses doigts pour avoir une idée de ce qu'une coupe des vertèbres nous montrerait.

– A savoir?

– De petites excroissances de l'os.

– Indiquant quoi?

– De l'arthrite?

– Tu me poses la question?

– Tu sais si elle souffrait ou non d'arthrite?

– Elle en souffrait.

– Nous y voilà, triompha Blaney.

Hawes essayait encore de se rappeler le titre de ce film et demanda à Sam Grossman s'il l'avait vu.

– Je ne vais pas au cinéma, répondit Grossman.

Vêtu d'une blouse blanche de laboratoire, il se tenait devant une paillasse encombrée de tubes à essai, de tubes gradués, de bechers, de spatules, de pipettes et de fioles, le tout conférant à son espace de travail un air d'enquête scientifique contredit par Grossman lui-même. Grand, le visage anguleux, des yeux bleus derrière des lunettes à monture foncée, il ressemblait davantage à un fermier de la Nouvelle-Angleterre préoccupé par la sécheresse qu'au capitaine de police méticuleux dirigeant le labo.

Un ponte mélomane du service avait sans doute décidé que la mort d'une pianiste autrefois célèbre méritait un traitement spécial, ce qui expliquait la rapidité avec laquelle le cadavre et les effets personnels de Svetlana avaient été envoyés respectivement au service médico-légal et au labo, le manteau de vison, la robe tablier, le sweater rose, les collants et les pantoufles étaient tous sur la paillasse de Grossman, dûment étiquetés et ensachés. A une autre table, l'une des assistantes de Grossman se penchait au-dessus d'un microscope. Howes la regarda. Le genre bibliothécaire, estima-t-il – ce qu'il trouvait parfois excitant.

– Pourquoi vous me demandez ça? demanda Grossman.

– Parce que c'est la cause de la mort : deux balles dans le cœur, expliqua Carella.

– Ce que confirme la quantité de sang répandue, dit le légiste en hochant la tête. Rien que le sien, à ce propos. Personne d'autre n'a saigné sur le sweater et la robe – un *shmatte* en coton bon marché qu'on peut acheter dans n'importe quel Woolworth's. Les pantoufles sont en simili-cuir, probablement achetées elles aussi dans un grand magasin. En revanche, le sweater porte l'étiquette d'un grand couturier. Le vison aussi. Il est vieux, mais il a eu de la valeur, autrefois.

Ce qu'on aurait pu dire aussi de la victime, songea Carella.

– Quoi d'autre?

– Je viens juste de recevoir tout ça, protesta Grossman.

– Quand, alors?

– Plus tard.

– Quand, plus tard?

– Demain après-midi.

– Avant, marchanda Carella.

– Magicien, je suis pas, riposta Grossman.

Ils retournèrent à l'appartement, où des rubans de plastique jaune délimitaient encore le lieu du crime. Sur le perron de l'immeuble, un agent en faction, mains derrière le dos, posait un regard morne sur la rue déserte. Il faisait un froid mordant, et, malgré ses oreillettes et son gros manteau d'uniforme, l'homme paraissait gelé. Ils se présentèrent, montèrent. Un autre flic en tenue montait la garde devant la porte de l'appartement 3A, sur laquelle on avait apposé une pancarte LIEU DE CRIME. Quand ils eurent montré leurs insignes, il tira de sa poche une clef avec laquelle il ouvrit le cadenas de la porte.

Derrière une pile de dessous en soie bordés de dentelles, dans le tiroir du bas de la commode, ils dénichèrent une autre boîte à bonbons.

Contenant un livret d'épargne.

Le livret indiquait un retrait, la veille, de cent vingt-cinq mille dollars, ce qui laissait un solde de seize dollars et douze *cents*. Un bordereau était inséré dans le livret à la page où était inscrite l'opération, et en précisait la date et l'heure, 20 janvier 10 h 27.

Soit une demi-heure avant que Svetlana Dyalovich descende acheter une bouteille de Four Roses.

Selon Blaney et le témoin du hall d'entrée, elle avait été tuée douze heures plus tard.

Le locataire du 3D n'appréciait pas particulièrement d'être réveillé à trois heures du matin. Il était en pyjama quand il leur ouvrit la porte en grommelant mais enfila un peignoir en laine et, toujours grommelant, conduisit les inspecteurs dans une étroite cuisine. La petite fenêtre surmontant l'évier était bordée de givre. Dehors, le vent hurlait. Ils gardèrent leurs manteaux et leurs gants.

L'homme – Gregory Turner – alla à la cuisinière, ouvrit la porte du four, alluma les brûleurs, laissa la porte ouverte. Quelques instants plus tard, ils commencèrent à sentir la chaleur s'insinuer dans la pièce. Turner mit un pot de café à chauffer, et un peu plus tard encore, quand il remplit leurs tasses, ils ôtèrent pardessus et gants.

Agé de soixante-neuf ans, c'était un homme d'ordre et d'habitudes, leur dit-il. Il se levait toutes les nuits à trois heures et demie pour faire pipi. Ils l'avaient tiré du lit une demi-heure plus tôt, il n'aimait pas qu'on chamboule son train-train. Il espérait qu'il arriverait à se rendormir quand ils en auraient fini avec lui et qu'il aurait fait son pipi nocturne. Malgré son ton rouspéteur, il se montrait coopératif, hospitalier même. Tels des copains sur le point de partir à la pêche un matin de très bonne heure, les trois hommes sirotaient leur café autour de la table couverte d'une toile cirée. Réchauffant leurs doigts aux tasses fumantes. A la chaleur sortant du four. Le printemps ne semblait pas si loin.

— Ça me tapait sur le système, ces disques qu'elle passait jour et nuit, marmonna Turner. On aurait dit quelqu'un qui faisait des *gammes*. La musique classique, ça me fait toujours cette impression. Comprends pas qu'on éprouve du plaisir à écouter ça. Moi, j'aime le swing, vous savez ce que c'est, le swing ? C'est pas de votre époque. J'ai soixante-neuf ans, je vous l'ai dit ? Je me lève pour aller faire pipi toutes les nuits à trois heures et demie du matin, je redors jusqu'à huit heures, je me relève, je prends mon petit déjeuner, je sors faire une longue marche. Jenny m'accompagnait, avant. Elle est morte l'année dernière. Ma femme. Jenny. On marchait ensemble dans le parc, qu'il fasse beau ou qu'il pleuve. On réglait beaucoup de nos problèmes en marchant. En parlant. Maintenant qu'elle est partie, je n'ai plus de problèmes. Mais elle me manque, terriblement.

Il poussa un long soupir qui refroidit le café de sa tasse.

— Encore un peu ?

— Merci, non, déclina Carella.

— Juste une goutte, dit Hawes.

— Benny Goodman, Glenn Miller, c'était ça, le swing. Harry James, les frères Dorsey, il y avait des trucs fabuleux à cette époque. Un air nouveau sortait, six ou sept orchestres le jouaient. « Blues in the Night », par exemple, il doit bien y avoir une douzaine de versions différentes. Ah ! c'était quelque chose. C'est Johnny Mercer qui l'a écrit. Vous avez entendu parler de Johnny Mercer ?

Les deux inspecteurs secouèrent la tête.

— Il a écrit cette chanson, reprit Turner. Et Woody

Herman a enregistré la meilleure version. Ça, c'était une chanson.

Il se mit à fredonner d'une voix frêle, emplissant le silence de la nuit de coups de sifflet de train se répercutant le long de la voie. Il s'arrêta brusquement, les larmes aux yeux, et les deux policiers se demandèrent s'il avait chanté cet air à Jenny. Ou pour Jenny.

— Les gens, ça va, ça vient, on a à peine l'occasion de leur dire bonjour, encore moins de les connaître. La femme qui s'est fait tuer cette nuit, je crois bien que c'est le gardien qui m'a appris son nom. Tout ce que je savais, c'est qu'elle m'agaçait à repasser toujours ses vieux disques. Quand j'ai entendu les coups de feu, la première chose que je me suis demandé, c'est : Est-ce qu'elle s'est suicidée ? Elle avait l'air drôlement triste, les rares fois où je l'ai aperçue dans l'escalier. Drôlement triste. Toute voûtée et déformée, les yeux chassieux. Oui, drôlement triste. J'ai couru dans le couloir...

— C'était quand ?

— Tout de suite après avoir entendu les coups de feu.

— Vous vous rappelez l'heure qu'il était ?

— Onze heures et quart, par là.

— Vous avez vu quelqu'un dans le couloir ?

— Non.

— Ou sortant de l'appartement ?

— Non.

— La porte était ouverte ou fermée ?

— Fermée.

— Qu'est-ce que vous avez fait, Mr Turner ?

— Je suis descendu frapper à la porte du gardien.

— Vous n'avez pas prévenu la police.

— Non.

— Pourquoi ?

— Pas confiance en la police.

— Et ensuite ?

— Je suis resté dans la rue, pour voir le spectacle. L'arrivée des flics, des ambulances. Des inspecteurs, comme vous. Un vrai cinéma. J'étais pas le seul.

— A regarder, vous voulez dire ?

— A regarder, oui. Il commence pas à faire trop chaud pour vous ?

46

– Un peu.

– Mais si je l'arrête, on va geler de nouveau dans cinq minutes. Qu'est-ce que je dois faire, d'après vous?

– Faites comme vous voudrez, Mr Turner, répondit Hawes.

– Jenny aimait qu'il fasse bien chaud.

Le vieil homme hocha la tête, resta un moment silencieux à fixer ses mains jointes sur la table de cuisine. Elles avaient l'air massives, et, sombres, et d'une certaine façon, inutiles, sur le blanc éclatant de la toile cirée.

Carella le tira de ses réflexions :

– Qui d'autre y avait-il, à regarder le spectacle?

– Oh! surtout des gens de l'immeuble. Certains se penchaient à leur fenêtre, d'autres étaient descendus pour voir ça de plus près.

– Il y avait des gens que vous ne connaissiez pas?

– Oui, bien sûr – tous ces flics.

– A part les flics ou les ambulanc...

– Plein d'autres. Vous savez comment c'est dans cette ville. Dès qu'il se passe quelque chose, vous avez un attroupement.

– Avez-vous vu quelqu'un que vous ne connaissiez pas *sortir* de l'immeuble. A part les flics ou...

– Je vois ce que vous voulez dire. Laissez-moi réfléchir.

Les brûleurs de la cuisinière sifflaient dans le silence de l'appartement. Quelque part dans l'immeuble, une chasse d'eau cascada. Dehors, une sirène lança son dou-oua, dou-oua dans la nuit, puis tout redevint silencieux.

– Un grand blond, dit Turner.

Au moment où il prononce ces mots, il voit l'homme sortir de l'allée longeant l'immeuble, s'approcher et se mêler à la foule derrière les barrières de police, les mains dans les poches d'un manteau bleu. Une écharpe rouge, des souliers noirs, des cheveux blonds agités par le vent.

– Une barbe, une moustache?

– Non.

– Un détail qui vous aurait frappé?

Il se tient comme tout le monde derrière les barrières et regarde ce qui se passe, d'autres flics qui arrivent, des types en civil qui doivent être de la police, des flics en uniforme, aussi, avec des galons dorés sur leur casquette et leur col. L'homme les observe, d'un air intéressé. Puis les brancardiers sortent la morte sur une civière et la portent dans l'ambulance, qui démarre.

— C'est à ce moment-là qu'il est parti, lui aussi, dit Turner.

— Vous l'avez regardé partir?

— Ben, oui.

— Pourquoi?

— Il avait... une sorte d'expression triste, je sais pas. Comme si... Je sais pas.

— Où est-il allé? demanda Hawes. Dans quelle direction?

— Vers le coin de la rue. Il s'est arrêté près de l'égout...

Les deux inspecteurs redoublèrent d'attention.

— Il s'est penché pour renouer son lacet, et il est reparti.

C'est ainsi qu'ils trouvèrent l'arme du meurtre.

3

Le pistolet qu'ils repêchèrent dans l'égout était enregistré au nom d'un certain Rodney Pratt, qui – sur le formulaire de demande de port d'arme – avait indiqué comme profession « agent de sécurité spécialisé dans l'escorte », et déclaré qu'il avait besoin de porter un pistolet parce que son travail consistait à « protéger les biens, la vie privée et l'intégrité physique de personnes recherchant un service personnalisé ». Carella et ses collègues devinèrent que c'était la façon politiquement correcte de dire qu'il était garde du corps.

Aux États-Unis d'Amérique, nul n'est obligé de révéler sa race ou ses convictions religieuses sur quelque formulaire que ce soit. Ils n'avaient donc aucun moyen de savoir que Rodney Pratt était noir avant qu'il leur ouvre sa porte, à trois heures et quart du matin, en maillot de corps et caleçon, et les transperce du regard. Pour eux, la couleur de sa peau n'était qu'un hasard de la nature. Ce qui importait, c'était que le service balistique avait déjà identifié l'arme enregistrée à son nom comme celle qui avait tiré trois balles mortelles quelques heures plus tôt.

– Mr Pratt ? fit Hawes, prudemment.

– Ouais, *quoi ?*

Inutile d'ajouter : Il est trois heures du matin, bordel, qu'est-ce qui vous prend de venir frapper à ma porte ? Sa posture, le plissement de son front et l'éclat furieux de son regard le proclamaient.

– Pouvons-nous entrer, monsieur? sollicita Hawes. Quelques questions que nous aimerions vous poser.

– Quel genre de questions?

Le « monsieur » n'avait pas amadoué Pratt. Ces deux blanchets le tiraient du pieu au milieu de la nuit pour lui servir du « monsieur », mais il en avait rien à cirer de leur « monsieur ». Il demeurait en travers de la porte, en maillot et caleçon à rayures, aussi musclé qu'un boxeur à la pesée. Hawes déchiffra le tatouage ornant le renflement de son biceps droit, *Semper Fidelis*. Un ex-marine, pas moins. Probablement un sergent. Qui avait probablement été au feu dans l'une ou l'autre des guerres que les États-Unis ne cessaient de mener. Et qui avait probablement bu le sang de soldats ennemis. Trois heures du matin. Hawes avala la couleuvre :

– Des questions sur un Smith & Wesson 38 enregistré à votre nom, monsieur.

– Eh ben quoi?

– Il a été utilisé cette nuit pour un meurtre, monsieur. Nous pouvons entrer?

– Allez-y, dit Pratt en s'écartant de l'encadrement de la porte.

Il habitait un immeuble de North Carlton Street, au coin de St. Helen's Boulevard, en face du Mount Davies Park. Population mêlée – des Noirs, des Blancs, des Latinos, quelques Asiatiques –, loyers modérés. Ces appartements d'avant-guerre pouvaient s'enorgueillir de leurs hauts plafonds, de leurs grandes fenêtres et de leurs parquets. Dans un grand nombre d'entre eux, la cuisine et la salle de bains étaient toutefois désespérément vieillottes. En suivant Pratt vers une salle de séjour éclairée, ils constatèrent que sa cuisine était moderne, toute en surfaces lisses, et un coup d'œil à la salle de bains leur montra du marbre et du cuivre poli. La décoration du séjour mariait le teck et les tissus pelucheux, avec des coussins partout, des gravures aux cadres chromés sur les murs blancs. Contre celui du fond, un piano droit, flanqué de fenêtres donnant sur le parc.

– Asseyez-vous, grogna Pratt, et il sortit de la pièce.

Hawes coula un regard à son collègue, qui se contenta de hausser les épaules. Carella se tenait près des fenêtres et contemplait le parc qui s'étendait quatre étages plus bas. A cette heure de la nuit, il semblait fantomatique avec ses réverbères projetant une lumière inquiétante sur des allées sinueuses et vides.

Pratt revint vêtu d'une robe de chambre bleue qui semblait en cachemire. Conjuguée à l'aspect cossu de l'appartement, elle donnait la nette impression que le secteur de «l'escorte sécuritaire» payait vraiment bien ces temps-ci. Hawes songea à demander une recommandation mais dit simplement :

— Au sujet de ce pistolet, Mr Pratt.

— On me l'a volé la semaine dernière, répondit le gorille.

Les deux flics connaissaient ce genre de rengaine par cœur, naturellement, et celle-là, en particulier, ils avaient bien dû l'entendre dix mille quatre cent treize fois. La première chose qu'apprend tout criminel, c'est que c'est pas son flingue, pas sa dope, pas sa voiture, pas ses outils de casseur, pas son couteau, pas ses gants, pas ses traces de sang, pas ses traces de sperme, pas son *n'importe quoi*. Et si c'est à lui, alors il l'a perdu ou on lui a piqué.

Prenez un gars sur le fait, pistolet à la main, le canon dans la bouche de sa copine, il commencera par prétendre que c'est pas son pétard, hé, pour qui vous me prenez? D'ailleurs, on est juste en train de répéter une scène. Et si l'explication ne passe pas très bien à Des Moines, pourquoi pas «elle s'est étranglée avec une arête, j'essayais de l'enlever avec le canon en attendant l'ambulance»? Ou, si ça paraît un rien vaseux, pourquoi pas «c'est *elle* qui m'a demandé de lui fourrer le canon dans la bouche, pour tester son courage»?

— Volé, dit Carella en se retournant.

A mi-voix, sans intonation particulière, répétant juste ce mot, qui tomba comme une accusation retentissante dans le living-room, à trois heures du matin.

— Oui. *Volé*, répliqua Pratt, insistant sur le mot, à la différence du policier.

— Quand, dites-vous? demanda Hawes.

— Jeudi soir.

— C'est-à-dire...

Il avait tiré son calepin de sa poche et cherchait la page du calendrier.

— Le 18, le devança Pratt. Putain de jour de poisse. D'abord, ma caisse qui tombe en rade, ensuite, quelqu'un qui me fauche mon arme dans la boîte à gants.

— Revenons un peu en arrière, proposa Hawes.

— Non, revenons *beaucoup* en arrière, rétorqua Pratt. Si vous me tombez dessus comme ça à trois heures du mat' », c'est parce que je suis noir. Alors, faites votre petite danse du scalp et foutez le camp, d'accord ? Y a erreur sur la personne.

— Sur la personne, peut-être, mais pas sur l'arme, corrigea Carella. Et il se trouve qu'elle vous appartient.

— Je sais rien de ce qu'on a pu faire cette nuit avec ce pétard. Vous dites qu'on a tué quelqu'un avec, je vous crois sur parole. Moi, je vous dis que cette arme n'est plus en ma possession depuis jeudi soir, le jour où ma voiture a jeté l'éponge. Je me suis arrêté dans une station-service ouverte toute la nuit pour qu'on y jette un coup d'œil.

— Où ça ?

— Tout près du pont de Majesta.

— Quel côté ?

— Ce côté-ci. Je venais de raccompagner un diamantaire chez lui et je rentrais en ville.

L'expression trahissait l'homme du cru. Cette cité tentaculaire était divisée en cinq zones géographiques distinctes et séparées, mais, à moins de débarquer de la planète Mars, on n'appelait la « ville » qu'une seule d'entre elles.

— Elle avait commencé à tousser sur le pont, poursuivit-il. Le temps que j'arrive à Isola, elle était morte. Une limousine toute neuve. Moins de mille kilomètres, fit-il d'un air dégoûté et incrédule. N'achetez jamais une bagnole américaine.

Carella avait une Chevrolet qui ne lui avait jamais causé un seul ennui. Il ne fit aucun commentaire.

— Il était quelle heure ? demanda Hawes.

— Un peu avant minuit.

— Jeudi dernier.

— Putain de jour de poisse, répéta Pratt.

— Vous vous rappelez le nom de la station ?

— Bien sûr.

— C'était quoi?

— Texaco du Pont.

— Bien trouvé, comme nom, ironisa Hawes.

— Vous pensez que je *mens*? rétorqua aussitôt Pratt.

— Non, non, je voulais juste dire...

Carella coupa son collègue :

— Quand avez-vous constaté la disparition de l'arme?

Remettre la loco sur les bons rails, pensait-il. Pratt ne comprenait pas tout à fait ce qui se passait. Il croyait que deux flics blancs étaient venus le harceler uniquement parce qu'il était noir, alors que c'était parce qu'il possédait une arme qui avait servi à commettre un meurtre. Alors, revenons au *flingue*, d'accord?

— Quand j'ai repris la voiture, répondit Pratt, se tournant vers lui.

Il soupçonnait encore un piège, un coup monté.

— C'est-à-dire?

— Hier matin. Y avait pas de mécano de service, à la station, jeudi soir. Le gérant m'a promis de mettre quelqu'un dessus le lendemain.

— Ce qu'il a fait, non?

— Ouais. Finalement, quelqu'un avait filé du styrène dans le carter.

Carella se demanda ce que du styrène dans le carter avait à voir avec le fait d'acheter américain.

— Plus d'huile, moteur foutu, continua Pratt. Ils ont dû en commander un autre, et le monter vendredi.

— Et vous avez récupéré la voiture hier.

— Oui.

— A quelle heure?

— Dix heures du matin.

— Elle est donc restée là-bas toute la nuit de jeudi et toute la journée de vendredi.

— Ouais. Plus deux plombes hier. Ils ouvrent à huit heures.

— Avec le pistolet dans la boîte à gants.

— Enfin, il a disparu à un moment donné.

— Quand vous en êtes-vous rendu compte?

— De retour ici. Y a un parking au sous-sol. J'ai garé la voiture, j'ai ouvert la boîte à gants pour prendre le flingue, j'ai vu qu'il y était plus.

– Vous le sortez toujours de la boîte à gants quand vous rentrez chez vous?

– Toujours.

– Alors, pourquoi vous l'avez laissé à la station?

– J'ai pas réfléchi, j'étais en rogne contre cette putain de bagnole qui m'avait lâché. C'est un réflexe : je rentre, j'ouvre la boîte à gants avec ma clef, je prends le flingue. La station, c'était pas chez moi, j'y ai pas pensé.

– Vous avez signalé le vol?

– Non.

– Pourquoi? demanda Hawes.

– Je me suis dit que je le reverrais jamais, ce feu, de toute façon. Alors, pourquoi s'emmerder? C'est pas comme à la télé : il finira pas dans une boutique de broc, il finira dans la rue.

– Il ne vous est pas venu à l'idée qu'on aurait pu l'utiliser pour un crime?

– J'y ai pensé, oui.

– Mais vous n'avez quand même pas signalé le vol?

– Non, je l'ai pas signalé.

– Comment ça se fait?

Question de Hawes. Ton détaché, simple curiosité. Vous vous faites voler votre pistolet, vous savez qu'on pourrait s'en servir pour commettre une vilaine action, mais vous n'allez pas chez les flics? Pourquoi?

Carella *savait* pourquoi. Les Noirs commençaient à penser que le meilleur moyen de survivre consiste à se tenir à l'écart de la police. Pour éviter les coups fourrés. C'était ce que O.J. leur avait enseigné. Merci, vieux, on avait vraiment besoin de ça.

– J'ai parlé au gérant de jour de la station, je lui ai dit qu'on m'avait piqué mon feu, il a promis d'enquêter, discrètement.

– Et il l'a fait? Discrètement...

– Aucun de ses gars ne sait quoi que ce soit.

Comme de bien entendu, pensa Carella.

Hawes se fit la même réflexion.

– Et vous dites que la boîte à gants était fermée à clef quand vous êtes revenu ici?

– Je crois, ouais.

– Comment ça, vous *croyez*?

— Pourquoi vous m'accusez tout le temps de mentir?

Carella poussa un soupir d'exaspération.

— Elle était fermée ou pas? C'est pas une question-piège. Répondez simplement oui ou non.

— Je vous dis que j'en sais rien. J'ai glissé la clef dans la serrure, j'ai tourné. Mais savoir si c'était fermé ou non...

— Vous n'avez pas essayé d'ouvrir en pressant le bouton avant de mettre la clef?

— Non, je ferme toujours à clef.

— Alors, qu'est-ce qui vous fait croire qu'elle aurait pu ne *pas* être fermée, cette fois.

— Ce putain de pétard n'y était plus, non?

— Oui, mais vous n'en saviez rien avant d'ouvrir la boîte à gants.

— Je le sais, *maintenant*. Si c'était déjà ouvert quand j'ai tourné la clef, j'ai *fermé*, au contraire. Et j'ai dû tourner de nouveau la clef pour ouvrir.

— C'est ce que vous avez fait?

— Je m'en souviens pas. Peut-être. Une boîte à gants, c'est pas comme votre porte d'entrée, que vous ouvrez et que vous fermez cent fois par jour – là, vous savez dans quel sens il faut tourner la clef pour ouvrir.

— Donc, vous vous dites, rétrospectivement, que la boîte à gants n'était peut-être pas fermée à clef.

— C'est ce que je me dis, rétrospectivement. Parce que l'arme a disparu. Ce qui signifie que quelqu'un a déjà ouvert la boîte à gants.

— Vous aviez laissé la clef de voiturier à l'intérieur, ou...

— Je l'ai perdue, la clef de voiturier.

— Donc, la clef que vous avez laissée sur le tableau de bord aurait pu ouvrir la boîte à gants.

— Ouais.

— Donc, vous nous dites que quelqu'un, à la station-service, a ouvert la boîte à gants et volé le pistolet.

— C'est exactement ce que je dis.

— Vous ne pensez pas que la personne qui a filé du styrène dans votre carter aurait pu aussi voler le pistolet?

— Je vois pas comment.

— Vous n'avez pas remarqué si on avait ouvert le capot?

– Bien sûr qu'on l'a ouvert. Comment voulez-vous que les mécaniciens touchent au moteur sans lever le capot?

– Je veux dire, *avant* que vous ne portiez la voiture au garage.

– Non, j'ai rien remarqué.

– Dites-nous où vous avez été avec la voiture, ce jeudi-là. *Avant* qu'on vous balance du styrène dans le carter.

– Je sais *pas* quand on l'a fait.

– Dites-nous quand même où vous êtes allé, d'accord?

– D'abord, j'ai conduit une actrice aux studios de NBC, pour une interview...

– Où ça?

– Dans le centre. Derrière Hall Avenue.

– Vers quelle heure?

– Six heures et demie du matin.

– Vous l'avez accompagnée à l'intérieur?

– Non, je suis resté dans la voiture.

– Ensuite?

– Je l'ai ramenée à son hôtel, je l'ai attendue en bas.

– Vous êtes descendu de voiture?

– Non. Euh, si, attendez. Je suis sorti pour fumer une cigarette, mais je suis resté à côté.

– Le pistolet était toujours dans la boîte à gants?

– A ma connaissance. J'ai pas vérifié.

– Vous dites que vous l'avez attendue en bas...

– Ouais.

– A quelle heure elle est redescendue?

– Midi et quart.

– Vous êtes allés où?

– Chez J.C. Willoughby, pour déjeuner. Elle devait y retrouver son imprésario.

– Et puis?

– Je suis revenu la prendre à deux heures, je l'ai conduite à...

– Vous êtes resté dans la voiture tout le temps?

– Maintenant que vous le dites, non. Moi aussi, j'ai mangé un morceau. Je l'ai laissée dans un parking.

– Où ça?

— Près du restaurant. Dans Lloyd.

— Quelqu'un aurait donc pu soulever le capot et verser le styrène.

— Je suppose.

— Vous aviez laissé la clef dans la voiture ?

— Bien sûr. Sinon, comment l'employé du parking aurait pu la conduire ?

— Alors, quelqu'un aurait pu aussi ouvrir la boîte à gants.

— Oui, mais...

— Oui ?

— Je persiste à croire que c'est à la station-service qu'on m'a tiré mon feu.

— Qu'est-ce qui vous fait croire ça ?

— Une impression. Vous savez, une impression qu'il y a quelque chose qui cloche. J'avais l'impression que les gars du garage savaient quelque chose que je ne savais pas.

— Quoi ?

— Je sais pas quoi.

— Quels gars ?

— Tous. Le gérant de jour, les mécanos...

— Quand êtes-vous allé chercher votre diamantaire ?

— Hein ?

— Vous nous avez dit...

— Ah ! oui, Mr Aaron. J'ai accompagné l'actrice toute la journée, je suis resté avec elle pendant qu'elle faisait du shopping dans Hall Avenue. Elle s'achetait des trucs avant de rentrer à L.A. Je l'ai conduite chez des amis pour dîner, ensuite, je l'ai ramenée à son hôtel.

— Vous êtes resté tout le temps dans la voiture ?

— Je l'ai pas quittée. J'ai pris Mr Aaron à dix heures et demie, je l'ai conduit chez lui. Il était chargé, ce soir-là.

— Chargé ?

— Beaucoup de pierres dans sa valise.

— Et ensuite ?

— J'ai retraversé le pont, et c'est là que la bagnole a commencé à tousser.

— Vous vous rappelez où vous avez garé la voiture pendant le déjeuner ?

— Je vous l'ai dit. Dans un parking de Lloyd, derrière

Detavoner. C'est le seul de la rue, vous pouvez pas le manquer.

– Vous vous souvenez de l'employé à qui vous l'avez confiée ?

– Ils se ressemblent tous, ces mecs.

– Vous voyez quelqu'un qui aurait pu mettre du sty-rène dans votre carter ?

– Non.

– Ou voler le pistolet.

– Oui, bordel ! Un employé de cette station-service à la con.

– Une dernière question, annonça Carella. Où étiez-vous ce soir entre dix heures et minuit ?

– Nous y voilà, soupira Pratt en roulant des yeux.

– Où étiez-vous ? répéta le policier.

– Ici.

– Il y avait quelqu'un avec vous ?

– Ma femme. Vous voulez la réveiller aussi ?

– Est-ce nécessaire ?

– Elle vous le confirmera.

– Ça, je n'en doute pas.

La mine de Pratt redevenait furibarde quand Carella décida :

– On la laisse dormir.

Le grand Noir le regarda fixement.

– Je crois que nous en avons terminé. Désolé de vous avoir dérangé. Cotton, tu vois autre chose ?

– Une question, dit Hawes. Vous savez qui a réparé votre voiture ?

– Ouais, un nommé Gus. C'est lui qui a signé le bon, mais il était pas là quand j'ai repris la voiture, hier.

– Vous savez si le gérant de jour l'a interrogé sur votre arme ?

– D'après lui, oui.

– Comment il s'appelle ?

– Le gérant ? Jimmy.

– Jimmy comment ?

– Je sais pas.

– Et le gérant de nuit ? Celui à qui vous avez laissé la voiture ?

– Ralph. Je sais pas comment non plus. Ils ont juste leur prénom agrafé sur le devant de leur salopette.

— Merci, dit Hawes. Bonne nuit, monsieur, excusez-nous du dérangement.

— Mm, maugréa Pratt.

Dehors, dans le couloir, Carella fit le point :

— Maintenant, ça devient l'histoire d'un flingue.

— Ce film-là aussi, je l'ai vu, dit Hawes.

Le Texaco du Pont se trouvait dans l'ombre du pont de Majesta, qui relie deux des secteurs les plus peuplés de la ville, provoquant des embouteillages monstres à chacune de ses extrémités. Côté Isola – nom simple et approprié puisque c'était une île et qu'*isola* signifie île en italien – les rues latérales et les avenues menant au pont étaient engorgées de taxis, de camions et de voitures de six heures du matin à minuit, heure à laquelle la circulation commençait à devenir un peu plus fluide. A trois heures et demie du matin, quand les inspecteurs y arrivèrent, nul n'aurait pu croire que quelques heures plus tôt seulement, les rues voisines résonnaient du vacarme des klaxons et des épithètes échangées à cause d'un camion immobilisé au milieu du pont.

Deux arrêtés municipaux interdisaient l'usage du klaxon et le punissaient d'une simple amende. Proférer des insanités en public était également contraire à la loi. L'article du Code pénal, le 240.20, concernant cette infraction s'intitulait Conduite contraire aux bonnes mœurs et déclarait : « Une personne est coupable d'inconduite quand, dans l'intention de causer du désordre ou des troubles, elle use d'un langage grossier ou obscène, ou fait des gestes obscènes. » L'inconduite est une simple infraction, passible au maximum de quinze jours de prison. Ces deux arrêtés et l'article du Code pénal ne font que définir des règles de civilité. C'est peut-être la raison pour laquelle le flic en tenue planté au coin de la rue s'était contenté de se gratter les fesses, à minuit, quand un automobiliste furieux avait écrasé son klaxon en braillant au chauffeur du véhicule de devant, « Alors, tu dégages, connard ? »

A trois heures et demie du matin, le concert de klaxons avait cessé, le vent avait emporté les gros mots. Il ne restait que le froid âpre des rues de janvier, et une station-service dont les lampes fluorescentes semblaient faire écho au froid de l'hiver. A l'une des pompes, un chauffeur de taxi, rentrant la tête dans les épaules, et sautant d'un pied sur l'autre, faisait le plein. Les portes coulissantes des ateliers étaient hermétiquement fermées, à cause de l'air glacé. Dans le bureau chaudement éclairé de la station, un homme en blouson et casquette marron, les jambes allongées sur la table, lisait *Penthouse*. Il leva les yeux quand les policiers entrèrent. Son nom, *Ralph*, était inscrit sur le devant de son blouson.

Carella montra sa carte.

— Inspecteur Carella. Mon collègue, l'inspecteur Hawes.

— Ralph Bonelli. Qu'est-ce qui se passe?

— Nous essayons de retrouver un pistolet qui...

— Encore cette histoire! s'écria le gérant, levant les yeux au ciel.

— Aucune idée de ce qu'il est devenu?

— Non. J'ai dit à Pratt que personne n'était au courant. Ça n'a pas changé.

— Qui aviez-vous interrogé?

— Le mécano qui a travaillé sur la voiture. Gus. Il dit qu'il l'a pas vu. Et aussi plusieurs des autres gars qui bossaient vendredi. Eux non plus n'ont rien vu.

— Combien d'autres gars?

— Deux. Ils sont pas mécaniciens, ils servent juste aux pompes.

— Gus est donc le seul qui ait travaillé sur la voiture.

— Ouais, le seul.

— Il l'a réparée où?

— Dans un des ateliers, là-bas, répondit Bonelli avec un geste de la main. Il l'avait montée sur un des élévateurs hydrauliques.

— La clef était dessus?

— Ouais. Fallait bien qu'il la fasse rouler, non?

— Et quand il a fini son boulot, qu'est-ce qu'il a fait de la clef?

— La boîte à clefs, là, répondit Bonelli, indiquant une armoire de métal gris fixée au mur près de la caisse enregistreuse.

Une petite clef était fichée dans la serrure.

— Vous la fermez à clef, cette armoire?

— Ben... non.

— Vous laissez la clef dessus tout le temps?

— Je vois où vous voulez en venir, mais vous faites fausse route. Aucun des gars qui bossent ici n'a pris ce pistolet.

— Écoutez, il était dans la boîte à gants quand Mr Pratt a amené la voiture à...

— C'est ce qu'il raconte.

— Vous n'y croyez pas, hein?

— Je l'ai vu, moi, ce pistolet? Quelqu'un l'a vu? On a juste la parole de ce type.

— Pourquoi il raconterait qu'il y a une arme dans la boîte à gants si c'était faux?

— Il voulait peut-être que je lui compte pas les réparations.

— Qu'est-ce que vous voulez dire?

— Donnant donnant, vous voyez? Il oublie le pistolet, j'oublie la facture.

— Vous pensez que c'est ce qu'il avait en tête?

— Allez savoir.

— Il a suggéré quelque chose de ce genre?

— Non, c'est juste une supposition.

— En fait, dit Hawes, vous n'avez aucune raison de supposer qu'il n'y avait pas de pistolet dans la boîte à gants.

— A moins que le bonhomme ait eu une autre raison de mentir.

— Comme quoi?

— Il avait peut-être l'intention de s'en servir plus tard. Alors, il prend les devants en disant qu'on lui a volé, vous me suivez?

— Vous pouvez me noter les noms de tous ceux qui étaient de service tout le temps que la voiture est restée dans l'atelier? demanda Carella.

— Bien sûr.

— D'autres personnes ont accès à la boîte à clefs? A part vos ouvriers? voulut savoir Hawes.

— Tous ceux qui entrent dans ce bureau, répondit Bonelli. Mais y a toujours quelqu'un de l'équipe dans le coin. On l'aurait vu, si quelqu'un avait essayé d'ouvrir l'armoire.

— Mettez aussi les adresses, les numéros de téléphone, dit Carella.

Malgré la température, la blonde ne portait qu'une minijupe noire, une veste courte en fausse fourrure rouge, des bas de soie noirs à jarretière et des boots rouges à hauts talons. Un sac en cuir assorti était coincé sous son bras. Le froid rougissait le haut de ses cuisses et gelait ses pieds à l'intérieur des boots. Frissonnante, elle se tenait au coin de la rue près des feux de circulation, où les voitures venant de Majesta s'arrêtaient avant de pénétrer dans la ville proprement dite.

La fille s'appelait Yolande.

Elle était libre, blanche, âgée de dix-neuf ans, mais aussi pute et toxico. Elle était dans la rue à cette heure parce qu'elle espérait racoler un automobiliste et lui faire faire une ou deux fois le tour du pâté de maisons pendant qu'elle lui ferait une turlute à cinquante dollars.

Yolande l'ignorait, mais elle serait morte trois heures plus tard.

En sortant de la station-service, les inspecteurs repérèrent la blonde plantée au coin de la rue, comprirent immédiatement ce qu'elle était mais ne lui accordèrent pas un regard de plus. Yolande comprit aussi qui ils étaient et, d'un œil méfiant, les regarda monter dans une conduite intérieure bleu sombre banalisée. Une Jaguar blanche s'arrêta le long du trottoir, la vitre s'abaissa silencieusement côté passager. Le feu de circulation baignait de rouge la voiture, le trottoir et Yolande. Elle attendit de voir un panache de fumée sortir du tuyau d'échappement de la bagnole bleue puis se pencha vers la Jaguar, sourit et dit :

— Salut, chéri. Tu veux te payer un bon moment?

— Combien? s'enquit le chauffeur.

Le changement de feu peignit soudain tout en vert.

Un moment plus tard, les deux véhicules démarraient dans des directions opposées.

Ils trouvèrent Gus Mondalvo dans un clandé d'un quartier majoritairement latino de Riverhead. Il était maintenant un peu plus de quatre heures. Sa mère, qui avait refusé de leur ouvrir, malgré les déclarations réitérées sur leur appartenance à la police, leur avait indiqué qu'ils trouveraient son fils au Club Fajardo, « en haut dé la rue », endroit où ils se trouvaient maintenant, essayant de persuader le malabar qui avait entrouvert la porte maintenue par une chaîne qu'ils n'étaient pas là pour faire une descente.

L'homme protesta, en espagnol, qu'on ne servait pas d'alcool ici, de toute façon, alors, pourquoi faire une descente ? C'était juste une association de quartier qui organisait une petite soirée entre amis, ils pouvaient entrer et jeter un coup d'œil – tout ce boniment pendant qu'on faisait disparaître bouteilles et verres des tables et du comptoir. Quand il condescendit enfin à ôter la chaîne, cinq minutes plus tard, on se serait cru dans un milk-bar pour ados, non dans une boîte vendant de l'alcool après l'heure légale à une clientèle comprenant des mineurs. Le type qui les fit entrer leur dit que Gus Mondalvo buvait un verre au bar...

– Mais sans alcool, s'empressa-t-il de spécifier.

... et le leur montra. Un arbre de Noël, surchargé de décorations, de guirlandes aux lumières extravagantes, se dressait encore dans un coin près du comptoir. Les deux flics se frayèrent un chemin sur la petite piste de danse bourrée de jeunes gens qui dansaient et se pelotaient au son de *Ponce's Golden Oldies*, contournèrent des tables où – miracle – garçons et filles, hommes et femmes buvaient du Coca à la bouteille, et obliquèrent vers le tabouret où Gus Mondalvo sirotait apparemment une limonade.

– Mr Mondalvo ? fit Hawes.

Le mécanicien continua à siroter son verre.

– Police, dit Hawes, qui ouvrit un étui en cuir pour montrer sa plaque.

Il y a diverses façons de la jouer cool pour réagir à la présence de policiers. La première est de feindre l'indifférence totale au fait que les flics sont là et vont peut-être vous causer des ennuis. Le genre : « J'ai vu ça des centaines de fois, mec, ça me démonte pas, alors, qu'est-ce que vous voulez ? » La seconde est d'exprimer son indignation, en braillant, par exemple : « Vous savez qui je suis ? Comment osez-vous m'importuner ainsi dans un lieu public ? » La troisième consiste à afficher une complète ignorance. « Des flics ? Vous êtes vraiment flics ? Mince. Qu'est-ce qu'un flic pourrait bien me vouloir ? »

Mondalvo se tourna lentement sur son tabouret.

— Salut, dit-il, et il sourit.

Ils avaient vu et entendu ça des milliers de fois. Ce coup-ci, ce serait l'indifférence amusée.

— Mr Mondalvo, commença Hawes, nous croyons savoir que vous avez réparé le moteur d'une Cadillac appartenant à Mr Rodney Pratt, vendredi dernier, vous vous en souvenez ?

— Bien sûr. Écoutez, vous croyez pas qu'on serait mieux à une table ? Vous voulez boire quelque chose ? Coca ? Orangeade ?

Il se laissa glisser au bas de son tabouret pour leur apparaître dans toute sa grandeur, un mètre soixante-cinq, soixante-dix, plus petit qu'il n'en avait l'air assis, les épaules larges, la taille étroite, les cheveux coupés court, le visage barré d'une moustache. Carella se demanda s'il avait acquis cette carrure d'haltérophile en prison, puis se reprocha de porter un jugement *a priori* sur un homme qui, après tout, avait un emploi rémunéré de mécanicien automobile. Ils se dirigèrent vers une table proche de la piste de danse. Hawes remarqua que la salle commençait à se vider, les clients enfilant leurs manteaux et gagnant discrètement la sortie. S'il y avait de la descente dans l'air, personne ne tenait à être là quand elle se produirait. Quelques couples téméraires savourant la musique, et peut-être même le sentiment d'un danger imminent, se trémoussaient sur la piste en tâchant de les ignorer, mais tous savaient que la flicaille était là et lorgnaient les inspecteurs à la dérobée.

— Nous irons droit au fait, annonça Carella. Avez-vous remarqué un pistolet dans la boîte à gants de cette voiture ?

— J'ai pas regardé dans la boîte à gants. Je devais monter un nouveau moteur, pourquoi j'aurais regardé dans la boîte à gants?

— Je ne sais pas. Pourquoi?

— Ah! vous voyez. Pourquoi? C'est pour ça que vous êtes ici?

— Oui.

— Parce que j'ai déjà expliqué à Jimmy que je sais rien de ce flingue.

— Jimmy Jackson?

— Ouais, le gérant de jour. Il m'a demandé si j'avais vu un pistolet. Quel pistolet? j'ai fait, j'ai pas vu de pistolet.

— Mais vous avez travaillé sur la Cadillac vendredi toute la journée.

— Ouais. Enfin, pas toute la journée. Y avait pour trois, quatre heures de boulot. Quelqu'un avait foutu du styrène dans le carter.

— Il paraît.

— Le styrène, c'est avec ça qu'on fait la fibre de verre. C'est ce truc huileux qu'on peut acheter dans n'importe quel magasin de fournitures pour bateau; les gens s'en servent pour colmater les coques en fibre de verre. Mais si vous voulez bousiller le moteur de quelqu'un, suffit de mettre un peu de styrène dans un bidon d'huile et de verser le tout dans le carter. La bagnole fera cent, cent cinquante kilomètres au maximum avant qu'il y ait plus d'huile et que le moteur se grippe. Celui de Pratt était foutu, on a dû en commander un neuf. Quelqu'un doit pas l'apprécier beaucoup pour faire un truc pareil à sa tire, vous croyez pas? C'est peut-être pour ça qu'il trimballe un pistolet.

Peut-être, songea Carella.

— Quelqu'un d'autre s'est approché de la voiture pendant que vous travailliez dessus?

— J'ai vu personne.

— Donnez-nous des heures approximatives, sollicita Hawes. Quand avez-vous commencé à la réparer?

— Vendredi, après le déjeuner. Je devais refaire les freins d'une Buick puis m'occuper d'une Beamer qui avait quelque chose de naze dans le circuit électrique. J'ai pas attaqué la Caddy avant midi et demi, une heure, environ. C'est à ce moment-là que je l'ai mise sur l'élévateur.

— Où elle était jusque-là?

— Garée devant. Il y a un petit parking devant, près du gonfleur.

— Elle était fermée à clef?

— J'en sais rien.

— Enfin, c'est vous qui l'avez conduite dans l'atelier et sur l'élévateur?

— Ouais.

— Alors, est-ce que la voiture était fermée quand?...

— A la réflexion, non.

— Vous êtes juste monté dedans sans avoir à ouvrir.

— C'est ça.

— La clef était au tableau de bord

— Non, je l'ai prise dans l'armoire, près de la caisse enregistreuse.

— Et vous êtes allé à la voiture...

— Ouais.

— ... et vous avez constaté qu'elle n'était pas fermée à clef.

— C'est ça. Je suis monté et je l'ai mise en route.

— A quelle heure vous avez fini de la réparer?

— Vers les quatre heures, quatre heures et demie.

— Et ensuite?

— Je l'ai descendue de l'élevateur, je l'ai garée de nouveau dehors.

— Vous l'avez fermée à clef?

— Je crois.

— Oui ou non? Vous vous le rappelez?

— Je suis presque sûr de l'avoir fermée. Je savais qu'elle resterait dehors toute la nuit. Oui, je suis presque sûr de l'avoir fermée.

— Qu'est-ce que vous avez fait de la clef, après?

— Je l'ai remise dans l'armoire.

— Vous n'étiez pas là, jeudi soir, quand Mr Pratt a amené la voiture, n'est-ce pas? demanda Carella.

— Non, je rentre à six heures. On a pas de mécaniciens, la nuit. Pas de pompistes, non plus. C'est tout self-service, la nuit. Y a que le gérant. On vend surtout de l'essence aux taxis, la nuit. C'est à peu près tout.

— A quelle heure vous avez pris votre travail, vendredi matin ?

— Sept heures et demie. Je fais de longues journées.

— Il y avait qui, là-bas, quand vous êtes arrivé ?

— Le gérant de jour et deux pompistes.

Carella consulta la liste que Ralph avait dressée pour lui.

— C'est-à-dire, Jimmy Jackson...

— Le gérant, ouais.

— José Santagio...

— Ouais.

— et... Abdoul Sikhar.

— Ouais, l'Arabe.

— Vous avez vu l'un d'eux monter dans la Caddy ?

— Non.

— Traîner autour ?

— Non. Mais je les surveillais pas constamment, vous savez. J'avais mon boulot à faire.

— Mr Mondalvo, l'arme dont nous parlons a été utilisée dans un meurtre, cette nuit.

— Je le savais pas, fit le mécanicien, qui regarda rapidement autour de lui, comme si le simple fait de connaître cette information le mettait en danger.

— Oui, dit Hawes, alors si vous savez quoi que ce soit...

— Je sais rien.

— ... sur ce pistolet, ou sur la personne qui l'aurait pris dans la voiture.

— Rien, je vous le jure.

— ... vous feriez mieux de nous le dire maintenant. Parce que, sinon...

— Je le jure devant Dieu, dit Mondalvo, qui se signa.

— Sinon, vous vous retrouveriez complice après coup, expliqua Carella.

— Qu'est-ce que ça veut dire ?

— Ça veut dire que vous seriez aussi coupable que celui qui a pressé la détente.

— Je sais pas qui c'est.

Les deux flics le dévisagèrent durement.

— Je le jure devant Dieu, répéta-t-il. Je sais pas.

Peut-être le crurent-ils.

4

Les trois jeunes s'appelaient tous Richard.

Comme c'étaient des étudiants drôlement futés d'une boîte privée de la Nouvelle-Angleterre, ils s'étaient surnommés Richard Ier, II et III, d'après Richard Cœur de Lion, Richard, le fils d'Édouard, et le Richard qui avait peut-être fait assassiner ses neveux dans la Tour de Londres. Ils connaissaient ces trois monarques à travers le cours d'histoire anglaise qu'ils avaient dû suivre en deuxième année. Les trois Richard étaient maintenant en quatrième année et avaient été admis tous les trois à Harvard. Ils avaient dix-huit ans, étaient des héros du football universitaire, tous malins comme des singes, beaux comme des astres, et ronds comme des queues de pelle. Pour reprendre les clichés habituels.

Tel son homonyme Richard Cœur de Lion, Richard Hopper – de son vrai nom – mesurait un mètre quatre-vingt-dix pour quatre-vingt-quinze kilos, avait une chevelure blonde et des yeux bleus, tout comme le roi du XIIe siècle. A la différence de ce monarque sans peur, toutefois, Richard n'écrivait pas de vers, mais il chantait fort bien. En fait, les trois Richard appartenaient à la chorale de leur école, et Richard Ier était le *quarterback*[1], la vedette de l'équipe de foot.

Le vrai Richard II, fils d'Édouard, le Prince Noir, avait régné sur l'Angleterre de 1377 à 1399. Le Richard II

1. Celui qui organise le jeu, au football américain. *(N.d.T.)*

actuel s'appelait Weinstock et avait pour père Irving le Tailleur. Il mesurait un mètre quatre-vingts pour cent kilos, tout en muscles contusionnés. Cheveux châtains, yeux marron, il jouait arrière dans l'équipe.

Richard III, dont le véritable et honorable nom était Richard O'Connor, avait des taches de rousseur, des cheveux roux et des yeux verts. Il était haut de deux mètres et pesait plus de cent kilos. Son homonyme du XVe siècle était le troisième fils du duc d'York, puissant seigneur féodal. Son bras gauche atrophié ne l'empêcha pas d'être un farouche combattant, et un rusé fils de pute. Le roi, s'entend. L'actuel Richard était connu pour tricher aux examens, mais il avait deux bras robustes et jouait receveur dans l'équipe de Pierce Academy.

Les trois Richard étaient descendus en ville pour le week-end et ne devaient pas rentrer au bahut avant lundi. Ils portaient la parka à capuche de l'équipe, bleu marine avec un grand P blanc dans le dos. Juste sous la barre du P, il y avait un logo blanc en forme de ballon de football, de sept centimètres sur douze. Sur le devant de la parka, au niveau du pectoral gauche, le nom de l'école était inscrit en lettres blanches, PIERCE ADADEMY, ta-la-la.

Les trois Richard.

A quatre heures et demie, en ce matin glacial, plus un seul des trois ne savait sans doute comment il s'appelait, malgré la similarité des prénoms. Se retournant pour gueuler « Va te faire mettre ! » et « Je t'emmerde ! » au videur qui leur avait annoncé que la discothèque fermait, et qui leur avait montré, poliment mais fermement, le chemin de la porte, ils sortirent en titubant et se tinrent un moment sur le trottoir, fermant leurs parkas, rabattant les capuches sur leur tête, nouant leurs écharpes bleu et blanc, essayant d'allumer une cigarette, rotant, pétant, gloussant, et se prenant finalement par les épaules pour faire la mêlée.

— C'qui faudrait, main'nant, bredouilla Richard Ier, c'est tirer sa chique.

— C'est une bonne idée, approuva Richard III. Où est-ce qu'on peut trouver des nanas ?

— Dans le nord de la ville ? suggéra Richard Ier.

– Alors, on y va, décida Richard II.

Ils brisèrent la mêlée, se distribuèrent de grandes tapes dans le dos.

Dans la partie nord de la ville, Yolande montait dans une autre automobile.

Les trois Richard hélèrent un taxi.

Les gosses de Jimmy Jackson savaient qu'il existait un père Noël noir parce qu'ils en avaient vu un près d'une fausse cheminée, agitant une cloche devant un grand magasin de Hall Avenue, après que leur mère les avait fait s'asseoir sur les genoux d'un père Noël blanc, à l'intérieur. Apparemment, le père Noël blanc ne les avait pas écoutés très attentivement parce que James Junior n'avait pas eu en cadeau le vélo qu'il avait demandé, et Millie n'avait pas eu la poupée à la mode, et Terence n'avait pas eu le tout dernier super-héros. Alors, quand la sonnette avait retenti, à cinq heures moins le quart, ce matin-là, ils avaient couru réveiller leur père, en se disant que c'était peut-être le père Noël noir venu faire amende honorable pour les oublis de son collègue blanc du grand magasin.

Jimmy Jackson ne fut que légèrement agacé d'être réveillé de si bonne heure un dimanche matin, alors que sa belle-mère leur rendait visite, sans parler de sa sœur Naydelle et de ses deux mioches braillards. Il devint singulièrement irrité, cependant, quand, en ouvrant la porte, il découvrit que ce n'était pas une blague mais vraiment deux flics blancs, comme ils l'avaient annoncé à travers le panneau de bois, plantés devant son paillasson, insigne bleu-et-or à la main. Un dimanche – ces enfoirés n'avaient donc aucun respect pour rien?

Les gosses demandèrent s'il allait faire des crêpes, puisque tout le monde était debout, maintenant.

Il les envoya à leur mère.

– Alors, qu'est-ce qui se passe? lança-t-il aux policiers.

– Mr Jackson, dit Carella, nous nous rendons compte qu'il est très tôt...

– Ouais, ouais, qu'est-ce qu'il y a?

70

– ... mais nous enquêtons sur un meurtre...

– Ouais, ouais.

– Et nous essayons de remonter jusqu'au meurtrier grâce à l'arme du crime.

Jackson les regarda.

Grand et élancé, la peau très sombre, il portait un peignoir sur son pyjama, les yeux encore collés par le sommeil, la bouche tirée en une mince ligne furieuse. Un homme a droit à être tranquille chez lui le dimanche matin, pensait-il. Arme du crime, mon cul, oui, pensait-il.

– C'est encore pour ce foutu pétard? grogna-t-il.

Du fond de l'appartement, une femme demanda :

– Qui est-ce, James?

– C'est la *po*-lice, chantonna joyeusement un des enfants. Papa peut nous faire des crêpes, maintenant?

– La police? fit-elle. James?

– Ouais, ouais.

– C'est encore pour cette histoire de pistolet, oui, confirma Hawes.

– J'ai expliqué à Pratt que j'ai pas vu de pistolet dans sa caisse. Personne l'a vu, ce flingue. Si vous voulez mon avis, c'est une invention de ce mec.

Mrs Jackson s'avança en robe de chambre et pantoufles, le front barré d'un pli perplexe. Grande, le port majestueux d'une Masaï, elle avait des yeux jaune pâle de panthère. Elle n'aimait pas que les flics viennent faire peur à ses enfants et elle s'apprêtait à le leur signifier.

– Qu'est-ce qui vous prend, à cinq heures du matin?

– Madame, nous sommes désolés de vous déranger, s'excusa Carella, mais nous sommes sur un meurtre et...

– En quoi ça nous concerne?

– Nous nous efforçons d'établir à quel moment l'arme du crime a disparu de la voiture de son propriétaire. C'est tout.

– Quelle voiture? demanda-t-elle.

– Une Caddy qu'on devait réparer, expliqua son mari.

– T'as travaillé sur cette voiture?

– Non, c'est Gus.

– Alors, pourquoi ils viennent t'embêter? fit-elle, se tournant de nouveau vers les flics. Pourquoi vous venez l'embêter?

– Parce qu'une vieille femme a été assassinée, répondit simplement Carella.

Mrs Jackson scruta le visage des policiers.

– Entrez, dit-elle, je vais vous faire du café.

Jackson ferma la porte derrière eux, à double tour, et remit la chaîne de sûreté. L'appartement était froid. Dans cette ville, dans cet immeuble, on ne pouvait espérer avoir du chauffage avant six ou sept heures du matin. Les radiateurs se mettraient alors à cogner, faisant un raffut à réveiller les morts. D'ici là, tout demeurerait silencieux et glacé. Les enfants voulaient écouter la conversation – c'était mieux que la télé –, mais Mrs Jackson les renvoya se coucher. Assis à la petite table de cuisine, le mari, la femme et les deux inspecteurs burent le café comme une petite famille unie. Il était cinq heures du matin, il faisait encore noir dehors. On entendait des sirènes de police, des sirènes d'ambulance – tous quatre savaient faire la différence. Leur plainte était le nocturne de cette ville.

– C'te voiture nous a emmerdés depuis son arrivée, se lamenta Jackson. Si j'avais été mon collègue de nuit, j'aurais dit à Pratt de se trouver une dépanneuse et de faire remorquer son épave, ça valait pas le coup de s'embêter. On a dû refuser deux, trois autres bagnoles le lendemain parce que Gus avait cette Caddy à la con sur le pont. Hier matin, j'arrive, en croyant que c'est fini – un vrai bazar, la voiture. Le type doit venir la reprendre à dix heures, et c'est un bordel comme j'ai jamais vu de ma vie.

– Comment ça ? Vous aviez encore des problèmes avec le moteur ? s'étonna Carella.

– Non, non. A l'intérieur de la voiture.

Les deux inspecteurs posèrent sur Jackson un regard intrigué. Sa femme aussi.

– Quelqu'un avait dû laisser une fenêtre ouverte, reprit-il. C'te bazar...

Ils continuaient à le regarder tous les trois, en tâchant d'imaginer de quel genre de bazar il parlait.

– Vous avez vu *Les Oiseaux* ? Le film écrit par Alfred Hitchcock ?

Carella ne pensait pas que c'était Hitchcock qui avait écrit le scénario de ce film.

– Des oiseaux qui essaient de tuer tout le monde?

– Et alors? s'impatienta Mrs Jackson.

– Y a dû y avoir des oiseaux qui sont entrés dedans, dit Jackson. Peut-être parce qu'il faisait tellement froid.

– Qu'est-ce qui vous fait croire ça? intervint Hawes.

– Y avait de la merde et des plumes partout, répondit Jackson. J'ai dû faire nettoyer l'intérieur de la bagnole par Abdoul avant que le gars vienne la récupérer. Jamais vu un bazar pareil. Ils sont malins, les oiseaux, vous savez. J'ai lu quelque part que, quand on tournait ce film, les corbeaux arrivaient à ouvrir la porte de leur cage – c'est vous dire si c'est malin. Ils ont dû entrer dans la voiture.

– Comment? Vous avez remarqué une fenêtre ouverte.

– La vitre de la portière arrière droite était baissée d'une quinzaine de centimètres, ouais.

– Vous pensez que quelqu'un l'avait laissée ouverte la veille?

– Forcément.

– Et un oiseau est entré?

– Plusieurs. Y avait de la merde et des plumes partout, je vous dis.

– Où ça? demanda Carella.

– Sur la banquette arrière, tiens.

– Et vous avez chargé Abdoul de nettoyer?

– Dès qu'il est arrivé, samedi matin. J'ai vu le bazar, je l'ai mis tout de suite au boulot.

– Tout seul?

– Tout seul, ouais.

– Vous ne l'avez pas vu ouvrir la boîte à gants?

– Non, non.

– Farfouiller à l'avant?

– Non, il nettoyait le bazar derrière.

– Vous l'avez regardé tout le temps?

– Non, bien sûr. J'avais plein d'aut' choses à faire.

– Il est resté combien de temps dans la Caddy?

– Une heure, environ. A passer l'aspirateur, à laver. C'était un bazar, vous pouvez me croire. Mais, quand le mec est venu la prendre, à dix heures, elle était impeccable. On aurait jamais dit que des oiseaux y avaient niché pendant la nuit.

– Mais les oiseaux étaient déjà partis quand vous avez remarqué la fenêtre ouverte.

– Oh! ouais, depuis longtemps. Il restait que les plumes et la merde.

– Surveille un peu ton langage, fit Mrs Jackson, plissant le front.

– Vous pensez qu'ils sont ressortis comme ils sont entrés? dit Hawes.

– Probable, vous croyez pas?

Hawes se demandait comment ils avaient réussi ce tour-là.

Carella aussi.

– Bien, je vous remercie, dit-il. Si vous vous rappelez quoi que ce soit d'autre, voici ma...

– Quoi, par exemple?

– Quelqu'un qui se serait approché de la boîte à gants.

– J'vous l'ai dit, j'ai vu personne près de la boîte à gants.

– Enfin, voici quand même ma carte. Si vous vous rappelez quoi que ce soit qui puisse nous aider...

– La prochaine fois, venez plus à cinq heures du matin, soupira Jackson.

Sa femme approuva d'un hochement de tête.

– Ce qu'on voudrait, dit Carella au téléphone, c'est envoyer quelqu'un prendre la voiture pour la faire examiner.

– Quoi? s'étrangla Pratt.

Il était cinq heures et quart du matin, Carella appelait du téléphone de la voiture banalisée. Hawes conduisait. Ils se dirigeaient vers Calm's Point, où vivait Abdoul Sikhar.

– Et je dors quand, moi? tempêta Pratt.

– Je veux pas dire là, tout de suite. Nous pourrions vous envoyer quelqu'un...

– Mais là, tout de suite, vous m'avez réveillé.

– Désolé, mais nous voudrions jeter un coup d'œil à votre voit...

– Ça, j'ai compris. Pourquoi?

– Pour savoir ce qui s'est passé à l'intérieur.

– Quelqu'un m'a fauché mon flingue, voilà ce qui s'est passé.

74

– Nous travaillons là-dessus, Mr Pratt, assura Carella. C'est pour ça que nous aimerions que des gens de chez nous examinent l'intérieur.

– Quels gens ?

– Nos techniciens.

– Pour chercher quoi ?

Des plumes et de la merde, faillit répondre l'inspecteur.

– Ce qu'ils pourront trouver.

– Vous avez de la chance que c'est dimanche, marmonna le garde du corps.

– Comment, Mr Pratt ?

– Je bosse pas, aujourd'hui.

Les trois Richard commençaient à dessoûler et à sombrer dans une humeur un tantinet maussade. Ils avaient traversé toute la ville pour monter à Diamondback – ce qui n'était pas une si bonne idée, pour commencer – et, maintenant, ils n'arrivaient pas à trouver une seule fille dans les rues, peut-être parce que tous les gens sensés dormaient déjà à cinq heures vingt du matin. Richard Ier n'avait pas peur des Noirs. Il savait que Diamondback était un ghetto notoirement dangereux, mais il s'y était déjà rendu, pour chercher de la cocaïne – ce n'était pas pour rien qu'on le surnommait Cœur de Lion –, et il croyait savoir y faire avec les Afro-Américains.

Selon lui, un Noir, ou une Noire, était capable de dire immédiatement si il ou elle avait affaire à un raciste. Naturellement, les seuls Noirs qu'il connaissait étaient dealers ou prostituées, mais cela n'entamait en rien sa conviction. Il suffisait à un Noir de regarder un Blanc dans les yeux soit pour découvrir ces yeux bleus morts auxquels son conditionnement lui disait de s'attendre, soit pour constater que le Blanc était véritablement « daltonien », insensible aux différences de couleur. Richard Ier aimait se croire daltonien, et c'est la raison pour laquelle il se trouvait à Diamondback à cette heure, en quête de chatte noire.

– Le problème, c'est qu'on est venus trop tard, expliqua-t-il aux deux autres Richard. Tout le monde dort déjà.

– Merde, on caille ici, se plaignit Richard III.

En haut de la rue, trois Noirs se chauffaient les mains à un feu brûlant dans un tonneau de pétrole scié, sans s'occuper des trois étudiants en parka bleue à capuche. De l'autre côté de la rue, les lumières d'un *diner* ouvert toute la nuit projetaient de chauds rectangles jaunes sur le trottoir. Le soleil se ferait encore attendre une heure trois quarts.

Les trois jeunes gens décidèrent d'uriner dans le caniveau.

Ce qui fut peut-être une erreur.

Ils se tenaient, le zob à la main – bon, quoi, à cinq heures trente-cinq du matin, les rues étaient désertes, à l'exception des trois vieux cons se pressant autour de leur brasero –, faisant penser à trois moines dans leur parka à capuche, ne cherchant à insulter personne, répondant simplement à l'appel de la nature, pour ainsi dire, par une nuit sombre et sans orage. Ce ne fut pas tout à fait perçu de cette manière par le Noir qui surgit de la nuit tel le gardien solitaire de la décence publique, l'unique membre de la Patrouille Anti-Pisseurs, vêtu de noir comme la nuit, jean noir, bottes et blouson de cuir noirs, casquette O.J. Simpson noire enfoncée jusqu'aux oreilles.

Il marchait vers eux à grands pas au moment même où Yolande montait dans un taxi, à deux kilomètres de là.

– Ce qui m'ennuie vraiment, dans le « cimetière », c'est qu'on commence juste à s'y faire quand on vous remet de jour, disait Hawes.

Carella composait le numéro de son domicile.

Le cimetière, c'était le prétendu service du matin, qui vous tenait debout toute la nuit.

Fanny décrocha à la troisième sonnerie.

– Comment il va ?

– Mieux. La fièvre est tombée, il dort comme un ange... Ce que j'aimerais faire, moi aussi, ajouta la gouvernante après une légère pause.

– Pardon, je n'appellerai plus. A dans quelques heures.

C'est ce qu'il *croyait*.

— Vous faites le turf? demanda le taxi.

— Z'êtes flic? répliqua Yolande.

— C'est ça, j'suis flic.

— Alors, occupez-vous de vos fesses.

— Je me demandais juste si vous savez où vous allez.

— Je le sais parfaitement.

— Une fille blanche qui monte à Diamondback...

— Je vous dis que...

— ... à cette heure de la nuit.

— Je sais où je vais. Et c'est le matin.

— Pour moi, c'est pas le matin avant que le soleil se lève.

Yolande haussa les épaules. La nuit avait été plutôt bonne, elle se sentait épuisée.

— Qu'est-ce que vous allez faire à Diamondback? voulut savoir le chauffeur.

La licence plastifiée fixée au tableau de bord, à droite du compteur, l'identifiait comme MAX R. LIEBOWITZ. Un Juif, pensa Yolande. Survivant d'une espèce en voie d'extinction de chauffeurs de taxi des grandes villes. Maintenant, la plupart des taxis étaient indiens ou arabes. Certains ne parlaient même pas anglais. Aucun d'eux ne savait où se trouvait Duckworth Avenue. Yolande, elle, le savait. Elle avait fait un pompier à un dealer colombien dans Duckworth Avenue, à Calm's Point. Il lui avait donné cinq cents dollars de pourboire. Elle n'était pas près d'oublier Duckworth Avenue. Elle se demandait si Max Liebowitz savait où se trouvait Duckworth Avenue; elle se demandait si Max Liebowitz savait qu'elle était juive, elle aussi.

— J'ai pas entendu votre réponse, Miss.

— Je vis là-bas.

— Vous vivez à Diamondback? dit-il, en lui jetant un coup d'œil dans le rétroviseur.

— Oui.

En fait, c'était Jamal qui vivait à Diamondback. Elle, elle vivait juste avec Jamal. Jamal Stone, aucun lien de parenté avec Sharon, qui avait lancé sa carrière en montrant son minou. Yolande montrait le sien cent fois par jour. Dommage qu'elle sache pas jouer la comédie. D'un autre côté, y avait des tas de filles qui savaient pas montrer leur minou.

– Comment ça se fait que vous habitiez là-haut? insista Liebowitz.

– J'aime bien payer un petit loyer.

En fait, c'était Jamal qui payait le loyer – mais il lui prenait tout ce qu'elle gagnait. Et il la fournissait en bonne came, aussi. A propos de quoi, c'était bientôt l'heure. Elle regarda sa montre. Six heures moins vingt-cinq. Une sacrée nuit de boulot.

– C'est rare, une fille blanche qui vit là-bas, commenta Liebowitz.

Une gentille petite Juive, pas moins, songea Yolande, mais elle ne le dit pas parce qu'elle ne pouvait supporter de voir un homme adulte pleurer. Une gentille petite Juive comme vous? Tailler des pipes aux automobilistes, pour cinquante dollars. Une Juive? Sucer quoi? Elle faillit sourire.

– Et qu'est-ce que vous faites dans la vie, alors? Vous êtes danseuse?

– Ouais. Comment vous avez deviné?

– Une jolie fille comme vous, à cette heure de la nuit, je me suis dit, elle doit danser dans un bar topless.

– Ouais, tout juste.

– Je suis pas médium, vous savez, dit Liebowitz avec un petit rire. Vous étiez juste devant le Stardust quand vous m'avez fait signe.

L'endroit où elle avait fait une branlette à vingt dollars à un gars du Connecticut, pendant que les filles se déhanchaient sur scène.

– Ouaip, dit-elle.

Elle refilait deux dollars par nuit au gérant pour pouvoir travailler dans la boîte en indépendante. Ça faisait râler les filles qui appartenaient au personnel de la boîte mais bon, c'est comme ça, chérie.

– D'où vous êtes? s'enquit Liebowitz.

– De l'Ohio.

– Je le savais bien que vous étiez pas d'ici. Vous n'avez pas l'accent.

Elle faillit lui dire que son père possédait un *deli*[1] à Cleveland, que sa mère avait vécu en France. Yolande Marie, c'était une idée de sa mère. Yolande Marie Marx.

---

1. Épicerie-traiteur de spécialités juives. *(N.d.T.)*

Connue dans la profession sous le nom de Groucho – non, je plaisante. Connue en fait sous le nom de Marie St. Claire, une trouvaille de Jamal – tu parles d'une différence pour les michetons motorisés. Je m'appelle Marie St. Claire, au cas où ça t'intéresse. Enchanté, Marie, prends-la plus profond.

Dans ses cauchemars, un miché en break bleu s'arrête, elle se penche à la fenêtre et susurre « Salut toi, tu veux te payer du bon temps ? », elle monte dans la voiture, ouvre la braguette du type... et c'est son père. Elle faisait ce rêve en moyenne deux fois par semaine, se réveillait couverte de sueurs froides. « Cher papa, je travaille toujours au magasin de jouets, dommage que tu ne puisses jamais quitter Cleveland maintenant que maman est clouée au lit, je viendrai peut-être à la maison pour Yom Kippur. » C'est ça. Prends-la plus profond, ma poule !

– Et vous avez rien d'autre à faire, au bar ?

– Qu'est-ce que vous voulez dire ?

– Ben, en plus de danser, quoi, fit Liebowitz, et il la regarda de nouveau dans le rétroviseur.

Elle lui rendit son regard. Il devait avoir la soixantaine, ce petit trouduc au crâne déplumé qui arrivait à peine à voir par-dessus le volant. Il la draguait. D'ici trente secondes, il allait lui proposer un troc. Il y avait maintenant six dollars et trente *cents* au compteur. Il laisserait tomber l'ardoise en échange d'un petit rapide sur la banquette arrière. Gentil papy juif. Elle ouvre la braguette, hop, c'est son papa qui sort.

– Vous le faites ?

– Quoi ?

– Autre chose que danser les seins nus.

– Ouais, je chante aussi les seins nus.

– Allez, on chante pas, dans ce genre de boîte.

– Moi, si.

– Vous me charriez, là.

– Non, non. Vous voulez m'entendre chanter, Max ?

– Nan, vous chantez pas.

– Je chante comme un oiseau, affirma-t-elle, sans pour autant lui faire une démonstration.

Liebowitz réfléchissait, essayait de savoir si elle se foutait de lui ou pas.

– Qu'est-ce que vous faites d'autre, insista-t-il. A part chanter et danser. Les seins nus.

Yolande commençait à se dire que ce ne serait peut-être pas une mauvaise idée de faire une dernière passe en rentrant. Mais pas pour les six dollars quatre-vingt-dix *cents* qu'affichait maintenant le compteur. T'as combien sur toi, *Zayde?* Tu veux te taper une gentille petite Juive de dix-neuf ans dont tu pourras parler à tes petits-enfants à Hannukah? Elle pensa de nouveau à son père, décida de laisser tomber. Quand même, convaincre ce brave Max de lâcher cent tickets pour une petite gâterie, ça valait peut-être le coup. Deux fois le tarif habituel d'une radeuse, mais, oh! de la si bonne marchandise, qu'est-ce que t'en dis, papy?

– A quoi vous pensez? demanda-t-elle d'une voix de sainte nitouche.

Le Noir en jean noir, blouson de cuir et bottes noirs, casquette noire apparut devant eux comme l'ange vengeur de la mort. Ils pissèrent presque sur ses godasses, tous les trois, tant il était près.

– Vous appelez ça comment? leur lança-t-il.

Question purement rhétorique à laquelle Richard II répondit néanmoins :

– Nous appelons ça pisser dans le caniveau.

– Moi, j'appelle ça manque de respect pour le voisinage, répliqua le Noir. La lettre P, c'est l'initiale de quoi? Pisser?

– Pourquoi vous ne faites pas comme nous? proposa Richard III.

– Je m'appelle Richard, se présenta Richard Ier, qui ferma sa braguette et tendit la main au Noir.

– Moi aussi, dit Richard II.

– Moi également, dit Richard III.

– Comme ça se trouve, fit le Noir, mon nom à moi, c'est aussi Richard.

Ce qui portait leur nombre à quatre.

Ils n'étaient plus qu'à une heure et seize minutes d'un crime de sang.

Abdoul Sikhar partageait un trois pièces à Calm's Point avec cinq autres Pakistanais. Ils s'étaient tous connus dans leur ville natale de Rawalpindi et avaient tous émigré aux États-Unis à des périodes différentes au cours des trois dernières années. Deux d'entre eux avaient laissé des femmes au pays, un troisième y avait une petite amie. Quatre de ces hommes travaillaient comme chauffeurs de taxi et restaient en contact par CB toute la journée. Chaque fois qu'ils babillaient en ourdou, leurs passagers avaient l'impression qu'ils ourdissaient un acte terroriste ou un enlèvement. Tous les quatre conduisaient en filant comme le vent dans la crinière d'un chameau. Aucun d'eux ne savait que la loi interdisait l'usage du klaxon, dans cette ville. De toute façon, ils l'auraient enfreinte. Chacun d'eux rêvait de quitter cette putain de ville et ces putains d'États-Unis d'Amérique. Abdoul Sikhar nourrissait le même sentiment, bien qu'il ne filât pas comme le vent dans un taxi. Lui, il servait aux pompes et lavait les voitures au Texaco du Pont.

Quand il ouvrit la porte, à six heures moins dix ce matin-là, il était vêtu d'un caleçon long en laine et d'un maillot à manches longues. Il donnait l'impression d'avoir besoin de se raser, alors qu'il se laissait simplement pousser la barbe. Agé de vingt ans, plus ou moins, c'était un jeunot efflanqué qui détestait ce pays et qui aurait mouillé son lit la nuit s'il ne l'avait partagé avec deux autres gars. Les inspecteurs se présentèrent. Hochant la tête, Sikhar sortit dans le couloir, referma la porte derrière lui, murmura que c'était pour ne pas réveiller ses « camarades », comme il les appelait, expression désuète remontant à l'époque de la colonisation britannique au Pakistan – salauds d'Anglais. Lorsqu'ils l'eurent informé du motif de leur visite, il s'excusa, retourna dans l'appartement, revint quelques instants plus tard, un long pardessus noir sur son caleçon long, des chaussures délacées aux pieds. Ils allèrent se poster tous les trois près d'une fenêtre crasseuse à travers laquelle un néon crachotait une lumière orange. Sikhar alluma une cigarette. Ni Hawes ni Carella ne fumaient, et ils auraient bien voulu avoir une bonne raison de l'arrêter.

— Qu'est-ce que c'est que cette histoire de pistolet? Tout le monde pose des questions sur ce pistolet.

— Les plumes, aussi, dit Carella.

— Et la merde d'oiseau, ajouta Hawes.

— Cette saleté, soupira Sikhar, hochant la tête, tirant sur la cigarette qu'il tenait à la manière de Peter Lorre dans *Le Faucon maltais.*

Lui-même semblait un peu négligé mais c'était peut-être parce que sa barbe en voie de développement faisait comme une tache sur son visage.

— Vous ne sauriez pas par hasard quel genre de plumes c'était? interrogea Hawes.

— Des plumes de pigeon, je dirais.

— Qu'est-ce qui vous fait croire ça?

— Il y a beaucoup de pigeons près du pont.

— Et vous pensez que plusieurs d'entre eux auraient réussi à pénétrer dans la voiture d'une façon ou d'une autre?

— Je crois, oui. Et ils ont paniqué. C'est pour ça qu'ils ont chié partout.

— Plutôt dégueu, dans la voiture, hein? fit Carella.

— Oh! oui.

— Comment ils sont ressortis, d'après vous? dit Hawes.

— Les oiseaux, ils ont leurs trucs, répondit Sikhar, d'un air mystérieux.

— Et le pistolet? rappela Carella.

— Quel pistolet?

— Vous le savez parfaitement.

Sikhar jeta son mégot par terre, l'écrasa sous la semelle d'une chaussure noire, tira un paquet de Camel froissé de la poche droite du long manteau noir.

— Cigarette? offrit-il, tendant le paquet d'abord à Carella, puis à Hawes.

Tous deux refusèrent, secouant la tête véhémentement. Le pompiste ne saisit pas le message subtil et alluma sa clope. Un nuage de fumée s'éleva en tourbillons colorés en orange par le néon crachotant de l'autre côté de la fenêtre. Pour une raison quelconque, Carella songea à *L'Enfer* de Dante.

Il revint à la charge :

— Le pistolet.

— Le fameux pistolet qui a disparu, dit Sikhar. Je ne sais rien du tout.

— Vous avez passé une heure environ dans cette voiture, non ? A nettoyer le bazar ?

— Un sacré bazar, renchérit le Pakistanais.

— Les oiseaux avaient sali près de la boîte à gants ?

— Non, le bazar se limitait exclusivement à la banquette arrière.

— Vous avez donc passé une heure environ à l'arrière de la voiture.

— Au moins.

— Sans jamais aller devant ?

— Jamais. Pourquoi je l'aurais fait ? Les saletés étaient à l'arrière.

— Je me disais que, puisque vous étiez en train de nettoyer la voiture...

— Non.

— ... vous auriez pu passer devant, donner un coup de chiffon au tableau de bord...

— Non.

— A la porte de la boîte à gants, un coup de chiffon partout.

— Non, je n'ai pas fait ça.

— Alors, vous ne savez pas si la boîte à gants était fermée à clef ou non ?

— Je n'en sais rien.

— A quelle heure vous avez commencé à nettoyer la voiture ?

— En arrivant. Jimmy m'a montré les saletés et m'a dit de nettoyer. Je me suis mis immédiatement au travail.

— Il était quelle heure ?

— Sept heures, à peu près.

— Samedi matin.

— Oui, samedi. Je travaille six jours par semaine, dit Sikhar avec une certaine insistance, et il regarda sa montre.

Il était près de six heures, dimanche matin. Le soleil se lèverait dans une heure et quart.

— Quelqu'un d'autre s'est approché de la Caddy pendant que vous étiez dedans ?

– Oui.
– Qui?
– José Santiago.

Ce que Richard IV faisait à Diamondback, c'était vendre du crack à de bons petits gars comme les trois Richard qu'il conduisait maintenant vers un clandé, où, avait-il promis, il y avait des filles à la pelle. Cooper de son nom de famille, il était parfois appelé Coop par des types qui voulaient se mettre bien avec lui, sans savoir qu'il détestait ce nom. C'était comme si un taré quelconque s'amenait vers un mec et lui filait une grande tape dans le dos en lui gueulant sous le nez : « Hé, tu te souviens de moi, Sal? » Sauf qu'il s'appelait pas *Sal*, vu? Son nom, c'était Richard, et c'était comme ça qu'il préférait qu'on l'appelle, merci. Certainement pas Coop, ni Rich, ni Richie, ni même Ricky ou Rick. Juste *Richard*. Comme les trois mecs qui l'accompagnaient et à qui il parlait de ces bonnes grosses fioles qu'il avait justement dans la poche – ça leur disait d'y tâter, à quinze sacs pièce?

Le crack et l'argent changeaient de mains, du Noir au Blanc et du Blanc au Noir, quand le taxi s'arrêta le long du trottoir. Une fille longiligne en veste de fausse fourrure et boots de cuir rouge en descendit. Le chauffeur baissa sa vitre. Il avait l'air un peu hébété, comme s'il venait de se faire rentrer dedans par un bus.

– Merci, Max, dit la fille, qui lui envoya un baiser.

Elle pivotait sur le trottoir, un mince sac en cuir véritable sous le bras, quand Richard Cooper lui lança :

– Hé, Yolande, t'es juste la fille qu'on cherchait.

Cinquante-six minutes plus tard, elle était morte.

5

Elle a déjà fait ça, des partouzes à trois, mais là, ça a l'air parti pour quatre, et peut-être même cinq si Richard met aussi sa thune. Elle connaît Richard, il vend de la bonne merde. En fait, il a travaillé un moment avec Jamal avant que chacun parte de son côté. Elle ne tient pas particulièrement à ce que ça devienne un truc à cinq avec Richard dans l'équation, mais, comme aime à répéter Jamel : « Les affaires sont les affaires, et les deux sont inconciliables. »

En même temps, la nuit a été très chargée, Dieu merci, et Yolande a vraiment sommeil, elle n'aspire plus qu'à rentrer et à présenter à Jamal le butin de la nuit, pour ainsi dire, puis se laisser câliner un peu par lui – il est très bon pour les câlins quand on lui refile près de deux mille sacs. Mais Richard, là, propose six cents dollars pour les trois étudiants, deux cents pièce, et lui fait des signes de tête pour indiquer qu'il ne refuserait pas de tremper lui aussi son biscuit, auquel cas il mettrait cinq fioles de crack au pot.

Ce qu'il suggère – et elle considère la proposition sérieusement, à présent, bien qu'elle soit morte de fatigue et transie jusqu'aux os –, c'est qu'ils aillent tous chez lui prendre du crack et en venir aux choses sérieuses, frangine, t'entends c'que j'dis ? Elle pense aux six cents tickets et aux cinq fioles – quinze dollars pièce au cours du marché – et se demande comment elle pourrait faire encore monter les prix, compte tenu qu'il est si tard ou si tôt, selon le point de vue où on se place. Elle se demande s'ils iraient jusqu'à mille balles et dix fioles, décide que c'est trop, et dit finalement à Richard – et aux trois étudiants qui hochent la tête d'un air compatissant tout en la déshabillant des yeux – qu'elle est dehors depuis onze heures la veille, que ça fait long, frangin, et qu'on devrait peut-être laisser tomber – à moins de mettre un petit supplément au pot, mm? Il lui demande ce qu'elle entend par « un petit supplément », et elle décide d'y aller carrément, après tout, merde.

– Si t'en es aussi, il me faut dix fioles...

– Pas de problème, la coupe aussitôt Richard.

– Et une plaque pour les étudiants, là.

Les étudiants en question sont flattés qu'elle les croie de Princeton ou de Yale au lieu d'une quelconque petite école merdique du Vermont. Mais les mille dollars leur restent en travers de la gorge, Yolande le voit bien, et elle ajoute aussitôt :

– Bon, vous êtes tous si mignons que je pourrais baisser jusqu'à neuf cents.

L'un des jeunots – elle apprend plus tard qu'ils s'appellent tous Richard, ça risque d'être un peu confus, cette partouze – réplique immédiatement : « disons huit cents », mais elle sait qu'il essaie juste d'imiter son père, banquier dans le Michigan ou Dieu sait où, et elle répond :

– Je peux pas pour moins de neuf cents. Vous êtes tous très mignons, mais...

– Huit cent cinquante? marchande un des autres Richard.

– C'est neuf cents, sinon je marche pas, exige-t-elle.

Elle ignore, à cet instant précis, que, si elle s'en va sur-le-champ, elle sera encore en vie dans cinquante et une minutes. Elle ne se rendra compte du danger que lorsqu'il sera presque trop tard, quand les choses commenceront à dégénérer. Beaucoup plus tard. Pour le moment, ils discutent du prix, et si elle s'en va, elle a encore une chance de survivre. Les trois gars forment une sorte de mêlée – elle apprendra plus tard que ce sont des stars de l'équipe de foot de leur école –, se redressent et se claquent mutuellement dans les mains, la grande conférence financière est finie, et l'un d'eux demande :

— Vous prenez les chèques de voyage ?

Richard le Noir éclate de rire, et Yolande, riant avec lui, annonce :

— Ça marche.

Elle a déjà fait ça à trois et y a même quelquefois pris plaisir, en particulier quand c'est un gars et deux filles. Avec la plupart des filles, tu fais semblant, tu vois, tu fais plein de bruit avec ta langue, et tu gémis : « Oh ! oui, chérie, vas-y, fais-le », alors que personne ne fait rien à personne. Mais le micheton est tout excité à l'idée de voir deux gouines en chaleur qui s'envoient en l'air. Avec certaines filles, tu fais vraiment ce que le miché pense que tu fais, et ça peut être très agréable, toutes ces lèches, parce qu'une autre fille sait exactement où se trouve la cible, elle sait sur quel bouton il faut appuyer, alors, oui, ça peut être vraiment, vraiment bon.

Deux gars et une fille, tu perds le contrôle de la situation. Parce qu'ils se mettent à jouer les machos, avec un qui te fourre par-derrière pendant que tu tailles une pipe à l'autre, et ils se mettent à te balancer : « T'aimes ça, hein, salope ? » ; ce genre de trucs, ça devient dégradant quand deux types font saillir leurs muscles et cherchent à prouver qu'ils ont une grosse queue. Ce n'est pas qu'elle se prend pour une princesse, elle sait qu'elle fait ça pour vivre, elle sait qu'elle est une putain de pute, ouais, elle le sait. Mais, quand il y a deux gars, elle commence à sentir vraiment qu'on se sert d'elle, tu vois, elle commence à sentir qu'ils n'ont aucun respect pour elle, et, après, elle a l'impression d'être sale, même si elle se raconte que, pendant tout le temps que ça a duré, elle n'était pas là. C'est ce sentiment qu'ils se sont servis d'elle, comme d'un récipient.

A présent, dans l'appart de Richard – où elle se rappelle être venue une fois avec Jamal, du temps où les deux hommes commençaient à travailler ensemble, qu'ils vendaient de l'herbe aux gosses de la maternelle – je rigole, fils, ils se sont jamais approchés d'une école, tu crois qu'ils sont dingues ? Elle se souvient d'être venue chez Richard pour une partie, mais pas le genre de partie avec trois étudiants blancs et un Noir avec un paf long comme un python. Le seul Noir avec qui elle baise, c'est

Jamal, et c'est parce qu'il s'occupe d'elle et qu'elle l'aime. Elle sait que les Noirs peuvent être sacrément montés, et elle a mal même après avoir baisé avec Jamal, ce qui n'arrive pas très souvent parce que les affaires sont les affaires, et les deux sont inconciliables.

De toute façon, ce qu'elle partage avec Jamal va au-delà des simples rapports sexuels; c'est lui qui l'a prise sous son aile quand elle est descendue de l'autocar de Cleveland, c'est lui qui veille à ce que personne lui fasse de mal. Si quelqu'un l'embête, elle le dit à Jamal, et il casse les deux jambes du mec. D'ailleurs, Jamal tire aussi avec cette autre fille dont il s'occupe, Carlyle – c'est le nom qu'il lui a donné. Carlyle est noire et très belle, Yolande comprend qu'il soit attiré. A l'occasion, ils font ça à trois. Jamal Stone, Carlyle Yancy (le nom de famille aussi vient de Jamal) et Marie St. Claire. Quelquefois, Yolande se demande comment elle a pu se mettre dans ce merdier, mais, bof.

En ce moment, elle se demande comment elle s'est mise dans le merdier de cette nuit, alors qu'elle est crevée, mais neuf cents sacs, c'est neuf cents sacs, sans compter les dix fioles, qui font cent cinquante de plus. D'autant que les étudiants partagent leur dope avec elle, tout le monde se sert sur le compte des jeunots, jusqu'à ce qu'ils soient tous défoncés et échangent des sourires idiots; putain, le braquemart de Richard, Richard le Noir – c'est alors qu'elle découvre qu'ils s'appellent tous les quatre Richard; ce que c'est drôle. Richard – le Noir – se tient maintenant devant elle et fait nonchalamment glisser la tête de son long nœud sur les lèvres de Yolande, tandis que, de chaque côté d'elle, un des étudiants lui empoigne un sein et que le troisième regarde et se prépare en s'astiquant.

Jusqu'ici, personne ne l'a traitée de salope ou de chienne.

Bouffeuse de bites est très prisé aussi.

Plus tard, elle se demandera comment la situation a dégénéré.

Personne apparemment ne savait où était José Santiago.

Six heures et demie du matin, personne ne savait. Ni sa mère, ni sa sœur, ni ses amis, ni le gars derrière le comptoir au fast-food du coin, personne – tout le quartier était soudain devenu sourd, muet et aveugle. Dans la police, on sait que cela signifie que tout le monde connaît l'endroit où se trouve Santiago, mais t'es un keuf, mec, t'attends pas à ce qu'on te le dise, señor.

Une faible lueur commençait à peine à éclaircir le ciel. On était encore trente-cinq minutes avant l'aube, la nuit refusait de céder. Ce lugubre matin de janvier demeurait terne et sombre, mais les rues s'animaient. Même un dimanche, il y avait du travail à faire dans cette ville, les lève-tôt se traînaient vers les bouches de métro et les arrêts d'autobus, croisant les noceurs et les prédateurs qui rentraient seulement se coucher. Les SDF, devinant l'aube, anticipant la sécurité qui viendrait avec le jour, se coulaient déjà dans leurs caisses en carton.

Devant un magasin de bonbons, au coin de la rue de Santiago, un homme, encore en manteau et oreillettes, soulevait un paquet de journaux. Le bord dentelé de la banne verte roulée au-dessus de la vitrine portait ces mots : HERNANDEZ-BONBONS-JOURNAUX-LOTERIE-CAFÉ. A son air affairé de propriétaire, ils supposèrent que l'homme était Hernandez en personne. Les lumières de la boutique leur faisaient signe, derrière lui. Un café serait le bienvenu...

– Flics, hein ? fit le commerçant au moment où ils franchissaient le seuil.

– Ouais, acquiesça Hawes.

– Vous vous demandez comment j'ai deviné, hein ?

Pas une trace d'accent. Probablement un Portoricain de la troisième génération, dont les grands-parents avaient débarqué du *Marine Tiger* avec la première vague d'immigrants de l'île. Probablement des gosses à la fac.

– Comment vous avez deviné ? demanda le policier.

Hernandez haussa les épaules comme pour indiquer qu'il ne pouvait perdre un temps précieux à répondre à une question aussi ridicule. Il n'avait pas encore ôté son manteau et ses oreillettes. Le magasin était glacé. Tout l'univers était glacé, ce matin. Ignorant les inspecteurs, il entreprit de couper la corde du paquet de journaux. Un gros titre s'étalait à la une du quotidien populaire :

UNE PIANISTE ASSASSINÉE

Le journal dit sérieux réservait ses manchettes aux guerres et aux catastrophes d'ampleur nationale, mais, dans le coin droit de la première page, un titre plus modeste surmontait un encadré :

MEURTRE D'UNE VIRTUOSE
Svetlana Dyalovich tuée de deux balles dans le cœur

Ce qui vient par la flûte s'en va par le tambour.
– On peut déjà avoir du café ? s'enquit Carella.
– Devrait être prêt dans cinq minutes.
A tout hasard, Hawes demanda :
– Vous connaissez un nommé José Santiago ?
Pourquoi pas ? Ils avaient déjà posé la question à tous les autres habitants du quartier. Du regard, il quêta l'approbation de son collègue, mais Carella avait les yeux rivés sur la plaque chauffante posée sur une étroite étagère, derrière le comptoir. L'arôme du café coulant goutte à goutte dans le pot était presque insoutenable.
– Pourquoi, qu'est-ce qu'il a fait ?
– Rien. On veut juste lui parler.
Le commerçant eut un autre haussement d'épaules, signifiant que cette réponse était elle aussi trop ridicule pour qu'il prenne la peine de la relever.
– Vous le connaissez ? insista Hawes.
– Il vient ici, reconnut Hernandez avec désinvolture.
– Vous savez où il est, en ce moment ?
– Non, où ?
Petite plaisanterie, là. Vous voulez savoir où il est, je fais semblant de comprendre que vous voulez me dire où il est. Hi hi hi.
– Vous le savez, ou non ?
Les deux inspecteurs sentaient dans cette boutique autre chose que l'odeur du café.
– Pourquoi ? Qu'est-ce qu'il a fait ?
– Rien.

90

Hernandez les regarda.

– Rien, vraiment, assura Hawes.

– Essayez le toit de son immeuble. Il élève des pigeons.

Richard, Richard le Noir, a déjà joui – aspergeant le visage de Yolande, ce qu'elle n'apprécie pas outre mesure, mais, bon, c'est lui qui a arrangé le coup, après tout. Assis dans un coin, enveloppé dans une couverture, il regarde la télévision, alors, elle est sûre que ce n'est pas lui qui fait tourner les choses en eau de boudin. Pour une fois, on ne peut rendre le Noir responsable, mon bon monsieur.

Elle ne pense pas que c'est Richard le rouquin non plus, parce qu'il se contente de jouer avec son nichon droit – elle doit reconnaître qu'elle a des pare-chocs canon, même à Cleveland, on le disait déjà. Le Richard avec cheveux bruns fourre maintenant ses doigts en elle et cherche son clitounet – bonne chance, mon gars, dans l'état où t'es... Il bande dur. Elle a son machin dans la main et elle le branle énergiquement, dans l'espoir de le faire décharger comme ça, qu'on en finisse, qu'elle rentre se coucher. Mais il lui écarte maintenant les jambes, essaie de la grimper – ils sont tous si défoncés qu'aucun d'eux ne sait ce qu'il fait, sauf l'étudiant qui lui tète le sein comme si c'était celui de sa mère. Lui, il sait ce qu'il fait, et il prend apparemment son pied ; peut-être même qu'il va jouir comme ça, en tout cas, elle l'espère : d'une pierre deux coups.

Alors, ça doit être Richard le blond qui lui fourre la tête dans un sac à congélation.

Elle comprend immédiatement qu'elle va mourir.

Elle sait que son pire cauchemar va devenir réalité.

Elle va suffoquer dans un grand sac en plastique, l'un de ces trucs solides dans lesquels on congèle un gigot, pas un de ces sacs très fins qui vous collent au visage, et qu'il faut mettre hors de portée des enfants. Non, elle ne mourra pas avec du plastique collé aux narines et aux lèvres. Elle va épuiser l'oxygène que contient le sac, elle mourra de cette façon, il ne restera plus d'oxygène à respirer dans le sac, elle mourra comme ça...

– Non, salope, dit-il.

Il ôte le sac de la tête de Yolande et lui enfonce sa bite dans la bouche. Elle préfère ça. Elle préfère mille fois une bite qu'un sac à congélation sur la tête : une dans la bouche, une dans la main, et une dans le vagin – c'est toujours le nom qu'elle utilise quand elle y pense, son vagin, comme le vagin d'une dame de la bonne société londonienne. Elle est tellement contente de ne plus avoir le sac sur la tête qu'elle reprendrait même la grosse trique de Richard si l'envie lui venait de remettre ça. Mais non, Richard le Noir semble content de rester affalé dans son coin devant la télé. Elle se demande si elle ne devrait pas lui crier que ce con d'étudiant vient d'essayer de lui faire peur en lui mettant un sac à congélation sur la tête.

– Bouffeuse de bites, grommelle l'étudiant.

Qui lui remet le sac sur la tête.

Un gobelet de café fumant à la main, les inspecteurs gravirent les six étages jusqu'au toit de l'immeuble de Santiago, ouvrirent la porte métallique et sortirent. La ville les prit par surprise, et ils la trouvèrent presque belle. Debout, près du parapet, ils burent leur jus à petites gorgées en contemplant les lumières scintillant sous eux comme un nid de joyaux. L'obscurité cédait rapidement du terrain. A l'autre bout du toit, les pigeons de Santiago roucoulaient doucement. Les policiers s'approchèrent.

Sur leurs perchoirs, les oiseaux semblaient recroquevillés sous leurs manteaux blanc et gris.

Le sol du pigeonnier était jonché de plumes et de merde.

Pas de Santiago en vue.

Il était six heures cinquante-trois.

Dans trois minutes, Yolande serait morte.

L'étudiant qu'elle astiquait l'instant d'avant la tient à présent par le poignet droit, celui qui vient de la tringler a saisi son poignet gauche, et ils se mettent tous les trois de la partie, les trois Richard, deux qui la plaquent par terre, le troisième qui serre le sac autour de son cou. Elle va mourir, elle sait qu'elle va mourir. Elle sait que dans une minute, dans trente secondes, dans deux secondes elle ne pourra plus respirer et...

– Non, chienne.

Il enlève le sac et lui fourre de nouveau son dard dans la bouche.

C'est un jeu, pour eux, pense-t-elle. Espère-t-elle. Un simple jeu. On met le sac, on l'enlève. Ils ont lu quelque part que la privation d'oxygène augmente le plaisir sexuel. Elle espère que c'est ça. Mais alors, pourquoi ils la traitent de salope, de chienne, de bouffeuse de bites, pourquoi l'un d'eux lui enfonce...

« Non ! » hurle-t-elle, mais c'est trop tard, il a déjà poussé ce truc en elle, quelque chose qui lui fait mal, qui la déchire, non, s'il vous plaît, et, maintenant, le sac en plastique lui enserre de nouveau la tête. Par-dessus le tintement de ses oreilles, elle entend le Noir qui marmonne, à l'autre bout de la pièce : « Hé, mais qu'est-ce que vous... ? », et elle crie à l'intérieur du sac, elle essaie de crier, et elle entend le Noir beugler « Qu'est-ce que vous branlez ? », elle pense *au secours*, elle appelle « Au secours ! », à l'intérieur du sac, et, cette fois, elle *sait* qu'elle va mourir, cette fois, la douleur, en bas, est intolérable, pourquoi il lui fait ça, tourner un truc pointu, dentelé en elle, elle va mourir, elle veut mourir, elle ne peut plus respirer, elle ne peut plus le supporter une seconde de plus...

– Non, salope ! crie l'étudiant, et il arrache le sac de sa tête.

Elle inhale l'oxygène avec délice.

Elle sent contre ses lèvres quelque chose d'humide, de collant.

Elle pense que c'est la fin. Ils vont la laisser tranquille, maintenant. Elle a trop mal. Elle est déchirée, là, en bas, elle sait qu'elle saigne. S'il vous plaît, pense-t-elle. Laissez-moi, maintenant, je vous en prie. Assez.

– Vous êtes dingues ou quoi ?

Richard.

Bien, pense-t-elle. C'est fini.

Mais elle se retrouve la tête dans le sac.

Et ils la maintiennent de nouveau par terre.

Ils étaient revenus à leur voiture depuis deux ou trois minutes quand ils captèrent un 10-29 au 841 St. Sebastian Avenue. La fliquesse du standard ne voulait pas parler de meurtre, parce que tout ce qu'elle avait pour l'instant, c'était un cadavre dans une ruelle, et personne ne connaissait encore la cause de la mort. Ça pouvait aussi bien être une crise cardiaque. Elle les informa donc que les agents avaient découvert un cadavre, et ajouta qu'elle avait aussi prévenu la Criminelle, au cas où, et c'est ainsi que Monoghan et Monroe entrèrent en scène pour la seconde fois cette nuit-là.

Il était sept heures et quart, le soleil venait de se lever, plus ou moins. On n'aurait pas droit à l'aube aux doigts de rose, en tout cas. C'était juste la fin d'une autre dure nuit de travail, leur service touchait à son terme, sauf qu'ils avaient maintenant, s'avéra-t-il, un autre meurtre sur les bras. Le sac à congélation sur la tête de la fille ne laissait aucun doute.

Elle avait l'air d'une tapineuse, mais, de nos jours, il est difficile de séparer le bon grain de l'ivraie. Des starlettes de Hollywood assistent à la soirée des Oscars vêtues de robes qui les font ressembler à des arpenteuses de bitume, mais vous avez aussi des putains pur sucre qui racolent au coin de la rue et ont l'air d'étudiantes du Minnesota aux joues rouges, alors, allez savoir.

— Une pute, décida Monoghan.

— A tous les coups, approuva Monroe.

— Sûrement son mac qui l'a butée, suggéra Monoghan.

— C'est pour ça qu'elle a plus son sac à main.

Habile déduction. Carella se disait que, s'il traînait un peu dans le coin, il apprendrait peut-être quelque chose. Il se demandait pourquoi, si le meurtrier était un mac, il n'avait pas simplement tué la fille d'un coup de couteau. Ou d'une balle. Pourquoi raffiner? Pourquoi un sac à congélation sur la tête? Manifestement, quelqu'un, son mac ou un autre, l'avait traînée dans la ruelle. Elle gisait sur le dos dans une flaque gluante de sang à demi coagulé, mais des traces sanglantes menaient au trottoir, d'où partait apparemment la piste. Quelqu'un l'avait-il transportée en voiture, puis traînée à l'endroit où elle se trouvait maintenant, près d'une rangée de poubelles et de piles de gros sacs noirs pleins de détritus?

— Elle était peut-être enceinte, supputa Monroe. Tout ce sang...

— Maintenant, on te tue pour pouvoir arracher le bébé de ton ventre, s'indigna Monoghan.

— C'est la barbarie qui recommence, soupira Monroe.

— Y a plus de civilisation, déclara Monoghan.

— Y a plus que des sauvages, dit son collègue avec plus de sentiment que Carella l'en aurait jamais cru capable.

A la faible lumière d'une aube grise et froide, le visage de la fille sous le plastique était aussi blanc que la glace sur le sol de la ruelle.

Ils l'avaient entourée d'un drap avant de la porter à la voiture de Richard le Noir, puis l'avaient transportée un kilomètre plus haut dans St. Sab et traînée dans la ruelle, toujours enveloppée. Mais Richard le Noir savait que les flics ont des méthodes qui leur permettent de retrouver l'origine d'un drap, et il avait convaincu les autres de la déballer, pour ainsi dire, avant de la laisser près des poubelles, où des rats gros comme des chats cavalaient partout, il en frissonnait encore rien que d'y penser.

Ces emmanchés de Blancs voulaient plus entendre parler de lui après avoir utilisé sa voiture pour se débarrasser de la pute, mais il leur avait rappelé que c'était pas lui qui l'avait asphyxiée, pas lui qui lui avait pété la chatte, mais bien trois mecs friqués appelés Richard, étudiants dans une boîte appelée Pierce Academy, comme c'était écrit sur le devant de leur connerie de parka, avec cette connerie de ballon de foot dans le dos, vu? Alors, ou ils l'aidaient à nettoyer la tire et l'appart, à balancer le drap plein de sang, ou ce bon vieux Richard le Noir allait tout droit à la maison Keuf. Ils le crurent. Peut-être parce qu'il leur mit aussi sous le nez un couteau à cran d'arrêt plus grand que leur bite et qu'il menaça de les

« circonscrire » grave s'ils essayaient de le balancer maintenant.

En définitive, ils firent le ménage dans l'appartement comme quatre pédales speedées envoyées par un service de nettoyage. Les laveries de voiture n'étaient pas encore ouvertes à cette heure de la nuit, ou de la journée, ou de ce que vous voudrez, et Richard ne voulait pas non plus aller dans un garage, avec tout ce sang sur la banquette arrière, jamais il avait vu quelqu'un saigner autant. Il se rappelait un film qu'il avait vu récemment, du sang et des saloperies plein la bagnole après une exécution, y en avait pas autant ce coup-ci, mais quand même, et il ne voyait pas quel gros truand il aurait pu appeler pour qu'il vienne régler le problème. Tout ce qu'il savait, c'était que les visages pâles avaient intérêt à l'aider, sinon, ils étaient mal barrés.

Au cinéma et à la télé, les Blancs et les Noirs sont tous copains-copains, mais c'est bidon. Dans la vie, on voit rarement des Blancs et des Noirs ensemble, pour commencer. Dans le film où la cervelle du gars dégueulasse toute la voiture, le type noir et le type blanc sont deux tueurs à gages qui s'entendent comme cul et chemise. Mais c'est bidon. Ils se traitent de « bamboula » l'un l'autre, et tout ; le Noir traite le Blanc de « négro », le Blanc traite le négro de « négro » aussi sec, mais le premier Blanc qui traiterait Richard de « négro », il lui exploserait la tête, faut pas croire aux conneries de ce film. C'était un Blanc qui avait écrit ce film, qu'est-ce qu'il connaissait aux Noirs ?

La réalité, l'ami, c'est que l'égalité n'avait jamais existé dans ce « pays des hommes libres », ce « havre des braves », et aucun Noir n'avait jamais fait confiance à un Blanc, et vice versa, jamais. Richard ne faisait pas confiance à ces trois salauds de Blancs, et ils ne lui faisaient pas confiance non plus, mais ils avaient besoin les uns des autres, parce qu'une fille avait été tuée dans son appartement, et que c'étaient eux qui l'avaient tuée. Les Blancs, pas lui. Mais dans son appart, ne l'oublions pas. Les flics avaient le chic pour ne pas oublier ce genre de petit détail, les enfoirés.

Ils formaient donc ce qu'on pouvait appeler un drôle

de couple, expression effectivement utilisée dans un livre que Richard avait lu un jour. Oh! il avait de la culture, vous y trompez pas, bordel. Il lisait des bouquins, il allait au cinéma, il avait même vu un jour une pièce sur des soldats, avec rien que des Noirs sur scène. D'après lui, les Noirs sont les meilleurs acteurs du monde parce qu'ils savent ce que c'est que souffrir. Et, pour le film avec de la cervelle répandue dans toute la caisse, c'est le Noir qui aurait dû avoir l'Oscar, pas le Blanc.

Ils étaient donc là tous les quatre, trois Blancs, qui ne connaissaient rien à rien, et un Noir, qui leur apprenait comment survivre dans la grande méchante ville. Ce que les jeunots ne savaient pas, entre autres, c'est que, une fois qu'ils auraient nettoyé sa voiture et se seraient débarrassés du drap dans lequel ils avaient enveloppé la pute, il la leur mettrait, bien profond.

La fille s'appelait Yolande Marie Marx, ses empreintes digitales le leur apprirent. Elle avait un casier non pas long comme le bras mais plutôt fourni pour une gamine qui n'avait que dix-neuf ans. Dans la plupart des cas, elle avait été pincée pour prostitution, mais il y avait aussi deux arrestations pour vol à l'étalage, et une demi-douzaine pour possession de drogue; autant de délits mineurs qui, lorsqu'elle l'était elle-même, lui avaient valu uniquement une succession de petites tapes sur les doigts de la part de juges compatissants. A l'âge de dix-huit ans, elle avait purgé trois mois à Hopeville, la Ville de l'Espoir – drôle de nom pour une prison pour femmes. Elle travaillait sous le nom de Marie St. Claire, c'était indiqué dans son casier. Le nom de son mac y figurait aussi.

La relève avait eu lieu sans eux.

A huit heures moins le quart, environ, l'équipe de jour, composée de huit hommes, avait relevé six des huit inspecteurs de l'équipe de nuit, mais ni Carella ni Hawes, qui étaient encore sur le terrain. Sur le terrain et non dans leur lit parce qu'ils tenaient peut-être une piste pour le meurtre de Yolande Marie Marx. Sa mort ne ferait sans doute jamais la une des journaux, elle n'était pas Svetlana Dyalovich. Même si l'on trouvait celui qui l'avait sauvagement assassinée, sa mort ne serait jamais que brièvement mentionnée dans les médias. Mais ils avaient le nom de son mac. Et l'homme avait lui aussi un casier substantiel, comprenant notamment une condamnation pour meurtre à La Nouvelle-Orléans, une dizaine d'années plus tôt, pour laquelle il avait passé quelque temps au pénitencier d'État d'Angola, en Louisiane. Il honorait maintenant la ville de sa présence. Le sort du policier n'est pas heureux.

Particulièrement pas à huit heures du matin. Quand Carella et Hawes frappèrent à la porte de Jamal Stone, quatre balles transpercèrent le panneau de bois avant même qu'ils s'identifient.

— Ça flingue ! cria Hawes, mais Carella s'était déjà jeté par terre, et son collègue l'imita aussitôt.

Allongés côte à côte dans le couloir, devant la porte, la tête de l'un près de celle de l'autre, ils haletaient, transpirant malgré le froid, l'arme à la main.

— Il est médium, ce mec, murmura Hawes.

Carella se demandait quand ça se remettrait à canarder.

Hawes se posait la même question.

Surprise : la porte s'ouvrit.

Ils faillirent tirer sur Jamal, qui leur demanda :

— Vous êtes qui, vous ?

Ce qui s'était passé – du moins Jamal le leur expliqua-t-il dans la salle d'interrogatoire, au premier étage de ce bon vieux 87e –, c'est qu'il attendait quelqu'un d'autre, voilà ce qui s'était passé.

— Tu tires toujours sur les gens qui frappent à ta porte ? fit Hawes.

— Seulement quand je m'attends à ce qu'ils me tirent dessus, répondit Jamal.

Cela commençait à devenir intéressant. En fait, Bert Kling était presque content qu'on leur ait demandé, à Meyer et à lui, d'assister à l'interrogatoire. Il était encore assez tôt pour savourer une tasse de café avec des collègues qui avaient passé la nuit dans le froid. Mais, outre l'aspect camaraderie, et la perspective de se distraire un peu avec un lascar qui avait déjà été bouclé au 87ᵉ une ou deux fois et qui se sentait chez lui dans un commissariat, doubler l'équipe permettrait de les mettre rapidement dans le coup sur l'une des affaires dont Carella et Hawes avaient hérité pendant la nuit.

Sur l'un des murs de la salle, il y avait (avant que l'inspecteur Andy Parker ne l'arrache dans un accès de colère) une pancarte qui disait : « C'EST TON AFFAIRE ! SUIS-LA JUSQU'AU BOUT ! » Les meurtres de Svetlana Dyalovich et de Yolande Marx appartenaient effectivement à Carella et à Hawes, qui avaient été les premiers sur le coup, mais ils ne reprendraient pas le travail avant minuit, et, d'ici là, deux autres longs services de huit heures s'écouleraient. Dans une enquête, les choses pouvaient se débloquer en un clin d'œil, et mettre au courant l'équipe de relève était un rituel que ces hommes observaient le plus souvent.

Jamal se disait que les deux autres flics étaient des tronches, eux. Les deux poulets qui posaient les questions, c'étaient ceux qui avaient failli se faire flinguer, alors, ils pouvaient pas être très futés. Mais le grand chauve baraqué – celui avec le badge MEYER MEYER (l'ordinateur avait dû se planter) Insp. 2ᵉ Cl. – avait l'air salement intelligent. Le grand blond aux allures de bouseux – BERT KLING Insp. 3ᵉ Cl. – était sans doute celui qui jouait le Bon Flic en duo avec le chauve faisant le Méchant quand ils faisaient mijoter un voleur minable. Mais, pour le moment, ils restaient silencieux et immobiles comme des serpents enroulés sur eux-mêmes, observant, écoutant.

– Tu t'attendais à ce que qui te tire dessus ? demanda Carella.

Tout cela, c'était de la mise en train. Ils se fichaient de savoir qui voulait descendre Jamal, bon débarras, mauvaise graine, comme aimait à répéter la mère de Carella. Ce qu'ils voulaient vraiment savoir, c'était si Jamal était le type qui avait mis la tête de Yolande dans le sac à congélation. A cette fin, ils le laisseraient dégoiser tant qu'il voudrait sur ses ennemis, réels ou imaginaires, le mettraient à l'aise, le ravitailleraient en café et cigarettes, attendraient qu'il révèle par un mot ou un geste qu'il savait déjà pourquoi deux inspecteurs l'interrogeaient – ce que personne ne lui avait encore dit, ce qu'il n'avait pas encore demandé. Ce qui pouvait être ou non significatif. Difficile à dire avec les truands chevronnés.

Jamal tira une bouffée de sa cigarette.

Sous le regard de Meyer et de Kling.

Leur présence le perturbait un peu. Il commençait à se demander si ce n'était pas des flics du Central, ou quelque chose comme ça. Qu'est-ce que c'était que ce bins? Deux flics du Central venus l'observer? Mais il se gardait bien de demander pourquoi il était là. On risquait trop de se mettre dans la merde avec ce genre de question. Il tira donc une autre taffe, but une gorgée de café et leur parla de ce dealer de crack colombien qui s'imaginait qu'il lui avait piqué de la dope – ce que Jamal n'avait pas fait – et qui racontait partout qu'il le cherchait pour le refroidir. Alors, quand il avait entendu frapper à la porte à huit heures du matin, alors que le soleil venait à peine de se lever, il avait pensé qu'à ce petit jeu il valait mieux jouer le premier, sinon on risquait de pas jouer du tout, et il avait balancé quatre pelos dans la porte. Ensuite, n'entendant plus rien, il s'était dit qu'il avait descendu le mec qui avait frappé, et il avait ouvert la porte en s'attendant à voir Manuel Diaz saignant sur le paillasson.

– C'est son nom, Manuel Diaz – vous voyez, je vous file quelque chose.

Comme s'ils ne connaissaient pas déjà les noms de tous les dealers dans la plupart des quartiers.

– Sauf que c'était vous deux, continua Jamal, et que j'ai failli vous truffer avant que vous gueuliez « Police! » Voilà, conclut-il, avec un haussement d'épaules.

– Voilà, fit Hawes en écho.

Jamal se gardait toujours de demander de quoi il s'agissait. Le chauve baraqué et le grand blond le regardaient à présent d'un air sévère, comme s'il venait de lâcher une connerie. Il se demanda ce que ça pouvait être. Et puis merde, pensa-t-il, je peux attendre aussi longtemps que vous. Il alluma une autre cigarette. Meyer hocha la tête, Kling aussi. Jamal se demanda pourquoi. Ils le rendaient nerveux, ces deux-là. Il se sentit soulagé quand Carella posa une autre question :

– Qui c'était la fille avec toi ?

– Une copine.

Carlyle Yancy était une des deux filles qu'il faisait bosser. Elle s'appelait en réalité Sarah Rowland, nom qu'il avait changé en la mettant sur le trottoir. Jamal n'avait pas l'intention de discuter de la profession de Carlyle ou de la sienne. « Une copine », ça couvrait un vaste champ.

– Quel âge elle a ?

La question aussi couvrait un vaste champ. Les flics demandent toujours l'âge de tes gagneuses, en s'imaginant que tu vas pisser dans ton froc si elle est mineure.

– Vingt ans. C'est plus un bébé.

– Qu'est-ce qu'elle fait ?

– Quoi, qu'est-ce qu'elle fait ?

– Elle se prostitue ?

– Hé, c'est quoi, ces questions ?

– Jamal, vu ton casier...

Alors, c'était avec ça qu'ils voulaient l'emmerder. Mais pourquoi ? Et l'appeler par son prénom, c'était un vieux truc qu'il connaissait par cœur, merci.

– Je fais plus dans ce genre de boulot depuis longtemps, déclara-t-il.

Meyer haussa un sourcil. Il se demandait si être mac pouvait être considéré comme un boulot. Kling aussi. *Et* Carella. *Et* Hawes. Bande de cyniques, pensa le souteneur en voyant leur expression.

– Et le meurtre ? dit Carella. T'as fait dans ce genre de boulot, dernièrement ?

– J'ai payé ma dette à la société, déclara Jamal Stone avec dignité.

– On est au courant. Libéré en avril dernier, exact ?

– Exact. L'ardoise est effacée, souligna-t-il du même ton digne.

– Qu'est-ce que t'as fait, depuis ?

– Différents boulots.

– Différents de proxénétisme ? répartit Hawes.

– Différents de meurtre ? riposta Carella.

– Juste divers boulots ici et là.

– Ici et où ça?

– Dans cette ville.

– Quelle chance on a, soupira Hawes.

– Quel genre de boulots? demanda Carella.

Ils le harcelaient, maintenant. Pour le mettre à cran. Il le savait, et les flics le savaient. Il demeurait imperturbable. Il avait affaire aux poulets depuis l'âge de douze ans, y avait pas un flic au monde qui pouvait lui faire perdre les pédales, maintenant.

– J'ai fait taxi, chauffeur-livreur, serveur. Des boulots comme ça.

– A propos, dit Hawes, on a un autre casier ici.

Le policier tourna la feuille de manière que le maquereau puisse lire le nom dactylographié en haut. MARX, YOLANDE MARIE, et dessous, entre parenthèses, alias MARIE ST. CLAIRE.

– Tu la connais? demanda Carella.

S'ils avaient son casier, ils savaient qu'elle tapinait pour lui. Dans quelle merde elle s'était encore fourrée? La dernière fois qu'elle avait piqué des fringues à l'étalage, il l'avait menacée de lui casser les deux cannes si elle recommençait à lui attirer des ennuis. Quoi qu'elle ait pu faire ce coup-ci, c'était le moment de jouer cartes sur table.

– Je la connais, admit-il.

– T'es son mac, hein?

– Je la connais.

– Et tu la maques un peu aussi?

Jamal haussa les épaules, fit aller sa tête d'un côté à l'autre, inclina la main à droite puis à gauche; le tout destiné à donner une impression d'incertitude, devinèrent les policiers. Ils le regardaient en silence, attendaient qu'il développe. Jamal, lui, se demandait ce que Yolande avait fait ce coup-ci. Pourquoi les keufs avaient sorti son casier. Il ne dit rien. Attendre jusqu'à ce qu'ils en aient marre, pensa-t-il. Jouer le jeu.

– Tu l'as vue quand, pour la dernière fois, Yolande? demanda Hawes.

– Pourquoi?

– Tu peux répondre à la question?

— Bien sûr, je vais le faire. Mais dites-moi pourquoi.

— Tu réponds, d'accord?

— Je l'ai conduite près du pont, vers dix heures.

— Tu l'as mise au turf à dix heures?

— Ben... ouais.

— Quel pont?

— Celui de Majesta.

— Qu'est-ce qu'elle portait?

— Une petite jupe noire, une fausse veste en fourrure, des bas noirs, des boots et un sac à main rouges.

— Tu l'as revue, après?

— Non. Elle est en taule?

Les inspecteurs échangèrent un regard. Comme l'a dit un jour le yogi Berra : « Quand tu arrives à un carrefour, prends-le. » Ils le prirent.

— Elle est morte, annonça Carella, et il lança une photo sur le bureau.

Elle avait été prise dans la ruelle donnant sur St. Sebastian Avenue. Une photographie en noir et blanc avec l'adresse du lieu du crime en lettres blanches, en bas, la date et l'heure dans le coin droit. Jamal regarda. Alors, c'était ça. Une pute crève, on va trouver son mac.

— Alors? fit Hawes.

— Alors, c'est moche. Yolande était une bonne gosse. Je l'aimais bien.

— C'est pour ça que tu l'as mise sur le bitume hier soir, les fesses à l'air, par − 11 °C? Tu l'aimais bien, hein?

— Parce qu'elle est morte de froid? ironisa Jamal.

— Fais pas le malin, le prévint Hawes.

— Personne la forçait, se défendit Jamal. Elle est morte de quoi? Overdose?

— A toi de nous le dire.

— Vous croyez que c'est moi? Pourquoi j'aurais fait ça?

— Où tu étais ce matin, vers sept heures?

— Au lit, chez moi.

— Seul?

— Non, avec ma copine. Vous l'avez vue. C'est avec elle que j'étais.

— Carlyle Yancy, elle s'appelle?

– C'est ce que, vous ai dit, non?

– De son vrai nom?

– Elle est jamais tombée, soupira Jamal, perdez pas votre temps.

– Son vrai nom?

– Sarah Rowland.

– On vérifiera, tu sais.

– Allez-y. Elle est clean.

– De quelle heure à quelle heure? demanda Carella.

– Quoi?

– De quelle heure à quelle heure elle était avec toi.

– Elle est rentrée vers trois heures et demie. Je suis resté avec elle jusqu'à ce que vous veniez frapper à ma porte. On attendait Yolande, en fait.

– Ça aussi, on vérifiera, tu sais.

– Elle vous le confirmera.

Meyer pivota vers Carella.

– Tu cherches à coincer quelqu'un pour une connerie de fusillade?

– Je cherche un meurtrier.

– Alors, rentre chez toi, dit Meyer, on a rien d'autre qu'un 265.01, ici.

Il se tourna vers Jamal.

– Toi aussi. On garde le flingue, merci.

6

Quand on est de service « cimetière », on quitte le boulot à huit, neuf heures du matin, quelquefois plus tard si un cadavre vous tombe dans la soupe. Disons que vous avez de la chance et que vous rentrez à la maison à neuf heures, neuf heures et demie, selon la circulation. Vous embrassez la femme et les gosses, vous prenez un verre de lait et un toast, et vous vous écroulez dans votre lit vers dix heures, dix heures et demie. Au bout de quelques jours, quand vous vous êtes habitué à cet horaire la nuit-pour-le-jour, vous arrivez à dormir vos huit heures, et vous vous réveillez bien reposé. Cela vous amène à six heures, six heures et demie, heure à laquelle vous prenez votre déjeuner ou votre dîner, comme vous voudrez. Vous êtes ensuite libre jusqu'à onze heures. Le soir, à cette heure, il ne faut pas plus d'une demi-heure, trois quarts d'heure pour aller au commissariat.

Tandis que vous dormez, que vous passez votre temps libre avec votre famille ou vos amis, les collègues s'activent. Un commissariat fonctionne vingt-quatre heures par jour, sept jours sur sept. Le crime ne connaît pas de pause, un poste de police non plus. Ainsi, pendant que Carella et Hawes dormaient, l'équipe de jour travailla de 7 h 45 à 15 h 45, heure à laquelle l'équipe de nuit prit la relève. Et pendant que Carella dînait avec Teddy et les jumeaux, que Hawes faisait l'amour avec Annie Rawles, l'équipe de nuit apprit diverses choses et enquêta sur d'autres, mais seules certaines d'entre elles avaient un rapport avec leurs deux affaires de meurtre.

De 9 h 15, dimanche matin, quand Carella et Hawes quittèrent le commissariat, à 23 h 45, lorsqu'ils reprirent leur service, il se passa des choses.

Certaines d'entre elles, ils en prendraient connaissance plus tard.

D'autres, ils ne les apprendraient jamais.

A neuf heures et quart, ce dimanche matin, deux des Richard attendaient, dans le terrain vague situé en face de l'ancien marché aux légumes, que les deux autres Richard reviennent avec des seaux d'eau. Ils avaient nettoyé à fond le coffre de la voiture de Richard le Noir, mais ils voulaient maintenant s'assurer qu'il n'y avait aucune trace de sang ailleurs. Les deux autres étaient partis chercher de l'eau et des chiffons propres à une laverie de voitures, trois rues plus haut, sous la voie express. Des encadrements de fenêtre vides, hérissés d'éclats de verre, semblaient les fixer telles des orbites sans yeux depuis les bâtiments abandonnés. Le soleil brillait, à présent, mais quelque chose dans l'air annonçait de la neige. Richard Cœur de Lion le sentait, c'était un don qu'il avait acquis dans son enfance. Il espérait que la neige ne ruinerait pas ses projets et expliquait à Richard Ier comment il voyait les choses.

— La fille est morte accidentellement. Ce n'était qu'un jeu.

— Rien qu'un jeu, approuva Richard II.

— Elle aurait dû nous prévenir qu'elle avait des difficultés respiratoires.

— Si elle avait eu un peu de jugeote...

— Mais elle ne l'a pas fait. Comment aurions-nous pu savoir?

— Impossible.

— En un sens, c'est de sa faute.

— Tu as joui, toi? voulut savoir Richard II.

— Oui.

— Moi pas.

— Je suis désolé, Richard.

– Pour trois cents dollars, j'aurais bien aimé prendre mon pied, tu vois.

– Je crois qu'il a pris l'argent.

– Qui?

– Richard. Il a pris l'argent, plus les fioles qu'il lui avait données. Neuf cents dollars et dix fioles. Tu l'as vu, toi, le sac de la fille? Quand on l'a portée à la voiture?

– Non. Maintenant que tu le dis, non.

– Je suis sûr qu'il a fauché le sac avec l'argent et les fioles dedans. Ce qui va nous permettre de lui coller ça sur le dos.

– Lui coller quoi sur le dos?

– L'accident de la fille. Yvonne, ou je ne sais quoi.

– Claire, je crois. J'aurais bien voulu décharger avant qu'elle claque.

– C'était de sa faute.

– Quand même.

– Il faut retrouver ce sac, Richard.

– De quel sac tu parles?

– Il n'est pas dans la bagnole, j'ai regardé. Il doit être resté dans l'appartement.

– Quel sac, Richard?

– Celui avec l'argent et les fioles. Une fois qu'on l'aura retrouvé, on pourra lui coller ça sur le dos.

– Comment?

– S'il l'a fauché, il y a ses empreintes dessus.

– Il les a peut-être essuyées.

– Il n'y a que dans les films qu'on fait ça. D'ailleurs, il n'aurait pas eu le temps. Nous étions tous ensemble, tu te rappelles? Pour l'envelopper dans le drap, la descendre, la mettre dans le coffre. Il n'aurait pas eu le temps.

– Putain, ce qu'elle était lourde.

– Sacrément.

– Elle avait l'air fluette, mais elle était lourde.

– C'est trompeur, oui.

– Je ne comprends toujours pas, pour le sac.

– Qu'est-ce que tu ne comprends pas?

– Comment ça le reliera à l'accident.

– Ben, ses empreintes sont dessus.

– Oui, mais...

– Ses empreintes le lieront à l'accident.

– Oui, mais si nous allons trouver la police avec le sac...

– Non, non, non, pas question de faire ça.

– Comment, alors ?

– Nous le laisserons près du corps.

– Tu crois qu'il est encore là ? On l'a probablement amenée à la morgue, à l'heure qu'il est, tu ne crois pas ?

– Je ne parle pas du corps de la fille, Richard.

Paul Blaney cherchait à déterminer ce qui était venu en premier, de l'œuf ou de la poule. La femme de race blanche allongée sur la table d'autopsie était-elle morte par suffocation, ou avait-elle succombé à l'hémorragie grave de la région génitale ? Il avait déjà décelé la présence d'une forte quantité d'un dérivé de la cocaïne dans le sang de la fille. Elle n'était pas morte d'overdose, c'était certain, mais les inspecteurs seraient sans doute intéressés par ce détail, qui pouvait lier le meurtre à la drogue – vous parlez d'une nouveauté. Blaney n'était pas sûr, en revanche, que les inspecteurs tiennent absolument à savoir si la fille était morte par suffocation ou hémorragie, mais son travail consistait à établir la cause et l'heure approximative de la mort.

Le médecin légiste n'était pas payé pour se perdre en conjectures. On le payait pour examiner les restes et recueillir des faits qui conduiraient à une conclusion scientifique. Son lexique définissait la suffocation comme une « asphyxie traumatique due à une obstruction des voies respiratoires empêchant l'air de pénétrer dans les poumons ». Mais, si la fille était morte asphyxiée, où étaient les signes de l'asphyxie ? Où était la cyanose du visage, cette coloration bleue qu'il trouvait toujours un peu effrayante, même après des années passées à pratiquer des autopsies ? Où étaient les petites ecchymoses circulaires sur le cuir chevelu, ces hématomes indiquant une mort par strangulation ou étouffement ? Où étaient les minuscules taches de sang dans le blanc des yeux ? En l'absence de tout indice sûr, Blaney ouvrit la poitrine de la fille.

Ce que pensait Richard le Noir en portant ses seaux d'eau, c'était qu'il irait trouver les flics et qu'il leur dirait que trois gosses de riches d'un bahut du Massachusetts ou du Connecticut, il savait pas au juste, une boîte appelée Pierce Academy – c'était marqué sur le devant de leurs parkas –, que ces trois joueurs de foot blancs et friqués étaient venus lui demander s'il avait de la dope à vendre, et il en avait, bien sûr – vous savez tous que je deale un peu de temps en temps, faut pas raconter d'histoires, je suis pas là pour vous mentir, messieurs, je suis là pour vous aider.

Les flics qui le regardent, genre « C'est ça, Bamboula est venu nous aider. Il a commencé comme simple *clocker* dans le quartier, maintenant il deale pour cinq ou six sacs par jour, il est là pour nous aider. Dégage, négro. »

Hé, non. Je les ai vus commettre un meurtre, ces gars.

Ah?

Les oreilles qui se dressent, maintenant...

– Qu'est-ce qui te fait sourire? voulut savoir Richard III.

Avançant lourdement dans sa parka bleue avec le grand P blanc devant, le petit ballon de foot juste dessous, portant deux seaux d'eau, comme Richard le Noir. Les poches bourrées, tous les deux, de chiffons propres provenant de la laverie de voiture. Trottinant sous la voie express. En pleine nuit, ils auraient pu se faire trucider, dans ce quartier.

– J'étais en train de penser que, dès qu'on aura fini, vous partirez de votre côté, moi du mien, dit Richard.

Et les deux sont inconciliables, pensa-t-il.

– C'est moche, ce qui est arrivé à cette fille, fit l'autre Richard.

– Mm.

– Mais ce n'était pas de notre faute.

En tout cas, pas de la mienne, c'est sûr, pensa Richard. C'est vous qui l'avez tenue, qui l'avez asphyxiée avec le sac. C'est pour ça que j'ai pas peur d'aller aux flics. Ma caisse sera impec, mon appart nickel, mon drap réduit en cendres comme les chiffons qu'on aura utilisés.

J'allumerai un petit feu de joie dès qu'on en aura fini avec la bagnole. Je regarderai tout ça partir en fumée, je dirai aux trois autres adieu, bons baisers et j'irai droit à la police.

— Quand même, reprit Richard III, je me sens désolé pour elle.

Mec, t'as pas fini d'être désolé, pensa Richard. Parce que je vais te balancer aux keufs. Pour du fric, mon petit blanchet. Parce que ça va être une affaire énorme. Trois mômes blancs bourrés de blé d'un bahut branché qui asphyxient une pute. Mais ils en rêvent, les flics, d'un coup pareil, ils seraient prêts à tuer pour ça, sans parler de casquer trois, quatre mille balles tirées d'une boîte noire qu'ils gardent justement pour ce genre de tuyaux extra. Ça valait peut-être même cinq mille, un tuyau pareil. Trois jeunes Blancs de la haute ? Je les vois déjà saliver, ces enviandés de bourrins.

Suffit juste de rester en dehors.

Bien faire comprendre que j'ai rien à voir là-dedans.

Je les ai seulement vus faire.

Ce qui est la vérité, entre parenthèses.

— Dis, tu pourrais t'arrêter de sourire comme ça ? dit Richard. On dirait une hyène.

Oh ! oui, pensa Richard.

Il y avait quelque chose qui continuait à turlupiner Jamal, sur cette photo que les flics lui avaient montrée. Bon, Yolande était morte, et tout, c'était troublant. Allongée sur le dos, là, dans la ruelle, la jupe relevée sur tout ce sang entre ses jambes, le sac en plastique sur sa tête, c'était très troublant. Une fille jeune et belle, mourir comme ça. On sait jamais ce qui peut arriver, mec.

Mais il y avait quelque chose d'autre qui le troublait sur cette photo, et il ne découvrit ce que c'était qu'une fois de retour à l'appartement, quand il expliqua à Carlyle sa passe d'armes avec la flicaille.

— C'qu'ils font, c'est qu'ils attendent que je parle, comme si je savais pas qu'ils ont une raison pour m'avoir emmené au poste, comme si j'étais un pôv' Nèg' taré de l'Alabama rendant visite à sa mamie dans la grande ville. Finalement, ils en viennent à Yolande...

— Tu veux dire qu'elle est morte? s'exclama Carlyle.

Assise à la table de cuisine, mangeant un des croissants qu'il avait rapportés de la boulangerie All Right, sur le Stem. Buvant un café de la couleur de sa peau. Café-au-lait, disait-on de Carlyle Yancy, qui était encore Sarah Rowland quand, fraîche et espiègle, elle avait fait la connaissance de Jamal, à dix-neuf ans. Elle en avait vingt, maintenant, reine du crac-crac et fervente consommatrice de crack, merci Jamal Stone.

— Oui, elle est morte, acquiesça le maquereau, affectant un ton pieux et une mine affligée.

Carlyle mangeait son croissant au beurre. Elle parut un moment songeuse, grave défaut chez une persilleuse. Ne jamais les laisser réfléchir aux risques du métier. Mais elle eut un léger haussement d'épaules et prit une autre bouchée de son croissant. Jamal reprit le récit de ses Prouesses face au Danger imminent d'Arrestation et d'Incarcération.

— Comme y avait ces deux balaises du Central, je me doutais que c'était un gros truc avant même qu'ils prononcent le nom de Yolande. Et alors, ils me foutent son casier sous le pif, et ils m'demandent quand je l'ai vue pour la dernière fois, c'qu'elle portait et tout, et ils me montrent une photo d'elle, écœurant, morte dans une ruelle de St. Sab, saignant de la tirelire.

— Eurk, fit Carlyle, avant de mordre de nouveau dans son croissant.

— Ouais, et un sac en plastique sur la tête, bordel.

Carlyle se leva, alla à la cuisinière. Elle portait juste ce déshabillé en soie qu'il lui avait acheté chez Victoria's Secret, avec un motif floral, lavande, et des mules à hauts talons – elle avait l'air aussi appétissante que les croissants sur la table. Il l'aimait, cette fille. Yolande était une bonne gagneuse, mais celle-là, il l'aimait. Même si elle devait plus jamais lui rapporter un rond, il la garderait et prendrait soin d'elle. Enfin, peut-être. Il la regarda verser du café dans sa tasse. Lorgnant son petit cul ferme, en réalité. Non, ça lui ferait rien qu'elle ramène jamais une thune à la maison, celle-là.

C'est alors qu'il comprit ce qui clochait sur la photo que les poulets lui avaient montrée.

– Le sac, dit-il.

Carlyle tourna vers lui un visage intrigué.

– Le sac de Yolande. Le sac rouge...

– En cuir véritable, ajouta Carlyle, hochant la tête.

– Elle l'avait, hier soir.

Carlyle but une gorgée de café.

– Mais il était pas sur la photo.

– Quelle photo?

– Celle qu'ils m'ont montrée. Une photo du lieu du crime, c'est censé faire voir exactement comme tout était, non?

– Je sais pas.

– On touche à rien avant de prendre les photos, non?

– Je sais pas.

– Alors, où il était, le sac?

– Celui qui l'a tuée a dû le piquer, raisonna Carlyle.

– Ouais, avec mon blé dedans, bordel de Dieu, grogna Jamal.

Il commença à donner ses coups de téléphone à dix heures dix.

« Allô, fit une voix enregistrée, bienvenue au Centre d'Action du Maire, accès direct aux services municipaux. Si vous avez un téléphone à touches et si vous voulez continuer en anglais, appuyez sur le 1. »

Il avait composé le 300-9600, il appuya sur le 1.

« Notre but est de vous guider si vous ne savez pas où aller, d'écouter attentivement votre point de vue, et de vous aider si vous avez un problème. Nous ne pouvons vous promettre de toujours remédier à ce qui ne va pas, mais nous ferons de notre mieux. En pressant certaines touches de votre téléphone, vous pourrez poser vos questions, et ce service fonctionnant vingt-quatre heures sur vingt-quatre y répondra sans que vous ayez à passer par une opératrice. Il vous permettra également de faire connaître votre opinion sur la gestion de la ville. Pour parler directement à l'un de nos représentants, de 9 h à 17 h, du lundi au vendredi, appuyez sur le 0. Si vous faites ce choix, il se peut que vous deviez patienter un moment. »

Il fit ce choix.

Appuya sur le 0.

« Veuillez excuser cette courte attente. Ne quittez pas. »

Il ne quitta pas.

« Allô, vous êtes en liaison avec le Centre d'Action du Maire. Tous les représentants du service sont actuellement occupés. Le premier qui sera libre prendra votre appel. Veuillez vous assurer que vous avez sous la main tous les éléments concernant votre requête. Fournissez le plus de détails possible pour que nous puissions vous donner promptement satisfaction. »

Il attendit exactement trente secondes.

« Tous les représentants du service sont occupés. Veuillez patienter. »

Il patienta trente secondes de plus.

La même annonce se répéta.

Il attendit.

Cinq minutes de silence total, puis :

— Centre d'Action du Maire. En quoi puis-je vous être utile ?

— Bonjour, je m'appelle Randolph Hurd. A qui je dois m'adresser pour la pollution phonique ?

— Quel genre de pollution phonique ?

— L'usage du klaxon à proximité du pont Hamilton. C'est interdit dans toute la ville, je crois.

— L'usage de quoi ?

— Du klaxon. Les voitures, les taxis, les camions...

— Il faut vous adresser au service Protection de l'Environnement. Je vous donne le numéro...

Elle lui donna le numéro.

873-4357.

Il le composa.

« Service Protection de l'Environnement. Si vous appelez pour un problème d'eau ou d'égout, de pollution de l'air ou de pollution phonique... »

Bon, pensa-t-il.

« ... amiante ou autres matériaux dangereux, veuillez patienter. Nos agents du service clientèle répondent aux appels dans leur ordre d'arrivée, vingt-quatre heures sur vingt-quatre. Nous vous mettrons en communication avec l'un d'eux dès que possible. Merci de votre patience. »

Il attendit une minute environ.

« Tous nos agents sont occupés, annonça la voix enregistrée. Veuillez patienter. »

Même message un moment plus tard.

Puis un silence de deux ou trois minutes.

– Protection de l'Environnement, dit enfin une voix d'homme.

– Bonjour, je voudrais des renseignements sur la pollution phonique.

– Quel type de pollution phonique ?

– L'usage de klaxon. Taxis, camions, voitures. Au voisinage du pont Hamilton.

Un nouveau silence, puis :

– Quel type de bruit, déjà ?

– Des klaxons. Klaxons de taxis, de camions...

– Il faut voir avec la Commission Taxis et Limousines, coupa l'homme. C'est le 307-8294.

Hurd composa le numéro.

« Commission Taxis et Limousines, récita une voix enregistrée. Si vous avez un téléphone à touches, appuyez sur le 1 pour de plus amples informations. »

Il s'exécuta.

« Si vous appelez pour formuler une plainte, appuyez sur le 1. Si vous appelez au sujet d'objets oubliés dans un taxi, appuyez sur le 2. Pour toute autre requête, appuyez sur le 3. »

Il avait une plainte à formuler.

Il appuya sur le 1.

« Toutes les plaintes doivent être formulées par écrit », lui recommanda une voix enregistrée, qui lui communiqua ensuite l'adresse à laquelle écrire.

« Pour retourner au menu principal, appuyez sur le 8 », dit la voix.

Il appuya sur le 8.

Écouta de nouveau les options qui s'offraient à lui, et le choix de « toute autre requête » lui parut soudain judicieux. Il pressa la touche 3. Une voix enregistrée énonça :

« Si vous appelez pour obtenir une licence, appuyez

sur la touche 1. Si vous avez une question d'ordre juridique – audience, citation à comparaître, appel –, appuyez sur 2. Si votre question concerne le renouvellement de la licence de chauffeur... »

Il réfléchit un moment, se dit que son problème était sûrement de nature juridique, puisqu'il était interdit de klaxonner, et enfonça la touche 2. On lui soumit d'autres choix enregistrés. Désirait-il changer la date d'une audience ? Voulait-il vérifier s'il était bien tenu de se présenter au tribunal ? Souhaitait-il... ?

« Si vous téléphonez au sujet d'un appel, dit la voix de robot, appuyez sur 4. »

Il s'empressa de le faire.

« Veuillez ne pas quitter pendant ce bref moment de silence. »

Il eut l'impression de se recueillir devant le tombeau du Soldat inconnu.

Il attendit.

Le bref moment de silence passa.

— Appels, fit une voix.

— Vous êtes un enregistrement ?

— Non, monsieur, je suis une employée.

— Dieu soit loué, s'écria Hurd, et il lui expliqua qu'il n'appelait pas au sujet d'un appel à proprement parler, mais qu'il voulait juste parler à un être humain qui pourrait lui fournir des renseignements sur les véhicules à moteur faisant usage de leur klaxon au voisinage du...

— Cela concerne les Affaires Publiques, dit-elle. Au 307-4738.

— C'est toujours la Commission Taxis et Limousines ?

— Oui, monsieur.

— Merci, dit-il, et il composa le numéro.

— Affaires Publiques, annonça une vraie voix d'homme.

Il était sur la bonne voie.

— Monsieur, je voudrais savoir s'il est bien interdit aux taxis de faire usage de leur klaxon.

— Oui, sauf en cas d'urgence. C'est dans le Code de la route.

— Les chauffeurs de taxi sont informés que c'est interdit ?

— Ils sont censés le savoir, oui.

— Mais qui les en informe? On leur remet une brochure, ou quelque chose comme ça?

— Ils sont censés prendre connaissance de la loi, oui.

— Comment?

— En principe, ils doivent la connaître.

— Moi, je n'ai pas l'impression qu'ils la connaissent si bien que ça.

— Vous avez une plainte à formuler sur un chauffeur de taxi qui a fait usage de son klaxon?

— J'ai une plainte à formuler sur dix mille chauffeurs qui font usage de leur klaxon!

— 11 787, corrigea l'homme. Mais si vous avez un taxi particulier en tête, vous pouvez appeler 307-TAXI pour déposer votre plainte.

— Je n'ai pas de taxi particulier en tête.

— Alors, vous devez appeler SPE-HELP. Ils sont habilités à recevoir une plainte non spécifique.

Il raccrocha, composa immédiatement SPE-HELP, se rendit compte une seconde trop tard que les lettres correspondaient au 873-4357.

« Service Protection de l'Environnement. Si vous appelez pour un problème d'eau ou d'égout, de pollution de l'air ou de pollution phonique, d'amiante ou autres matériaux dangereux, veuillez... »

Il attendit le temps qu'on lui annonce deux fois que tout le monde était occupé, finit par obtenir une employée en chair et en os du service clientèle. Hurd expliqua qu'il voulait déposer une plainte non spécifique sur l'usage du klaxon au voisinage du pont Hamilton, entre...

— L'usage de *quoi?*

— Du klaxon.

— Et vous dites que vous voulez déposer quel genre de plainte?

— Non spécifique. On vient de m'informer que c'est interdit et que vous recevriez ma plainte.

— Je ne sais pas si c'est interdit ou pas. Si vous voulez une copie de la Législation sur la Pollution Phonique, vous devez envoyer quatre dollars et soixante-quinze *cents* à cette adresse – vous avez de quoi écrire?

— Je ne veux pas une copie du règlement. La Commission Taxis et Limousines vient de me dire que l'usage du klaxon est contraire au Code de la route.

— Alors, vous devez vous adresser au service Routes et Circulation, dit l'employée. Je vous donne le numéro.

Il prit note du numéro, le composa. La ligne demeura occupée quatre minutes, puis une voix répondit :

— Service Clientèle.

— Bonjour, j'appelle pour me plaindre de klaxons...

— Cela concerne le service Circulation, l'interrompit la femme.

— Ce n'est pas le service Circulation ?

— Non, c'est Transit, ici.

— Alors, c'est quoi, le numéro pour Circulation ?

Elle lui donna un autre numéro, qu'il composa.

— Bonjour, j'appelle pour me plaindre de véhicules qui klaxonnent au voisinage du...

— Nous prenons seulement les plaintes concernant les feux de circulation et l'éclairage public.

— Alors, à qui dois-je...

— Je vous passe le service Circulation.

— Je croyais que c'était chez vous.

— Non, je vous le passe.

Il attendit.

— Service Transports.

— J'appelle pour me plaindre de l'usage de klaxons au voisinage de...

— Il faut vous adresser au SPE.

— Au quoi ?

— Service Protection de l'Environnement. Ne quittez pas, je vous donne le numéro.

— Je l'ai, merci.

Il rappela le service Protection de l'Environnement, où tous les agents étaient de nouveau occupés. Après une attente de six minutes, il eut une employée en ligne, lui expliqua de nouveau son problème. Elle écouta patiemment, puis répondit :

— Nous ne nous occupons pas de klaxons.

— Vous voulez dire que le service Protection de l'Environnement ne s'occupe pas de pollution phonique ?

— Je ne dis pas ça. Je dis simplement que nous ne nous occupons pas de klaxons.

– Un klaxon, ce n'est pas de la pollution phonique?

– Pas dans ce service. Construction, travaux de jour, travaux de nuit, tout ça, c'est ce que nous appelons la pollution phonique.

– Mais pas les klaxons?

– Pas les klaxons.

– Même si c'est interdit par la loi?

– Je ne sais pas si c'est interdit par la loi. Vérifiez auprès de votre commissariat local.

– Merci.

Il chercha dans l'annuaire le numéro du commissariat le plus proche du pont Hamilton. Le 87e. 41 Grover Avenue. 387-8024...

Une voix enregistrée répondit : « S'il s'agit d'une urgence, raccrochez et faites le 911. Si ce n'est pas une urgence, veuillez patienter, nous prendrons sous peu votre appel. »

Il patienta.

– 87e, sergent Murchison.

Hurd visa droit à la carotide :

– L'usage du klaxon est interdit par la loi, c'est exact?

– Sauf en cas d'urgence, oui, monsieur, c'est parfaitement exact.

Bon, pensa-t-il.

– Mais c'est une loi extrêmement difficile à appliquer, poursuivit le sergent. Parce que nous n'arrivons pas à déterminer qui klaxonne, vous comprenez? A localiser l'origine exacte du bruit, vous comprenez? Si nous pouvions trouver qui écrase son klaxon, eh bien, nous lui donnerions une citation à comparaître, vous comprenez?

Murchison ne mentionna pas que, planté au coin de Silvermine et de la 16e, écoutant l'incessante cacophonie infernale de la circulation, il pouvait avec une facilité extrême, et sans erreur, déterminer exactement quel chauffeur de taxi, conducteur de camion ou automobiliste klaxonnait, parfois pendant des minutes entières.

– Et s'il a une citation?

– Il passe au tribunal. Et il écope d'une amende s'il est reconnu coupable.

– Une amende de combien?

— Il faudrait que je vérifie...

— Vous pourriez le faire?

— Vous voulez dire, maintenant?

— Oui.

— Non, maintenant, je ne peux pas. Nous sommes tous très occupés, en ce moment.

— Merci, dit Hurd, et il raccrocha.

Il demeura un long moment tête baissée, la main sur le combiné. Dehors, le bruit était impitoyable. Il finit par se lever, alla à la fenêtre, l'ouvrit toute grande aux rafales de vent et à l'assaut des klaxons.

— Assez, murmura-t-il à la file de véhicules s'étirant sous lui. Assez, assez, assez, assez, assez, assez, assez! cria-t-il.

Dix minutes plus tard, il tua d'une balle un chauffeur de taxi qui faisait beugler son klaxon sur la rampe d'accès du pont Hamilton.

7

On eût dit que la voiture sortait de chez le concession-
naire. Richard le Noir ne l'avait jamais vue aussi belle, et
il dit aux trois petits cons blancs friqués qu'ils devraient
ouvrir ensemble une laverie de voitures. Tout le monde
rit.

Dans une *bodega* ouverte, ils achetèrent un bidon
d'allume-feu et trouvèrent un baril de pétrole couvert de
suie qui avait déjà servi cent fois de brasero. Dans le
quartier, quand il faisait froid, les SDF se rassemblaient
autour de ces gros tonneaux, y entretenaient un feu ron-
flant, y faisaient parfois cuire des pommes de terre sur
une grille, mais, la plupart du temps, ils s'en servaient
juste pour se réchauffer. Il faisait peut-être plus chaud
dans les asiles de nuit, mais, dans les asiles, on risquait
plus de se faire agresser, voler ou violer. Dehors, se rôtis-
sant les mains et le cul autour d'un brasero, on se prenait
pour un cow-boy dans les Grandes Plaines, putain.

Ils allumèrent le feu avec des bouts de bois qu'ils
ramassèrent dans le terrain vague, des vieux journaux,
des cadres sans verre, des chaises en bois aux pieds bri-
sés, une commode en deuil de tous ses tiroirs, des
annuaires de téléphone jaunis et cornés, des manches à
balai – tout ce qu'ils purent trouver comme combustible.
Dans nombre des rues de cette ville, dans la plupart des
terrains vagues, les débris épars faisaient penser au sillage de réfugiés de guerre. Quand le feu rugit et crépita,
ils y jetèrent le drap et les chiffons tachés de sang, atti-

sèrent les braises avec un manche à balai tandis que Richard premier entonnait « Double sort pour malheur double », Richard II enchaînant avec « Brûle feu et chaudron bouille [1] », ce que Richard le Noir prit pour une sorte de chanson d'association estudiantine.

Ils restèrent autour du tonneau jusqu'à ce que tout soit réduit en cendres. Enfin, pas tout. Un morceau de manche à balai, transformé en charbon de bois, se mit à rougeoyer. Mais tout ce qui les avait préoccupés était maintenant de l'histoire ancienne. Plus de drap, plus de chiffons. Pouf. Disparus.

— Ça s'arrose, décida Richard Ier.

L'homme assis devant le bureau de Meyer Meyer s'appelait Randolph Hurd. Bref et mince, presque aussi chauve que l'inspecteur, il portait un costume trois-pièces marron, une cravate assortie au ton éteint, des chaussures marron, des chaussettes marron. Un petit bonhomme terne qui venait de tuer un chauffeur de taxi de sang-froid et qu'un flic de la circulation avait arrêté avant même qu'il se soit éloigné de six pas du véhicule. L'arme, ensachée et étiquetée, se trouvait sur le bureau de Meyer. Hurd venait juste de parler au policier de tous les coups de téléphone qu'il avait donnés ce matin. Les yeux embués, il demanda :

— C'est bien interdit par la loi de klaxonner ?

Deux textes interdisaient en fait l'usage du klaxon, et Meyer les connaissait tous deux parfaitement. Le premier figurait à l'intitulé 34 du Règlement de la Ville, règlement sanctionné par la Charte de la Ville. L'intitulé 34 régit le Service des Transports. Le chapitre 4 de l'intitulé 34 définit les règles de la circulation. Le chapitre 4, article 12 (i) précise :

On ne doit faire usage du klaxon qu'en cas de danger, pour avertir une personne ou un animal.

Enfreindre cet article est passible d'une amende de 45 dollars.

Le second texte se trouve dans le Code Administratif de la Ville. Intitulé 24, « Protection de l'Environnement

1. Reprise des incantations des sorcières de *Macbeth*. (*N.d.T.*)

et Services Publics ». Article 221 du chapitre 2, « Limitation du bruit », sous-chapitre 4, « Bruits interdits et inutiles ». Il stipule :

Nul ne doit faire usage d'un avertisseur sonore pour faire du bruit inutilement. On ne doit klaxonner qu'en cas de danger immédiat.

Les amendes punissant les infractions à ce texte allaient de 265 à 875 dollars.

— Oui, Mr Hurd, répondit Meyer, c'est effectivement interdit par la loi. Mais personne n'a le droit de...

— Ce sont les chauffeurs de taxi et les conducteurs de camions, les pires. Ils sont tous tellement pressés de déposer un client ou une caisse. Les autres automobilistes suivent, c'est contagieux, vous savez. Comme une maladie. Tout le monde klaxonne. Vous n'imaginez pas le boucan, inspecteur. Ça vous casse littéralement les oreilles. Et cette violation flagrante de la loi est commise à quelques pas d'agents de la circulation ou de policiers assis dans leur voiture-radio. Il faudrait faire quelque chose.

— Je suis d'accord, Mr Hurd, mais...

— Moi, j'ai fait quelque chose.

Meyer estima que c'était un homicide justifiable.

Priscilla Stetson considérait Georgie Agnello et Tony Frascati comme des objets sexuels. Georgie et Tony pensaient qu'ils profitaient d'une belle blonde qui aimait attacher les mains des hommes et leur mettre un bandeau sur les yeux avant de les sucer.

Tout le monde y trouvait son compte.

Si quiconque d'autre s'approchait d'elle, ils lui feraient une tête. Elle leur appartenait. En retour, ils lui appartenaient. Elle les faisait venir quand elle en avait envie, les renvoyait quand elle était fatiguée d'eux. C'était un arrangement qu'aucun d'eux ne discutait jamais de crainte de le foutre en l'air. Comme un lanceur, au base-ball, naturellement doué pour les balles courbes. Ou un romancier doué pour les dialogues.

A onze heures du matin, ce dimanche-là, ils prenaient le petit déjeuner au lit tous les trois quand Priscilla parla de sa grand-mère.

Georgie et Tony avaient horreur de prendre le petit déjeuner au lit. On met des miettes partout, on se renverse du café sur les cuisses – horreur de ça. Allongée entre eux, Priscilla, nue et ravie, buvait son café et mangeait un petit pain au fromage. « Ses gars », comme elle les appelait, venaient tour à tour de la manger elle, et attendaient qu'elle leur renvoie l'ascenseur d'une façon ou d'une autre, ce qu'elle ne semblait aucunement disposée à faire pour l'instant. Cela délibérément, afin de leur montrer qui était le patron. D'un autre côté, il leur arrivait de la battre, sans toutefois jamais lui abîmer le visage ou les mains. Parfois, elle aimait ça, tout dépendait de son humeur, mais c'était plutôt rare.

Cela faisait partie de leur arrangement.

Comme la suite que l'hôtel mettait à sa disposition les soirs où elle chantait. Ce n'était pas la suite présidentielle, mais le tarif était quand même de quatre cent cinquante dollars la nuit, ce qui n'est pas des noyaux de cerise ou de litchi. Ils se trouvaient en ce moment dans cette suite baptisée Suite Richard Moore depuis que le célèbre skieur y avait dormi, à l'époque où il raflait les médailles d'or çà et là ; la Suite Richard Moore à l'hôtel Powell, Priscilla étendue nue entre eux, buvant son café et mastiquant son petit pain au fromage, Georgie et Tony n'arborant qu'un haut de pyjama de soie noire et une érection, essayant de ne pas renverser sur eux de café ou de miettes. Après le petit déjeuner, après qu'elle se serait occupée d'eux, si elle décidait de le faire, ils renifleraient peut-être une ou deux lignes de coke, qui sait ? Priscilla avait des relations. Georgie et Tony aimaient être maintenus dans cet état d'attente et de tension pour ainsi dire. Priscilla aimait les y maintenir. Elle pouvait décider de les renvoyer chez eux dès qu'elle aurait fini le deuxième pot de café apporté par le garçon d'étage, qui sait ? Du vent, les gars. J'ai des choses à faire, le dimanche, c'est mon jour de repos. Ou peut-être pas. Tout dépendrait de l'humeur dans laquelle elle serait d'ici dix minutes.

– Je sais qu'elle avait de l'argent, dit-elle à voix haute.

Ses gars se tournèrent pour la regarder. Deux serre-livres en soie noire. Le drap à la taille, Priscilla assise entre eux, les seins à l'air. Georgie et Tony échangèrent un regard furtif.

– Tu parles de ta grand-mère? demanda Georgie.

Priscilla acquiesça de la tête.

– Sinon, pourquoi elle répétait tout le temps que je ne serais pas oubliée?

– Et celle-là, tu l'oublies pas un peu? plaisanta Tony en baissant les yeux vers le drap.

– C'est elle qui vivait dans ce trou à rats de Lincoln Street? dit Georgie.

– Tu l'oublies pas un peu, celle-là, répéta Tony, content de sa plaisanterie.

– Elle voulait dire à sa mort, expliqua Priscilla. Je ne serais pas oubliée à sa mort.

– Comment? objecta Georgie. Elle n'avait même pas un pot de chambre pour pisser dedans.

– Je ne sais pas comment. Mais elle disait qu'elle ne m'oublierait pas.

– Celle-là, tu l'oublies? insista Tony.

– Elle avait peut-être un compte en banque, supputa Priscilla.

– Elle a peut-être laissé un testament, suggéra Georgie.

– Qui sait?

– Elle t'a peut-être laissé des millions.

– Qui sait?

Tony pensait que ces deux-là venaient de transformer le pot de chambre vide d'une vieille bonne femme en coffre à trésor.

– C'est l'histoire de deux vieux dans une maison de retraite, commença-t-il. Il a quatre-vingt-douze ans, elle en a quatre-vingt-dix. Ils se mettent à coucher ensemble. Enfin, il va dans la chambre de la vieille, il se met au lit avec elle, et elle lui tient la queue pendant qu'ils regardent la télé ensemble. C'est ça, leurs relations. Elle lui tient la queue pendant qu'ils regardent la télé.

– Tu ne pourrais pas penser à autre chose? lui lança Priscilla.

– Non, attends, elle est bonne. La vieille passe un soir devant la chambre d'une copine – quatre-vingt-dix ans aussi, la copine – et qu'est-ce qu'elle voit? Son homme au lit avec la copine. Ils regardent la télé, et elle lui tient la queue. La vieille est scandalisée. « Comment tu as pu me faire une chose pareille? Tu la trouves plus jolie que moi? Plus intelligente? Qu'est-ce qu'elle a de plus que moi? » Et le type répond : « La maladie de Parkinson. »

– C'est écœurant, s'esclaffe Priscilla.

– Mais c'est drôle, dit Tony, riant avec elle.

– Je comprends pas, avoua Georgie.

– La maladie de Parkinson, expliqua Tony.

– Oui, la maladie de Parkinson, mais je comprends toujours pas.

– Tu trembles, dit Priscilla.

– Quoi?

– Quand tu es atteint de la maladie de Parkinson.

– Elle lui taille une plume, quoi, dit Tony.

– Et l'autre, qu'est-ce qu'elle faisait?

– Elle le tenait juste dans sa main.

– J'avais compris qu'elle l'astiquait aussi.

– Non, elle le tenait juste dans sa main, dit Tony, qui lança à Priscilla un regard appuyé. C'est pas trop demander, quand même...

A cet instant, on entendit frapper à la porte de la suite.

Jamal savait quelque chose que les flics ignoraient, c'était l'emploi du temps détaillé de Yolande. Elle lui avait téléphoné vers cinq heures et demie du matin pour lui annoncer qu'elle quittait le Stardust et qu'elle rentrerait dès qu'elle aurait trouvé un taxi. Lorsqu'il s'était enquis de la recette de la nuit, elle avait répondu « pas loin de deux mille », et il lui avait recommandé « rentre vite, ma poule, Carlyle est déjà là, on t'attend ». Du Stardust à la ruelle de St. Sab, il lui avait probablement fallu cinq minutes, dix au maximum, ce qui la faisait arriver là-bas à six heures moins vingt, six heures moins le quart, selon le temps qu'elle avait mis à trouver un taxi. L'heure indiquée dans le coin de la photo, 7:22:03, il fallait pas s'en occuper. Jamal savait que Yolande était là-bas près d'une heure et demie avant. Restait à savoir avec qui.

Jamal connaissait la ville la nuit.

Les gens qui hantaient la nuit.

Il embrassa Carlyle et sortit dans la lumière aveuglante d'un matin froid d'hiver.

Il n'eut pas à aller très loin.

Richard Ier avait acheté quatre bouteilles de Dom Pérignon et en avait déjà descendu trois avec les autres Richard à sept heures dix du matin. C'était du moins ce que croyait Richard le Noir. Il ignorait que les trois autres ne buvaient pas mais faisaient semblant et allaient l'un après l'autre aux toilettes vider les verres en douce, balançant dans la cuvette du champagne à 107 dollars 99 cents la bouteille.

L'idée était de soûler Richard.

L'idée était de le noyer.

Ce que le garçon d'étage apporta à la suite de Priscilla était une enveloppe ordinaire portant le nom de la jeune femme. Elle reconnut aussitôt la frêle écriture de sa grand-mère, donna un dollar de pourboire à l'employé et déchira immédiatement le rabat de l'enveloppe.

Elle trouva une clef à l'intérieur.

Avec un mot d'accompagnement disant :

Priscilla chérie,

*Va au casier 136 de la gare
routière de Rendell Road.
Ta grand-mère qui t'aime,*

Svetlana

Elle alla au téléphone, décrocha, demanda la réception.

— Ici Priscilla Stetson. On vient de m'apporter une lettre.

— Oui, miss Stetson ? fit le directeur adjoint.

— Pouvez-vous me dire qui l'a laissée en bas ?

– Un grand blond.

– Il vous a donné son nom?

– Non, il a juste demandé qu'on la porte à votre suite. Plus ou moins.

– Comment ça, « plus ou moins »?

– Eh bien, il avait un accent très prononcé.

– Quelle sorte d'accent?

– Aucune idée.

– Merci, dit Priscilla avant de raccrocher. Mais qu'est-ce que c'est que cette histoire? s'interrogea-t-elle à voix haute. Un film d'espionnage?

Le Blanc qui s'approcha de Jamal dès qu'il sortit de son immeuble s'appelait Joe Simms le Frisé, il était book à Diamondback. Jamal le connaissait parce que de temps en temps, il échangeait une fille contre un cheval, pour ainsi dire, demandant à Joe de mettre deux cents sacs sur un tocard en échange d'une heure avec une de ses gagneuses. Jamal n'en faisait jamais turbiner plus de deux à la fois. Et jamais de mineures, merci. Il savait que selon la loi, ça passait de délit de classe A à crime de classe D pour quelqu'un qui pousse à « se prostituer deux personnes ou plus » ou « tire profit de la prostitution d'une personne âgée de moins de dix-neuf ans ». Il se disait qu'un juge aurait la main moins lourde s'il n'avait pas, disons, cinq, six pouliches dans son écurie, ha-ha. De toute façon, même deux filles, c'était lourd, et à dire vrai, il se fatiguait d'elles assez vite et était toujours en quête de nouveaux talents.

Joe le Frisé était chauve, bien sûr, et portait des oreillettes par ce matin épouvantablement froid, les mains dans les poches d'un pardessus de laine marron boutonné sur un cache-nez vert, les yeux larmoyants, le nez rouge. Il n'attendait pas le maquereau, mais, quand il le vit émerger de son immeuble, il se dirigea vers lui.

– Jamal, c'est moi.

Le souteneur le reconnut aussitôt et pensa qu'il voulait se payer une gonzesse.

– Ça roule, mec?

– Ça va, et toi?

– On fait aller, marmonna Jamal.

– Fait froid comme un téton de sorcière, hein?

– Fait froid, convint le Noir.

– C'est ta nana qui s'est fait dégommer cette nuit, derrière St. Sab?

– Ouais, fit Jamal, circonspect.

– Il me semblait bien l'avoir reconnue.

– Ouais.

– C'est con, hein?

– Ouais.

– Comment elle s'est retrouvée là-bas?

Jamal regarda le Frisé.

– Qu'est-ce que tu veux dire?

– Ben, je l'ai vue ici pas longtemps avant.

– Qu'est-ce que tu veux dire? réitéra Jamal.

– Il devait être dans les six heures. Je buvais un jus au *diner*. Elle est descendue d'un taxi.

Jamal attendit.

– Tu connais Richie Cooper?

– Je le connais, dit le Noir.

– Elle est partie avec lui et trois jeunes qui pissaient dans le caniveau. Je les ai vus du *diner*.

Il avait fini par s'effondrer, et ils le traînèrent dans la salle de bains, dont ils avaient rempli la baignoire. Pas complètement inconscient mais assez cassé pour ne plus pouvoir marcher ni même se tenir debout. Il ne comprenait rien de ce qui lui arrivait et agitait un bras dans le vide comme un chef d'orchestre, sauf qu'il chantait « *I Wanna Hold Your Hand* », je veux te tenir la main, pendant qu'ils le tiraient par les chevilles. Quelque chose tomba de sa poche, le cran d'arrêt avec lequel il les avait menacés la veille. Richard Ier se pencha pour le ramasser, le glissa dans la poche de sa veste. Il transpirait abondamment. Ils étaient sur le point de tuer quelqu'un, pas moyen de faire autrement. La fille, c'était un accident, mais là, c'était un meurtre, pas moyen de faire autrement. Ils le savaient tous les trois. Ils ne formaient plus qu'un seul Richard traînant un autre Richard dans la salle de bains, où attendait la baignoire pleine.

L'eau paraissait jaunâtre dans cette ville.

Richard III, le plus costaud, prit Richard le Noir sous les bras, les deux autres empoignant chacun une jambe. « Un... deux... trois », scanda-t-il. Ils le soulevèrent et le jetèrent dans la baignoire.

— Hé! protesta-t-il.

Trop tard.

Jamal savait que Richard se faisait cinq, six cents par jour avec la dope, peut-être mille quand les affaires étaient prospères et le coton en fleur. Ils avaient bossé ensemble quelques lunes plus tôt, avant que Jamal finisse par piger que dealer était un métier à risques, alors que vivre de la sueur de la gent féminine était moins stressant et surtout beaucoup moins périlleux.

Ce qui intriguait maintenant Jamal, c'était ce que Yolande avait bien pu faire avec Richard et trois mecs blancs à six heures du matin, juste après avoir téléphoné pour dire qu'elle rentrait. Richard avait-il décidé de faire un peu le mac en solo? Auquel cas, il fallait lui apprendre à respecter les impératifs territoriaux et à ne pas marcher sur les orteils d'un confrère. Ou bien Yolande et Richard avaient-ils décidé de prendre un petit déjeuner matinal en compagnie des trois visages pâles? En ce cas, qu'était-il advenu du sac à main en cuir rouge véritable contenant – de l'aveu même de Yolande au téléphone – près de deux mille dollars?

Faire la leçon à Richard n'était plus nécessaire maintenant que Yolande était morte.

Retrouver le sac et l'argent s'avérait cependant de première importance, et c'est le souvenir de ce sac et l'espoir de mettre la main sur ce qu'il contenait qui poussèrent Jamal à gravir deux par deux les marches de l'escalier conduisant à l'appartement de Richard.

Il était midi moins trois.

Il commença à se débattre dès qu'ils le jetèrent dans la baignoire. Il ne savait pas nager, et la première idée qui lui traversa l'esprit, ce fut qu'il était tombé d'une façon ou d'une autre dans une piscine et qu'il allait se noyer.

Seule la seconde moitié de l'hypothèse était exacte.

Jamal se disait que si Richard ne lui rendait pas immédiatement le sac il lui mettrait une correction.

Pas de cyanose.

Pas d'ecchymoses sur le cuir chevelu.

Pas de vaisseaux sanguins éclatés sous la conjonctive.

Et, maintenant, pas de sang rouge foncé fluide dans le cœur, ni de fluide séreux en excès dans les poumons.

Ergo, pas d'asphyxie.

Tenant compte du sang qu'elle avait perdu, Blaney se demandait si la fille n'était pas morte d'un avortement salopé.

Si les militants du « Mouvement pour la vie » – antiphrase s'il en fût, et pas la peine de m'écrire, pensa-t-il – l'avaient effrayée et dissuadée de chercher de l'aide auprès d'une des cliniques de la ville, elle s'était peut-être adressée à un boucher d'arrière-boutique pour faire le travail ou, pire encore, elle avait essayé de le faire elle-même. Trop de femmes désespérées tentaient de déchirer la membrane fœtale pour libérer le liquide amniotique, causant du même coup des contractions utérines et l'expulsion du fœtus. Elles utilisaient n'importe quel objet long et fin qui leur tombait sous la main, pas seulement le cintre décrit dans la propagande du « Mouvement pour le choix » – et ne m'écrivez pas non plus, pensa-t-il – mais aussi des baleines de parapluie et des aiguilles à tricoter.

Blaney était médecin.

Il estimait que le meilleur et le seul endroit pour pratiquer une intervention gynécologique était l'hôpital.

Point.

Avec le concours d'un médecin expérimenté.

Point.

Mais, ici, dans le silence de la morgue, il n'y avait pas de jugements moraux ou religieux à porter, pas de mots d'ordre politiques à suivre.

Il n'y avait que la recherche et la découverte.

Comment la fille était-elle morte ?

Point.

Blaney ne trouva ni fœtus ni parties fœtales dans l'appareil génital ou la cavité péritonéale. De plus, après avoir mesuré l'épaisseur, la longueur et la largeur de l'utérus, la densité de la paroi utérine, la longueur de la cavité utérine, la circonférence des ouvertures vaginales internes et externes, et la longueur de la partie inférieure de l'utérus, il ne trouva rien qui indiquât que la fille était enceinte avant sa mort. Rien n'indiquait non plus que la paroi vaginale ait été accidentellement perforée au cours d'une tentative d'avortement – pas étonnant, d'ailleurs, puisqu'il n'y avait rien à avorter.

Ce que Blaney découvrit, ce furent des lésions de l'utérus causées par un instrument pointu à lame dentelée. Ledit instrument avait pénétré par le col de l'utérus, qu'il avait gravement lacéré, puis perforé la cavité abdominale, où il avait provoqué de gros dégâts. Blaney trouva quarante centimètres d'intestin grêle sectionnés et pendants dans l'utérus. La douleur avait dû être atroce et suivie d'une forte hémorragie, dont la fille était sans doute morte en quelques minutes.

Tant mieux pour elle, estima Blaney.

Un seul des trois Richard savait que, juste pour rire, il avait fourré un couteau-scie dans le vagin de la fille. Les deux autres ne s'en étaient pas aperçus. Plus tard, en voyant du sang couler sur les cuisses de Yolande, ils avaient pensé que c'était à cause du Noir avec son énorme machin. Même celui qui avait enfoncé le couteau ne s'était pas rendu compte que c'était ça qui l'avait tuée. Il présumait que c'était à cause du sac en plastique, de la stupidité de cette fille qui ne les avait pas prévenus que le jeu était allé trop loin. Elle aurait dû leur dire. Personne ne souhaitait sa mort.

En revanche, chacun d'eux souhaitait celle de Richard le Noir.

Le dealer était leur lien avec la fille, qui était morte par accident, en définitive, et pour qui ils n'étaient pas prêts à gâcher leur vie – alors qu'ils venaient d'être admis tous les trois à Harvard ? Hé-ho.

Et, tandis que Richard faisait des sauts de carpe dans la baignoire, essayant de maintenir sa tête hors de l'eau, les trois autres Richard l'y renfonçaient à chaque fois, évitant les moulinets de ses poings, tâchant de ne pas trop se mouiller, s'efforçant juste de le noyer, bon Dieu.

Ils étaient sur le point d'y parvenir, Richard succombant enfin à leur opiniâtreté irrésistible, sombrant sous la surface de l'eau, desserrant enfin les mains, une dernière petite bulle d'air s'échappant de sa bouche et montant, montant, quand une voix derrière eux cria : « Qu'est-ce que vous foutez ? »

Chacun des trois Richard fut envahi par une puissante impression de déjà-vu – un Noir qui se tenait devant eux, une expression de surprise outragée sur le visage, à ceci près que Richard Ier avait cette fois un couteau, et qu'il en fit aussitôt jaillir la lame, parce que la dernière chose au monde qu'ils voulaient, c'était un autre conard les liant à un meurtre.

Jamal se rappela trop tard ce que sa sainte mère lui avait appris des rues de cette ville : « Occupe-toi de tes oignons, fils, et 'este dans le d'oit chemin. » Mais il n'était pas dans une rue de la ville, il se trouvait dans la salle de bains d'un ex-associé et ami, que trois putains d'étudiants, ou Dieu sait quoi, étaient en train de noyer dans sa baignoire ; l'un d'eux avait un couteau à la main, et il marchait sur lui avec un petit sourire aux lèvres. C'est alors que Jamal comprit que c'était sérieux. Un homme avec un surin à la main et un sourire aux lèvres est dangereux. Mais, naturellement, tout cela venait trop tard, le souvenir des mises en garde de sa mère, des sourires qu'il avait vus sur les lèvres d'assassins en puissance, dont il se trouvait un trop grand nombre dans cette partie de la ville, dans cette partie du monde.

Souriant, Richard Ier trancha la veine jugulaire de Jamal d'un seul coup, puis lâcha le couteau, comme s'il brûlait.

Les deux autres Richard blêmirent.

Et cela devint l'histoire d'un sac à main.

La porte de l'appartement de Svetlana Dyalovich était fermée par un cadenas et son accès interdit par la pancarte LIEU DE CRIME qui y était accrochée. Mais Meyer et Kling avaient obtenu une clef du Service des scellés, et ils entrèrent sans problème.

– Quel fatras, dit Meyer.

– Quelle puanteur, aussi, dit Kling.

– Pisse de chat, acquiesça Meyer.

Deux agents avaient déjà porté la chatte morte de la vieille dame à la SPA pour qu'elle soit incinérée, mais les inspecteurs l'ignoraient, et d'ailleurs l'appartement puait toujours. Ils savaient en revanche que Carella et Hawes, ainsi, supposaient-ils, que les techniciens de l'unité mobile du labo, avaient fouillé à fond l'appartement. Mais, ce matin, Carella avait émis l'hypothèse que quelque chose avait pu leur échapper – à savoir, cent vingt-cinq mille dollars en liquide – et qu'il ne serait peut-être pas inutile de procéder à une nouvelle fouille.

La somme les laissa un moment songeurs.

Cent vingt-cinq mille dollars représentaient plus du tiers de leurs salaires annuels combinés.

Considération qui les ramena sur terre.

Ils se mirent au travail.

Il y avait un mort dans la baignoire, un autre sur le carrelage de la salle de bains. Le premier avait été noyé, l'autre, égorgé. Cela ouvrait presque des possibilités comiques. Dommage que celui qui avait répandu tout ce sang sur les dalles ne se soit pas appelé Richard lui aussi. Cela aurait fait cinq Richard dans l'appartement au lieu de quatre seulement, dont trois couraient partout, cherchant un sac en cuir rouge. Le quatrième ne courait pas. Le quatrième ne courrait plus jamais. Il ne nagerait plus jamais non plus – ce qu'il n'avait d'ailleurs jamais appris à faire. Aucun des Richard en vie ne savait qui était l'autre mort, et ils n'avaient aucune envie de lui faire les poches pour l'identifier. Trancher la gorge d'un type, c'est une chose, le fouiller, c'en est une autre.

Richard Ier savait que le sac de la fille se trouvait forcément quelque part dans l'appartement. Un sac, ça n'a pas de jambes, non? La fille le portait sous le bras en entrant, et elle ne l'avait plus quand eux l'avaient portée dehors. Alors, où était-il? Il tenait particulièrement à le retrouver parce qu'il contenait des chèques de voyage portant leurs signatures, ce qui ne pouvait que

trop facilement les lier à la morte et, par voie de consé-
quence, à l'homme qu'ils avaient noyé, et à celui dont ils
avaient tranché la gorge.

Dans son esprit, les trois Richard avaient agi et continuaient à agir de concert. Ce n'était pas lui seulement
qui avait égorgé l'autre Noir. C'étaient eux. Comme
c'étaient eux qui cherchaient maintenant le sac en cuir
véritable qui les lierait irrévocablement à la fille morte
par accident parce qu'elle avait rechigné à leur dire
qu'elle avait des problèmes respiratoires. Une asthma-
tique n'aurait jamais dû faire ce métier, d'ailleurs –
toutes les choses que des types insensibles lui demandaient de faire avec sa bouche...

Aucun des deux autres Richard ne partageait tout à
fait l'opinion du premier sur le second meurtre. Le premier meurtre, bien sûr, avait consisté à noyer Richard le
Noir dans sa baignoire, une nécessité. La fille n'avait pas
été assassinée, on ne pouvait la compter comme victime.
Tous croyaient fermement qu'elle était morte par
accident. Toutefois, le deuxième et le troisième Richard
savaient pertinemment qu'aucun d'eux n'avait coupé le
kiki du Noir inconnu. Richard Ier était le seul responsable de cette petite boucherie. Et s'ils retournaient tout
l'appartement pour retrouver le sac introuvable, c'était
uniquement pour que la morte ne revienne pas les han-
ter. Et bien qu'aucun d'entre eux n'eût osé exprimer à
voix haute une telle ignominie, ils étaient tout à fait
prêts, si le pire arrivait, à balancer dans la fosse aux lions
ce bon vieux Richard Cœur de Lion.

Au terme d'une demi-heure de recherches, ils
n'avaient toujours pas trouvé le sac.

Il était maintenant deux heures moins vingt.

– Où tu serais, toi, si tu étais un sac en cuir rouge ?
demanda Richard Ier.

– Oui, où ? demanda Richard II.

Richard III réfléchissait en se grattant le cul au centre
de la pièce.

– Reconstituons les événements minute par minute,
proposa-t-il. Du moment où nous l'avons rencontrée
dans la rue à celui où nous l'avons portée dehors.

– Oui, c'est ça, fit Richard II, sarcastique. On a deux

Nègres morts dans la salle de bains, et des copains à eux qui risquent de rappliquer, rien ne presse.

Cela faisait bien longtemps que Richard Ier n'avait entendu quelqu'un prononcer le mot « nègre ».

— Elle avait son sac à la main quand elle est descendue du taxi, ça, c'est sûr, affirma-t-il.

— Elle l'avait aussi dans l'appartement, déclara Richard III. Elle a rangé les chèques de voyage et les fioles dedans. Je l'ai vu de mes propres yeux.

— Bon, alors, où est-ce qu'elle l'a mis quand on a commencé à faire l'amour?

L'euphémisme utilisé par Richard II étonna les deux autres. Remarquant leur air surpris, il eut un haussement d'épaules.

— Quelqu'un s'en souvient?

Personne ne s'en souvenait.

Ils se remirent donc à fouiller l'appartement.

Meyer et Kling avaient l'habitude de fouiller les appartements. Ils savaient où les gens cachent leur argent et leurs bijoux. Des tas de vieux ne font pas confiance aux banques. Une supposition : vous tombez dans votre baignoire, vous vous blessez gravement, personne ne vous retrouve avant que vous n'ayez plus que la peau sur les os, comment faites-vous pour aller à la banque chercher de l'argent? Vous ne pouvez pas y aller, voilà. En plus, si vous êtes vieux et que vous amassez les ducatons pour les donner à vos petits-enfants, vous ne voulez pas entendre parler de compte en banque parce que ça laisse des traces, et que l'Oncle Sam intervient et pique presque tout en droits d'héritage. C'est pourquoi des tas de vieux gardent leur argent et leurs bijoux chez eux, dans diverses cachettes.

Les bacs à glaçons sont un grand classique. Tout le monde s'imagine qu'un voleur ne pensera jamais à chercher des pierres précieuses dans un bac à glaçons. Sauf qu'un auteur de polars minables a écrit, il y a quelque temps déjà, un roman dans lequel un voleur minable congèle des diamants dans un bac à glaçons, ce qui fait que, maintenant, tout le monde est au courant, y compris d'autres voleurs minables. Meyer et Kling n'étaient pas voleurs, ni minables ni autrement, mais ils connaissaient le truc du bac à glaçons. Cacher ses diamants dans le bac à glaçons est une chose stupide à faire puisque c'est l'endroit où les cambrioleurs regardent en premier. Ils ouvrent la porte du frigo, regardent dans le compartiment congélation, ah! vous voilà, mes petits chéris!

Autre classique, la dernière latte d'un store vénitien, qui est lestée et présente des capsules de chaque côté. On enlève ces capsules, on glisse montres ou billets pliés en quatre à l'intérieur de la latte creuse. C'est une excellente cachette, à ceci près que tous les voleurs du monde la connaissent. Ils savent aussi que les gens planquent des bijoux et de l'argent dans le sac de l'aspirateur, au fond du réservoir de la chasse d'eau, dans un plafonnier dont on a ôté les ampoules pour qu'on ne voie pas se dessiner la forme d'un collier, là-haut, sous le verre, en allumant la lumière.

Meyer et Kling essayèrent tous ces classiques.

Sans rien trouver.

Ils regardèrent alors sous le matelas.

Et ne trouvèrent rien non plus.

L'enveloppe semblait avoir fait la guerre de Crimée. Georgie et Tony n'auraient peut-être pas dû l'ouvrir mais, bon, on leur avait confié la clef du casier 136 de la consigne de la gare routière de Rendell Road, et, si Priscilla n'avait pas voulu qu'ils examinent ce qu'ils trouveraient dans le casier, elle l'aurait précisé. En outre, l'enveloppe n'était pas cachetée. C'était juste une grosse enveloppe jaunissante barrée du nom *Priscilla* et entourée d'un élastique qui la maintenait fermée.

Il y avait de l'argent à l'intérieur.

Des billets de cent dollars.

Mille exactement.

Georgie et Tony le savaient parce qu'ils avaient emporté l'enveloppe dans les toilettes pour compter.

Mille billets de cent dollars.

Ce qui, par chez eux, faisait cent mille dollars cash.

Il y avait aussi une lettre dans l'enveloppe.

Même si elle ne les intéressait pas autant que l'argent, ils la lurent pourtant, mais pas dans les toilettes.

Ce fut Richard III qui trouva le sac.

– Bingo ! s'écria-t-il.

Sous le matelas de Richard le Noir, ce nul. Il les croyait assez bêtes pour ne pas regarder sous le matelas, là où tout le monde planque des trucs ? Il avait dû le glisser entre le matelas et le sommier, supposèrent-ils, au moment où ils défaisaient les draps pour envelopper la fille.

Personne n'avait encore touché au sac.

Richard III se tenait près du lit, toujours en parka parce qu'on gelait dans les appartements de cette partie de la ville si on n'allumait pas un poêle à charbon ou un réchaud à alcool, il souriait d'une oreille à l'autre de son visage piqueté de taches de rousseur, soulevant le coin du matelas pour montrer le sac en cuir rouge niché là, au fond, tout plat et tout brillant.

Richard II tira une paire de gants de la poche de sa parka, les enfila avec l'assurance d'un chirurgien s'apprêtant à pratiquer une opération du cerveau. Habilement, il souleva le sac de dessous le sommier, défit le rabat, ouvrit la fermeture, plongea la main à l'intérieur.

Le sac contenait mille neuf cents dollars en liquide.

Plus neuf cents en chèques de voyage signés respectivement par Richard Hopper, Richard Weinstock et Richard O'Connor. Ils récupérèrent chacun leurs chèques puis discutèrent pour savoir s'ils devaient ou non laisser tout l'argent et tout le crack dans le sac, ou en prélever une partie pour le mal qu'ils s'étaient donné. Ce fut Richard Ier qui suggéra qu'un bon moyen de s'extirper complètement de cette affaire, c'était de lier la morte aux deux morts. S'ils laissaient le sac dans la salle de bains, la présence d'une somme aussi importante, sans parler d'une quantité appréciable de crack, étayerait la théorie de la police selon laquelle la prostituée avait été tuée au cours d'un vol. Enfin, la théorie que la police avancerait, espérait-il.

Le trio retourna dans la salle de bains.

Jamal, dont ils ignoraient toujours le nom, gisait sur le dos, la gorge béante. Il avait cessé de saigner. Richard le Noir était étendu au fond de la baignoire. Richard II suggéra de laisser le sac ouvert par terre, avec plusieurs billets de cent dollars et quelques fioles sur les dalles, comme si les deux hommes s'étaient disputé leur possession avant de s'entretuer.

Richard III parut perplexe.

— Qu'est-ce qu'il y a? demanda Richard Ier.

— C'est quoi, le scénario?

— Le scénario?

— Oui, la façon dont ça s'est passé.

— Je vois ce qu'il veut dire, intervint Richard II.

— Quoi, ce qu'il veut dire? Ils se bagarrent pour le sac, ils se tuent.

— Comment quelqu'un peut égorger quelqu'un d'autre qui est en train de le noyer?

— Ce n'est pas comme ça que ça s'est passé.

— Comment, alors?

Richard Ier considéra un moment la chose.

— Ils se bagarrent pour le sac... répéta-t-il.

Les deux autres attendirent.

— Richard égorge l'autre, là...

Ils continuèrent à attendre.

— Et puis il se met dans la baignoire pour enlever le sang.

— Tout habillé?

— Il est soûl, argua Richard Ier. D'ailleurs, c'est pour ça qu'il se noie. En essayant de se laver, il tombe dans la baignoire et se cogne. Parce qu'il est soûl!

Il lança aux deux autres un regard plein d'espoir.

— Ça me paraît plausible, dit Richard II.

— Ça pourrait marcher, convint Richard III.

Souriant, Richard Ier s'adressa un clin d'œil dans le miroir, au-dessus du lavabo.

Il neigeait lorsqu'ils quittèrent l'appartement pour se rendre à la gare routière.

Il était deux heures dix.

8

L'inspecteur de première classe Oliver Weeks – plus
souvent appelé, quoique jamais en sa présence, Ollie
Weeks le Gros – se retrouva sur le coup parce que l'appartement dans lequel on découvrit les deux morts était situé
dans le 88ᵉ district, qui se trouvait être son territoire.

Cette découverte fut faite par une femme qui habitait
au même étage que Richard Cooper et qui, passant
devant sa porte, remarqua qu'elle était grande ouverte.
Elle l'appela, pénétra dans l'appartement, vit le désordre
– vêtements jonchant le sol, tiroirs renversés –, conclut à
un cambriolage et descendit prévenir le gardien. Cela à
dix-sept heures dix-sept, environ une demi-heure après
la relève d'Ollie et de ses collègues par l'équipe de jour.
Le gardien monta avec la femme, avisa les deux cadavres
dans la salle de bains, redescendit appeler le 911. Les
flics de ronde qui se rendirent sur les lieux informèrent le
standard par radio qu'ils avaient deux DCD à l'arrivée,
et Ollie, accompagné d'un inspecteur du 88ᵉ nommé
Wilbur Sloat – qui, malgré les consonances noires de son
nom, était un blond grand et maigre avec une moustache
rabougrie –, prit la direction d'Ainsley et de la 11ᵉ Nord.
Ils y arrivèrent à six heures moins le quart.

Raciste au sens le plus large – c'est-à-dire qu'il détestait tout le monde –, Ollie fut naturellement aux anges
de constater que deux des plus méprisables spécimens
noirs de son secteur s'étaient entretués. Car c'était
l'impression qu'on avait au premier abord.

— Vous les retapissez? demanda Sloat.

Inspecteur de fraîche date, il affectait les manières et la façon de parler des flics qu'il voyait dans les séries télévisées. Ollie aurait préféré que Sloat reste au commissariat à répondre au téléphone et à se curer le nez. Ollie était un solitaire. Il préférait être seul. Comme ça, on est pas obligé d'avoir tout le temps affaire à des cons.

Celui à la gorge tranchée, il le reconnut aussitôt : un petit mac appelé Jamal Stone, dit le Chacal, anciennement Jackson Stone, avant qu'il s'invente un nom faisant africain. Jamal, mon cul. Ollie avait récemment lu dans *Newsweek* qu'aux États-Unis 44 % des personnes de couleur préféraient l'appellation « noir », contre 28 % seulement favorables à « afro-américain ». Alors, pourquoi tous ces négros (appellation préférée d'Ollie, à 100 %) se donnaient des noms africains, célébraient les fêtes africaines, portaient des fez et des boubous, qu'est-ce que c'était que ce souk?

Aux yeux d'Ollie, une des données de base de la vie américaine, c'est qu'un adulte masculin noir sur trois a des démêlés avec le système judiciaire. Ce qui signifie que 33,33 % de la population masculine noire est soit en prison, soit en liberté surveillée, soit en attente d'un jugement. Alors, bon, si un Blanc traverse la rue quand il voit trois Noirs s'approcher de lui, c'est parce que le premier est peut-être Johnnie Cochran, d'accord, le deuxième Chris Darden, OK, mais le troisième pourrait bien être O.J. Simpson.

Et v'là-ti pas deux Noirs morts dans une salle de bains.

Grosse surprise!

Aux yeux d'Ollie, il aurait fallu restaurer deux institutions dans le monde entier. La dictature et l'esclavage.

Il dit à Sloat qui était celui qui était étendu par terre.

— Il s'est fait dessouder pour de bon, commenta le grand blond.

Dessouder, soupira intérieurement Ollie. C'est pas vrai.

Celui qui était dans la baignoire, il ne le reconnut pas sous toute cette flotte qui déformait ses traits harmonieux. Mais, quand le légiste l'eut tiré de la baignoire pour l'examiner, Ollie le « retapissa » tout de suite : un petit dealer tout moche nommé Richard Cooper, qui avait un jour cassé les deux jambes d'un type qui l'avait appelé Richie. Le médecin légiste ne voulait même pas présumer que Cooper était mort noyé, échaudé qu'il avait été des années plus tôt par une affaire similaire, dans laquelle il s'était finalement avéré que l'homme avait été tué avant qu'on lui fourre la tête dans une cuvette de W-C. L'autre, en revanche, avait été indiscutablement égorgé, et le légiste n'eut aucun mal à établir que la mort avait été causée par le sectionnement de la carotide.

Les deux inspecteurs de la Criminelle assurant le service de nuit s'appelaient Flaherty et Flanagan. Ollie leur annonça qu'il connaissait les deux victimes, l'une à cause de sa vilaine tête, l'autre à cause de sa vilaine réputation. Sloat avança qu'ils s'étaient peut-être battus pour le sac, là, par terre, une chose en amenant une autre, et ainsi de suite, toujours la même histoire.

Toujours la même histoire, pensa Ollie. Ce crétin est inspecteur depuis trois mois à peine, et il se lamente : « Toujours la même histoire. »

— Sans poignées, commenta Flaherty.

— Je sais pas s'ils s'empoignaient ou pas, fit Sloat. Je dis seulement qu'ils se sont peut-être dézingués mutuellement.

Dézingués, releva Ollie.

— Je parle du sac, corrigea Flaherty. Sans poignées.

— Ça s'appelle une pochette, précisa Flanagan.

— Le modèle.

— Un sac à main sans poignées.

— Quel rapport avec l'âge du capitaine ? s'impatienta Ollie.

— C'est juste pour être précis, répondit Flaherty. Dans ton rapport. Tu devras mettre « une pochette ».

— Une pochette en cuir véritable de couleur rouge, ajouta Flanagan.

La plupart des inspecteurs de la brigade criminelle s'habillaient en noir, couleur du deuil, couleur de la mort. Mais le noir seyait davantage à ces deux-là qu'à la plupart de leurs collègues. Grands, maigres, le teint pâle, les mains fines et cireuses, ils faisaient penser à des vampires venus du froid avec leurs longs manteaux noirs aux épaules humides, leurs yeux d'un bleu délavé, leurs lèvres exsangues, leurs chaussures d'un noir détrempé. Ils portaient tous deux une écharpe blanche en laine, molle touche élégante.

— Combien d'argent par terre ? voulut savoir Flanagan.

— Cinq talbins de cent, répondit Sloat.

Talbins, pensa Ollie.

— Oubliez pas les trois fioles de crack, rappela Flaherty.

— Hé ! toi, cria le Gros à l'un des techniciens. On peut regarder dans le sac, maintenant ? La pochette ? La pochette en cuir rouge ?

L'homme arrêta son aspirateur, s'approcha et se mit à saupoudrer l'objet de céruse. Les inspecteurs firent le tour de l'appartement en attendant qu'il ait fini.

— Pas de drap sur le lit, t'as remarqué ? dit Flaherty.

— Qu'est-ce que tu veux qu'ils fassent d'un drap, ces mecs ? grogna Ollie. Tu crois qu'ils ont des draps, en Afrique ? En Afrique, ils dorment dans des cases, sur un sol de terre battue, ils ont des mouches autour des yeux jour et nuit, ils boivent du lait de chèvre arrosé de sang, qu'est-ce que tu veux qu'ils fassent d'un drap ?

— On est pas en Afrique, fit observer Flanagan.

— Et y a quand même pas de drap sur le lit, insista Flaherty.

— On dirait que quelqu'un a déjà fouillé l'appart, dit Flanagan, désignant les vêtements éparpillés, les tiroirs renversés, les portes des éléments de cuisine ouvertes, la corbeille à papier retournée.

— Peut-être un cambrioleur surpris en plein travail, suggéra Sloat.

— Jamal est mac, il fait pas dans le casse, déclara Ollie.

— C'est lequel, Jamal ?

— Celui à qui on voit les amygdales.

— C'est peut-être lui qu'on cambriolait. Il entre, il trouve l'autre en train de...

— Non, c'est marqué Cooper sur la boîte aux lettres.

Richard – qui n'aimait pas qu'on l'appelle Richie. Bon, tu vas y passer la journée avec cette putain de pochette? beugla Ollie à l'adresse du technicien.

– Vous pouvez le prendre, répondit l'homme en lui tendant le sac.

– T'as des empreintes?

– Quelques-unes bien nettes. Le cuir, c'est une bonne surface.

– Ce serait quoi, à première vue?

– Les plus petites, une femme. Les autres, va savoir.

– J'aurai quelque chose quand?

– Plus tard, dans la journée?

– Quand? Je finis à minuit.

– Minuit moins le quart, rectifia Sloat.

– Dès qu'on les aura mises dans l'ordinateur, promit le technicien.

– Vérifie en même temps avec les casiers, d'accord? réclama Ollie. Des fois qu'on aurait un coup de bol.

– D'ac.

– Alors, quand?

– Y a pas le feu, ils iront nulle part, vos clients, dit le technicien, jetant un coup d'œil en direction de la porte ouverte de la salle de bains, où le photographe de la police prenait ses photos à développement instantané.

– Je veux juste savoir ce qui s'est vraiment passé, dit Ollie. Tu m'envoies ça dès que tu l'as, hein? Au 88e. Oliver Weeks.

– Ouais, ouais, fit le technicien, qui haussa les épaules et reprit son aspirateur.

– D'après moi, il s'est passé ce que ton jeune collègue dit qu'il s'est passé, assura Flaherty.

Sloat parut flatté.

– Ils se sont entretués, c'est ça? fit Ollie.

Il regardait déjà dans le sac que le technicien lui avait donné. La pochette, mille excuses. Apparemment, il y avait quelques autres billets de cent, là-dedans...

Sloat développa son hypothèse:

– Le gars est sur le point de prendre un bain, il entend quelqu'un entrer dans l'appartement, il saisit un couteau...

– Je crois que le petit a raison, approuva Flaherty,

manifestant de nouveau son accord par un sourire épa-
noui.

Ces tarés de la Crime, pensa Ollie. Mille quatre cents
dans le sac, plus cinq cents par terre font mille neuf
cents. Une somme pareille, ça sent la came ou la prostitution. Avec les autres fioles au fond du sac, ça ressemblait de plus en plus à une histoire de drogue. Il tira de la
pochette un permis de conduire avec photo d'identité.

— T'as trouvé quoi? lui demanda Flanagan.

— Un permis délivré dans l'Ohio.

— Quelqu'un d'étranger à la ville, conjectura Sloat.

— L'un des deux l'a sûrement estourbie pour lui fau-
cher son sac, et puis ils se sont bagarrés pour le fric.

— Ça s'est passé quand, ça? répliqua Ollie. Avant ou
après qu'il retourne tout l'appartement?

— Quoi?

— Qui s'est fait tuer le premier? Donne-moi le couplé
dans l'ordre, Wilbur.

Dans la bouche d'Ollie, le prénom sonnait comme un
gros mot.

— Ça commence par l'agression sur la fille, expliqua
Flanagan.

— Cooper l'estourbit, rapporte le sac à son appart,
enchaîna Sloat.

— Cooper, c'est lequel? demanda Flaherty.

— Celui qui s'est noyé.

Du seuil de la porte, où il mettait son chapeau, le
médecin légiste leur lança :

— Moi, je n'ai pas dit qu'il s'est noyé.

— D'accord, s'il s'est noyé, concéda Sloat.

— Pour autant que je sache, on l'a empoisonné.

Arrête tes conneries, pensa Ollie.

— Bonsoir, messieurs, dit le légiste, avant de descendre l'escalier.

Ollie consulta sa montre.

Sept heures moins le quart.

— Alors, je t'écoute, Wilbur.

— J'ai une meilleure idée, annonça Sloat.

— Encore meilleure que la première? s'étonna le Gros.

— Ils l'ont estourbie tous les deux.

— C'est très bon ça, dit Flaherty, admiratif.

144

— Ils sont venus ici fêter ça. Toutes ces bouteilles vides... Ils ont bu du champagne.

— Une fois bourrés, ils se sont déchaînés, ils ont balancé des trucs partout, des fringues, tout ça, suggéra Flanagan.

— Ça me plaît, déclara Flaherty.

— Une soûlerie, résuma Sloat. Cooper va se faire couler un bain. Jamal le suit, et ils se chamaillent sur le partage de l'argent.

— De mieux en mieux, dit Flaherty.

— Cooper sort un couteau, il égorge Jamal. Jamal le pousse en s'effondrant. Cooper tombe dans la baignoire et se noie.

— Affaire réglée, conclut Flaherty avec un grand sourire.

Bande de nuls, pensa Ollie.

— Hé, toi! cria-t-il au technicien.

L'homme arrêta de nouveau son aspirateur.

— Je veux qu'on relève les empreintes sur le couteau et les bouteilles de champagne. Sur toutes les surfaces de ce taudis. Je veux qu'on prenne les empreintes des deux tas de merde répandus dans la salle de bains pour pouvoir comparer. Je veux un prélèvement de leurs cheveux, des fibres de leurs fringues pour qu'on compare à ceux que tu trouveras dans ton putain d'aspirateur qui nous casse les oreilles. Tu l'as acheté où, à propos? Aux puces, à Majesta?

— C'est le modèle standard délivré par le service, se défendit le technicien, offensé.

— Et ça, c'est aussi le modèle standard? rétorqua Ollie, soulevant brièvement de la main droite ses parties génitales. Je veux savoir s'il y avait quelqu'un d'autre dans cette piaule de merde à part les deux affreux de la salle de bains. Parce qu'y a rien qui me plairait plus que d'épingler un autre de ces salopards de Diamondback. T'as saisi?

Le technicien lui lança un regard furieux.

— Je décroche à minuit moins le quart, continua Ollie. Je veux être fixé d'ici là.

Nouveau regard noir du technicien.

— T'as saisi? répéta le Gros, lui rendant son regard.

— J'ai saisi, répondit sèchement le technicien. « Gros sac de merde », marmonna-t-il, et il eut de la chance qu'Ollie ne l'entende pas.

A peu près à ce moment, Steve Carella s'éveillait.

Georgie et Tony avaient un sérieux problème sur les bras.

— Ce qu'il y a, dit Georgie, c'est que la vieille ne se souvenait probablement même pas d'avoir mis cet argent à la consigne.

— Une vieille de cet âge, comment elle aurait pu s'en souvenir?

— Tu as vu l'enveloppe dans laquelle elle l'avait mis?

L'enveloppe gonflait la poche intérieure droite de sa veste, comme s'il portait une arme, ce qui n'était pas le cas. Georgie n'en portait que lorsqu'il assurait la protection de Priscilla, au club. Sinon, c'était trop dangereux. Les gens vous prennent pour un braqueur, ou quelque chose de ce genre. Georgie préférait des moyens plus subtils de baiser le système. Baiser le système, c'est tout le problème. Mais, à présent, Priss Stetson était, d'une manière étrange et mystérieuse, devenue le système.

— Même l'enveloppe a l'air vieille, dit Georgie, baissant la voix.

Ils se trouvaient au restaurant de la gare routière et dînaient de bonne heure en s'efforçant de déterminer ce qu'ils devaient faire de cette grosse somme d'argent qui leur était échue. L'endroit était loin d'être bondé, à un peu plus de sept heures — peut-être une douzaine de clients en tout. Un Noir et une femme qui devait être sa mère, assis à une table voisine. Trois jeunes en parka bleue, sans doute des étudiants, à l'autre bout de la salle. Un vieux type d'une soixantaine d'années et une blonde de trente-cinq, quarante ans qui se tenaient les mains, ou sa fille ou une pouffe. Deux gars penchés sur un journal de courses hippiques tâchant de sélectionner des bourrins pour le lendemain.

Il neigeait depuis deux heures de l'après-midi. Derrière les hautes fenêtres du restaurant, des petits flocons, de ceux qui collent aux vêtements, tournoyaient dans l'air, pris dans la lumière des réverbères. Le sol était déjà recouvert d'une couche blanche de quinze centimètres, et rien n'indiquait que la neige allait s'arrêter de tomber. A l'intérieur du restaurant, il régnait un climat douillet, agréable, de gens savourant de la bonne cuisinie dans un endroit chaud et tranquille. Les cent mille dollars de l'enveloppe jaunie brûlaient la poche de Georgie.

— La question, dit-il, c'est de savoir si on a des obligations.

— Des obligations morales, ajouta Tony, opinant du chef.

— Si la vieille avait oublié qu'elle avait mis l'argent à la consigne.

— Ma grand-mère oublie des choses tout le temps.

— La mienne aussi.

— Elle le dit, en plus. Elle le sait, Georgie. Elle dit que si sa tête n'était pas sur ses épaules elle oublierait où elle l'a mise.

— On devient vieux, on oublie.

— Tu connais l'histoire du vieux en maison de retraite ?

— Ouais, tu nous l'as racontée.

— Non, pas celle-là.

— Celle de la maladie de Parkinson ?

— Non, une autre. C'est un vieux dans une maison de retraite, le docteur entre dans sa chambre et lui dit : « J'ai de mauvaises nouvelles pour vous. » « Qu'est-ce que c'est ? » demande le vieux. Le docteur répond : « Premièrement, vous avez le cancer, deuxièmement, vous avez la maladie d'Alzheimer. » Et le vieux fait : « Ouf ! Dieu merci, je n'ai pas le cancer. »

Georgie regarda Tony.

— Je comprends pas.

— Le vieux a déjà oublié, expliqua Tony.

— Oublié quoi ?

— Qu'il a le cancer.

— Comment il peut oublier qu'il a le cancer ?

— Parce qu'il a la maladie d'Alzheimer.

— Alors, pourquoi il a pas oublié qu'il a la maladie d'Alzheimer ?

— On oublie cette histoire, proposa Tony.

— Non, t'as soulevé le problème. S'il peut oublier qu'il a une maladie, comment ça se fait qu'il n'oublie pas qu'il a l'autre ?

— Parce que, sinon, ce ne serait pas une blague.

— C'est pas une blague, de toute façon.

— Des tas de gens trouvent que c'est une bonne blague.

— Comment ça peut être une blague si c'est pas drôle ?

— Des tas de gens trouvent ça drôle.

— Des tas de gens sont aussi drôlement bizarres, dit Georgie, hochant la tête pour mettre fin à la discussion.

Les deux hommes burent leur café.

— Alors, qu'est-ce qu'on fait ? demanda Tony.

— Pour l'enveloppe ? fit Georgie, baissant la voix.

— Ouais.

Tous les deux murmuraient, maintenant.

— Supposons que la vieille l'ait mise il y a dix ans, et qu'elle ait oublié ?

— Alors, pourquoi elle a envoyé la clef à Priss ?

— Va savoir pourquoi les vieilles font ci ou ça. Elle a peut-être eu la prémonition qu'elle allait se faire buter ?

— Hun-hun.

— De toute façon, ça change rien, dans un sens ou dans l'autre. La vieille est morte, comment tu veux qu'elle dise à Priss ce qu'il y avait dans le casier ?

— La lettre ne parle pas de ce qu'il y a dans le casier. Elle dit juste d'aller à la consigne, c'est tout.

— Elle dit, exactement, d'aller voir dans le casier 136 de la gare routière de Rendell Road.

— Exactement.

— Ce que je veux dire, poursuivit Georgie, si Priss avait su qu'il y avait cent plaques dans ce casier, tu crois qu'elle nous aurait chargés, nous, d'aller les chercher ?

— Nous ? Il aurait fallu qu'elle soit dingue.

— Exactement.

— Ce que tu veux dire, c'est qu'elle en savait rien.

— Ce que je veux dire, c'est qu'elle en sait rien.

Silence. Tintements de l'argenterie sur les tasses et les soucoupes.

Trilles du rire de la Noire à la table voisine. Bourdonnement de conversation des étudiants à l'autre bout de la salle. D'autres voix. Et le haut-parleur annonçant l'arrivée d'un autocar de Philadelphie à la porte 7. Au centre de tout cela, le noyau du silence songeur de Tony et Georgie.

— On est les seuls à savoir, dit enfin Tony.

— Alors, pourquoi on le donnerait à Priss? demanda Georgie.

Tony se contenta de sourire.

Le prochain autocar pour l'école ne partirait pas avant une heure. Ce qui leur laissait amplement le temps de procéder à ce que dans l'industrie cinématographique on appelle un retour en arrière.

Ce qui leur semblait parfaitement évident, c'est que les seules personnes avec qui ils avaient été en contact après que le videur les eut éjectés du Jammer étaient à présent toutes mortes. Ce point jouait assurément en leur faveur. Puisqu'ils n'avaient pas même dit un mot à quiconque après avoir envoyé le videur se faire mettre, il n'y avait personne en vie qui pût affirmer qu'ils avaient rencontré à Diamondback trois personnes qui, plus tard, s'attireraient elles-mêmes des ennuis : la fille, en s'abstenant de signaler qu'elle étouffait, les deux Noirs, bourrés, en se disputant son argent, l'un d'eux finissant noyé, l'autre égorgé, dis donc.

— Et le chauffeur de taxi? rappela Richard II.

— Uh-oh, le taxi, fit Richard III.

— Quoi, le taxi? dit Richard Iᵉʳ. Il nous a pris dans le centre, il nous a déposés à Diamondback. Et alors?

Deux types qui avaient l'air de gangsters dans un film de Martin Scorsese passèrent devant leur table en sortant du restaurant. Les trois jeunes baissèrent la voix, détournèrent les yeux. Dans cette ville, il valait mieux être circonspect. Regardez ce qui était arrivé à Diamondback quand ils étaient inconsidérément entrés en contact avec trois personnes qui s'étaient révélées tout à fait malsaines.

— Vous avez vu la bosse sous son manteau? chuchota Richard III dès que les deux hommes eurent franchi la porte.

Dehors, malgré la neige, les autocars ne cessaient d'arriver et de partir. Les deux hommes disparurent dans un tourbillon de flocons.

– Ça vous plairait de rencontrer un de ces types dans une ruelle obscure? dit Richard II.

Aucun des Richard ne semblait se rendre compte qu'ils rentraient maintenant dans la catégorie des types qu'on n'aimerait pas rencontrer dans une ruelle obscure. Ou même ailleurs. Ils avaient tué trois personnes. Ils remplissaient les conditions. Curieusement, ils avaient l'impression que c'était une histoire qu'ils avaient lue quelque part, vue à la télévision ou au cinéma. Cela ne leur était pas arrivé à eux.

Et, lorsqu'ils discutèrent pour savoir si le chauffeur de taxi qui les avait conduits à Diamondback constituait une menace, ils décidèrent finalement que non. Ils étaient assis à l'arrière du véhicule, dans l'obscurité, le gars n'avait pas pu distinguer leurs visages. En outre, l'épaisse cloison en plastique les séparant de l'avant de la voiture avait sans doute encore obscurci la vision du chauffeur. Ils avaient déposé le montant de la course, augmenté d'un pourboire correct, dans la petite alvéole en plastique qui basculait vers eux. Les seuls mots adressés au chauffeur, c'était Richard Ier qui les avait prononcés, quand il lui avait donné leur destination. « Ainsley et la 11e Nord », avait-il dit. Le type n'avait pas même émis un grognement en retour.

Ce que pensait Richard Ier – et il en faisait maintenant part aux deux autres –, c'était que les « jockeys de chameau » de cette ville s'intéressaient seulement au nombre de mois qu'il leur restait à tirer avant d'avoir économisé assez pour rentrer au pays. C'était pour ça qu'ils ne parlaient jamais à personne. Qu'ils ne hochaient même pas la tête pour indiquer qu'ils vous avaient entendu. Qu'ils ne disaient même pas merci, trop occupés qu'ils étaient à compter les *nickels* et les *dimes* dont ils avaient besoin pour bâtir leurs palais étincelants dans le sable.

– Il ne posera pas de problème, assura Richard Ier.

Mais aucun d'eux ne se préoccupa des événements qui avaient suivi cette fatidique virée en taxi à Diamondback. Personne ne mentionna, fût-ce en murmurant, la possibilité que quelqu'un les ait vus entrer dans l'immeuble de Richard le Noir en compagnie de l'infortunée qui, plus tard, avait été trop timide ou trop stupide pour signaler ou même laisser entendre qu'elle avait du mal à respirer. Reconnaître la cause de leur préoccupation aurait impliqué d'admettre aussi leur implication dans l'affaire.

Non.

Les gars étaient blancs comme neige.

Leur autocar partirait dans trois quarts d'heure.

Ils seraient de retour à Pierce Academy dans une heure et quarante-cinq minutes.

Tout serait blanc, net et calme.

— Il ne s'est rien passé, déclara Richard Ier.

— Rien passé, firent les deux autres en écho.

— Jurez, dit Cœur de Lion, et il posa son poing fermé sur la table.

— Je le jure, dit Richard II, couvrant le poing de sa main.

— Je le jure, renchérit Richard III, faisant de même.

Le haut-parleur annonça le départ imminent du car 732 pour Pétaouchnock.

Les gars commandèrent une autre tournée de milkshakes.

Deux informations importantes parvinrent à la salle des inspecteurs dans la dernière heure du service de nuit. L'inspecteur Hal Willis, assis en bras de chemise dans la pièce surchauffée, reçut les deux appels. Le premier à onze heures et quart. Il émanait d'un collègue nommé Frank Schulz qui voulait parler à Carella ou à Hawes, et finit par se rabattre sur Willis quand celui-ci promit de leur transmettre le message.

Schulz était l'un des techniciens qui avaient examiné la Cadillac enregistrée au nom de Rodney Pratt. Il informa Willis en passant que la limousine avait déjà été restituée au propriétaire, Schulz avait le reçu, est-ce que Willis voulait qu'on le lui envoie par fax, ou qu'on le mette au courrier? Willis lui répondit de le mettre au courrier.

– Nous avons trouvé des tas de plumes, annonça le technicien. Je ne sais pas si vous connaissez la différence entre duvet et pennes...

– Non, pas vraiment, avoua Willis.

– Alors, je ne vous embêterai pas avec des explications, parce que nous sommes tous deux très occupés, dit Schulz.

Et il se lança dans une longue dissertation érudite sur axes et tuyaux, barbes et barbules, crochets et nœuds, qui tous différaient selon les espèces d'oiseaux – est-ce que Willis avait vu le film écrit par Alfred Hitchcock ?

Willis ne pensait pas que Hitchcock était l'auteur du scénario.

– Déterminer quelles plumes viennent de quelle espèce d'oiseau, c'est important dans beaucoup d'enquêtes, poursuivit Schulz.

Dans celle-ci, par exemple, soupira Willis *in petto*.

– Je ne sais pas si la Caddy a été utilisée pour commettre un délit, mais ce n'est pas mon domaine, de toute façon...

Mon domaine, pensa Willis.

– Bref, les plumes que nous avons récupérées sur la banquette arrière de la voiture étaient des plumes de poulet.

Quant à la merde, mystère.

– Des plumes de poulet, dit Willis.

– Vous transmettrez ?

– Comptez sur moi.

– Bon, je sais que vous êtes occupé... répéta Schulz avant de raccrocher.

Le second appel provint du capitaine Sam Grossman, dix minutes plus tard. Il informa Willis qu'il avait examiné les vêtements que portait la victime, Svetlana Dyalovich, et qu'il n'avait rien découvert de vraiment important, excepté sur le vison.

Willis espérait qu'il n'allait pas entendre un exposé sur la fourrure des mammifères carnivores semi-aquatiques du genre *Mustela*. En fait, Grossman voulait parler de poissons. Willis se prépara au pire, mais le médecin alla droit au but.

– Il y a des taches de poisson sur le vison, dit-il. Ce qui en soi n'a rien d'anormal. Les gens font toutes sortes de taches sur leurs habits. Ce que ces taches ont de curieux, c'est leur emplacement.

— Elles sont où?

— Tout en haut du manteau. Derrière, près du col, à l'intérieur et à l'extérieur. Comme si quelqu'un l'avait tenu à deux mains, de chaque côté du col, les pouces à l'extérieur, les doigts à l'intérieur.

— Je ne vois pas, dit Willis, secouant la tête.

— Vous avez un livre sous la main?

— Le Code pénal, ça vous va?

— Très bien. Prenez-le à deux mains, les paumes sur le dos, les pouces sur la couverture de devant, les autres doigts derrière.

— Attendez, je pose le téléphone.

Willis posa l'appareil. Prit le livre. Hocha la tête. Reposa le livre et reprit le téléphone.

— Vous voulez dire que vous avez trouvé des empreintes sur le manteau?

— Je n'ai pas eu cette chance, répondit Grossman. Mais les taches de derrière sont plus petites, ce qui laisse penser que c'est là que les pouces étaient, près du col. Et les taches plus grandes auraient été laissées par les quatre autres doigts de chaque main.

— Vous voulez dire...

— Je dis qu'une personne ayant de l'huile de poisson sur les mains a tenu le manteau de la façon que je viens de vous décrire. « C'était un plaisir... » dit Grossman, et il raccrocha. De l'huile de poisson, pensa Willis. Et des plumes de poulet. Il se réjouissait de ne pas avoir à s'occuper de cette affaire.

9

— Y a du nouveau? s'enquit Carella.

— Toujours pareil, répondit Willis. Et la chaussée?

— Ça glisse salement.

L'horloge accrochée au mur de la salle des inspecteurs indiquait vingt-trois heures quarante. Cotton Hawes venait de franchir le portillon de la barrière en bois séparant la salle du couloir. Derrière le grillage métallique des hautes fenêtres, il continuait à neiger. Ce qui signifiait qu'ils mettraient une demi-heure, trois quarts d'heure de plus pour tout déplacement à l'extérieur.

— C'est la toundra glacée, dehors, dit Hawes en ôtant son pardesssus.

Carella feuilletait la pile de messages laissés sur son bureau.

— Des plumes de poulet? fit-il, se tournant vers Willis.

— C'est ce qu'il a dit.

— Et des taches de poisson sur le vison.

— Ouais.

— Quel sorte de poisson, Grossman a précisé?

— Non. Et je lui ai pas demandé.

— T'aurais dû lui tendre la perche.

Willis grimaça.

— Meyer et Kling ont de nouveau retourné l'appartement de la pianiste, dit-il. Zéro.

— Ce qui veut dire que cent vingt-cinq bâtons se baladent encore quelque part.

— Je te le donne pour ce que ça vaut : Kling pense qu'il faut s'accrocher à la théorie du cambrioleur.

— C'est pour ça qu'on cherche à savoir qui a piqué ce pistolet, dit Hawes.

— Si quelqu'un l'a piqué, souligna Carella.

— Sinon, c'est Pratt, notre bonhomme.

— Il a un alibi d'un kilomètre de long.

— Ouais, sa femme.

— Ah ! ce que c'est captivant le boulot d'inspecteur ! s'exclama Willis, qui mit son chapeau et sortit.

— Des plumes de poulet, répéta Carella.

— Et pour la merde, qu'est-ce qu'il a dit?

— Mystère.

— On ne peut pas écarter le braconnage...

— On braconne pas des poulets.

— Alors, ça nous laisse le vol sur un marché aux poulets.

— Il en reste plus des tas de marchés aux poulets.

— Si, y en a plein à Riverhead et à Majesta. Là-bas, certains membres des minorités ethniques aiment le poulet fraîchement tué. Un vestige du vieux pays.

— Les juifs orthodoxes mangent du poulet fraîchement tué?

— Tu penses que c'était un poulet mort dans la Caddy?

— Ou des poulets. Au pluriel.

— Alors, pourquoi il n'y avait pas de taches de sang?

— Bien vu. Donc, c'était un poulet vivant.

— Ou des poulets.

— Tu sais comment on fait le poulet à la hongroise?

— Comment?

— D'abord, tu voles un poulet...

— OK, on dit que quelqu'un vole un poulet.

— Il l'emmène faire un tour sur la banquette arrière de la Cadillac de Pratt.

— Tu pondrais un scénario pareil?

— J'irais même pas voir le film.

— D'accord, mais supposons, juste comme ça, que quelqu'un a assez faim ou est dans une situation assez désespérée pour voler un poulet sur le marché...

— On vend des poulets dans les magasins d'animaux de compagnie?

— Des poussins.

— En janvier?

— Plutôt vers Pâques.

— De toute façon, un poussin, c'est pas un poulet.

— Non, il faut que ce soit sur le marché aux poulets.

— Pourquoi pas un zoo d'animaux domestiques? Avec des chèvres, des vaches, des poulets, des canards...

— Les gens prennent des poulets comme animaux de compagnie?

— Ils les font cuire, les poulets.

— Bon, d'accord, d'accord, tu voles un poulet.

— On les sacrifie aussi les poulets.

— Vaudou?

— Mm.

Les deux hommes se turent.

Il était minuit.

Lundi cafardeux.

Et il neigeait toujours.

— On se renseigne, décida Hawes.

Le technicien qui avait tenu de vilains propos au sujet d'Ollie Weeks le Gros lui fit cependant parvenir son rapport au moment précis où celui-ci quittait le commissariat, quelques minutes après minuit. Mis à part les noms sur les plaques des bureaux et au tableau de service, la salle des inspecteurs du 88ᵉ était quasiment la réplique exacte de celle du 87ᵉ, ou de n'importe quel autre commissariat de la ville, en fait. Même les bâtiments de construction récente commençaient à prendre un aspect décrépi, une grande pâleur vert pomme les enveloppant aussitôt. Ollie leva les yeux vers le cadran piqueté de l'horloge murale, se rappela qu'il avait réclamé le rapport du technicien pour moins le quart et pensa que le type avait de le chance qu'il soit encore là. Il déchira l'enveloppe de papier-bulle, en tira le document.

Aucune empreinte sur les bouteilles de champagne ni sur le couteau utilisé pour couper la gorge de l'estimable Jamal. Aucune empreinte sur les interrupteurs de la salle de bains, ni sur aucune des poignées de porte de l'appartement. Ce qui signifiait que, s'il y avait eu une ou plusieurs autres personnes dans la pièce, il ou elle, ou ils ou elles avaient vu beaucoup de films et savaient qu'il faut essuyer les traces derrière soi. Les seules empreintes avec lesquelles on pouvait comparer celles des morts que le technicien avait dûment prises sur les deux macchabées de la salle de bains – et dont copie était jointe – étaient donc les empreintes relevées sur la pochette en cuir rouge. Les petites appartenaient à la nommée Yolande Marie Marx, dont Ollie avait trouvé le permis de conduire délivré dans l'Ohio. Apparemment, Yolande occupait maintenant un casier à la morgue de l'hôpital Buena Vista. Les autres empreintes relevées sur le sac appartenaient au regretté Richie Cooper. Selon le rapport, Jamal Stone n'avait pas touché au sac.

Ollie poursuivit sa lecture.

De cheveux et de poils, il y avait profusion, et certains d'entre eux seulement étaient identiques aux échantillons prélevés sur la tête des malheureuses victimes. Certains étaient blonds et semblables à ceux de la fille. En outre, certaines fibres recueillies avec l'aspirateur correspondaient à la jupe noire et à la veste de fausse fourrure qu'elle portait au moment de sa mort.

Mais il y avait d'autres fibres, d'autres cheveux et d'autres poils.

Un nombre important de fibres de laine bleu foncé qui ne provenaient d'aucun des vêtements des deux victimes.

Des cheveux roux.

Des cheveux noirs.

Des cheveux blonds.

Des poils pubiens.

Provenant tous d'individus de race blanche.

Et de sexe masculin.

Trois mecs blancs, deux types noirs zigouillés, et une pute blanche morte, pensa Ollie en écrasant un pet.

El Castillo de Palacios aurait été grammaticalement incorrect en espagnol si *Palacios* n'avait pas été en l'occurrence un nom propre. *Palacio*, palais, au pluriel *palacios :* en espagnol, l'article s'accorde avec le nom, à la différence de l'anglais, où l'on assemble les mots avec la plus grande désinvolture, Dieu merci. *El Castillo de* los *Palacios* aurait donc été la traduction correcte en espagnol du « Château des Palais », mais, comme Francisco Palacios était une personne, *El Castillo de Palacios* était tout aussi correct, mais se traduisait par « Le Château de Palacios », un jeu de mots dans tous les cas de figure, en espagnol comme en anglais. Et méritant d'être répété, soit dit en passant, comme bon nombre de choses dans ce plaisant univers que le Seigneur a créé.

Francisco Palacios était un bel homme qui menait une vie honnête après avoir purgé trois ans de prison pour cambriolage. Il possédait et gérait une agréable petite boutique, où l'on vendait des herbes médicinales, des clefs des songes, des statues religieuses, des ouvrages de numérologie, des tarots et autres articles du même tonneau. Ses associés commanditaires, Gaucho Palacios et Cow-Boy Palacios, tenaient une autre boutique derrière la première, proposant celle-là des « aides conjugales » médicalement approuvées telles que godemichés, préservatifs garnis de clous en caoutchouc, petites culottes sans entrejambe *(bragas sin entrepierna)*, vibromasseurs en plastique (vingt et vingt-cinq centimètres en blanc, trente centimètres en noir), cagoules de bourreau en cuir, ceintures de chasteté, fouets à lanières de cuir, colliers en cuir cloutés de chrome, extenseurs de pénis, aphrodisiaques, poupées gonflables grandeur nature, capotes de toutes les couleurs de l'arc-en-ciel, y compris vermillon, manuels pour hypnotiser et vaincre les résistances de femmes récalcitrantes, ainsi qu'un appareil très demandé – satisfaction assurée – au nom évocateur de Suc-u-lator, au cas où tout cela vous aurait échappé tandis que vous lisiez votre bréviaire dans le cloître parfumé.

Dans cette ville, la vente de tels articles n'était pas illégale ; le Gaucho et le Cow-Boy n'enfreignaient aucune loi. Ce n'était donc pas pour échapper aux autorités qu'ils tenaient boutique derrière celle que possédait et gérait Francisco. Ils le faisaient plutôt par sens de leurs responsabilités envers la communauté portoricaine dont ils faisaient partie. Ils voulaient éviter qu'une petite vieille en châle noir s'aventure un jour dans la boutique et tombe raide morte en voyant les jeux de cartes représentant des hommes, des femmes, des nains et des chiens policiers dans cinquante-deux positions d'« aide conjugale », cinquante-quatre en comptant les jokers. Le Gaucho et le Cow-Boy étaient aussi fiers de leur communauté que l'était Francisco lui-même. Francisco, le Gaucho et le Cow-Boy étaient en fait une seule et même personne – indicateur, mouchard, balance, et même, dans certains quartiers, donneur.

El Castillo de Palacios se trouvait dans un quartier pourri du 87ᵉ appelé *El Infierno* et qui, jusqu'à l'afflux récent de Jamaïcains, de Coréens, d'Haïtiens, de Vietnamiens et de Martiens, était resté presque exclusivement portoricain ou – si vous préférez – d'« origine espagnole », expression à la fois lourde et maladroite, mais préférée au « latino » complètement inexact. Au tableau d'honneur du politiquement correct, ces deux appellations arrivent loin derrière le terme simple, descriptif et toujours-très-prisé (58%) d'« hispanique ». 10% des Hispaniques interrogés n'ont aucune préférence quant à la façon dont on les appelle, pourvu que ce ne soit pas « métèque », ou en retard pour le dîner.

El Infierno signifiait devinez quoi?

L'Enfer.

Et ça l'était.

Palacios s'apprêtait à fermer quand ils arrivèrent, vers minuit vingt, après avoir parcouru sous la neige en un quart d'heure un trajet qui dans des circonstances normales leur aurait pris cinq minutes. Palacios coiffait ses cheveux noirs en une haute banane, comme en portaient les jeunes des années 50. Yeux marron foncé. Dents de vedette des matinées théâtrales. La rumeur courait dans l'Infierno que Palacios avait trois femmes, ce qui – comme la fraude fiscale, dont la police menaçait en permanence de l'inculper – était illégal. Ce que Hawes et Carella, et tous les autres flics du district (et tous les êtres humains au monde), savaient pertinemment, mais bon. Personne ne comptait, et personne n'envoyait personne en prison pour le moment – tant que les tuyaux étaient bons.

Et ils l'étaient.

Symbiose, pensait Hawes.

Joli nom et arrangement commode.

Hawes avait quelquefois l'impression que le monde tournait sur des arrangements commodes.

– *¿Ay, maricones*, dit Palacios, *qué pasa?*

Il savait que les flics pouvaient le boucler quand ils le voulaient. En attendant, rien ne l'empêchait de se montrer amical avec eux, non? *Maricón* signifie «homosexuel», et *maricones* en est le pluriel, ce que, selon lui, les policiers ne devaient pas savoir. En fait, ils le savaient, mais ils savaient aussi que c'était une forme amicale de salut entre Hispaniques, Dieu sait pourquoi – et Dieu protège tout non-hispanique qui l'aurait utilisée.

Ils allèrent droit au but :

– Vaudou.

– Mm, vaudou, fit Palacios, hochant la tête.

– Y a eu quelque chose, vendredi soir?

– Quoi, par exemple?

– Un Papa Legba assis sur la porte?

– Une Maîtresse Ezili balançant ses hanches?

– Des Damballah?

– Des Baron Samedi?

– Des poulets égorgés?

– Vous connaissez le vaudou, hein?

– *Un poquito*, répondit Hawes.

– *No, no, muchísimo*, dit Palacios, adressant au policier un éloge extravagant, comme s'il venait de traduire Cervantès.

– Bon, intervint Carella, mettant un terme aux foutaises, il s'est rien passé, vendredi?

– Demandez plutôt à Clotilde Prouteau, leur conseilla Palacios. Elle est *mamaloi*...

– Elle est quoi?

– Prêtresse. Enfin, de temps en temps. Elle fait aussi de la magie. Je lui vends de l'Eau de Guerre et du Vinaigre des Quatre Voleurs, du Paradis et du poivre de Guinée, Trois Valets et un Roi, Chien Chanceux, jasmin et narcisse, rose blanche, essence de van-van – tout ce qu'il lui faut pour la magie. Dites-lui que vous venez de la part de François. Le cow-boy espagnol, dites-lui.

160

Ils étaient assis tous les trois à une table un peu éloignée du piano et du bar, Priscilla essayant de dominer sa colère tout en lui laissant libre cours, Georgie et Tony s'efforçant de saisir les mots qu'elle murmurait. On était dimanche soir – déjà lundi matin, à vrai dire –, la soirée libre de la chanteuse, mais le bar était ouvert, les consommations gratuites, et c'était un endroit tranquille où parler un dimanche, en particulier quand il neigeait dehors et que la salle était quasiment vide.

Priscilla était en pétard, aucun doute.

Elle fumait depuis que « ses gars » étaient revenus, à huit heures, avec une enveloppe qu'ils avaient trouvée à la consigne de la gare routière de Rendell Road. L'enveloppe contenait ce mot :

Ma très chère Priscilla,

La lettre reçue après ma mort t'aura conduite à ce casier, où t'attendait une grosse somme en liquide.

J'ai économisé cet argent pour toi pendant des années, sans jamais y toucher, vivant seulement de l'aide sociale et des faibles droits que je perçois encore pour mes disques.

Je souhaite que cette somme te permette de poursuivre ta carrière comme concertiste.

Je t'ai toujours aimée.

Ta grand-mère
Svetlana

Il y avait aussi dans l'enveloppe cinq mille dollars en billets de cent.

— Cinq mille? s'était indignée Priscilla. C'est ce qu'elle appelle une grosse somme?

— C'est pas des cacahuètes, fit valoir Georgie.

— C'est ça qu'elle appelle ne pas m'oublier?

— Cinq mille, c'est beaucoup, insista Georgie.

Beaucoup, en effet.

Mais moins que les quatre-vingt-quinze mille qu'ils avaient piqués dans le casier.

— Tu me vois faire une carrière de concertiste avec cinq mille dollars? fulmina la chanteuse.

Elle ne décolérait pas.

Assise dans la salle à une heure moins dix, buvant le scotch vingt ans d'âge que le barman avait apporté à sa table, offert par la maison, Priscilla ne cessait de secouer la tête. Les gars compatissaient.

Elle regarda sa montre.

— Vous savez ce que je pense?

Georgie craignait de l'entendre. Il ne voulait pas qu'elle pense qu'ils avaient ouvert l'enveloppe et pris dedans quatre-vingt-quinze mille dollars. Priscilla ne le remarqua pas, mais les jointures du garde du corps blanchirent autour de son verre de whisky.

Il attendit, retenant sa respiration.

— Je pense que celui qui a apporté la clef est passé d'abord à la consigne, dit-elle.

— Ça, sûrement, approuva aussitôt Georgie.

— Et qu'il a vidé le casier, poursuivit-elle.

— En laissant juste assez pour que ça fasse pas bizarre, expliqua Tony.

— Exactement, dit Georgie.

— Pour faire croire que la vieille était sénile, ou quelque chose comme ça, reprit Tony. Qu'elle te laissait cinq mille balles comme si c'était une fortune.

— Enfin, c'est quand même une petite fortune, dit Georgie.

La colère de Priscilla montait de minute en minute. La simple idée qu'un type blond, même pas capable de parler anglais correctement, ait vidé le casier avant de lui remettre la clef! A la consternation de Georgie, Tony attisa la colère de Priscilla:

— Va savoir combien il y avait dans ce casier.

— Ouais, mais, après tout, cinq mille, c'est quand même une somme, souligna Georgie, lançant à son coéquipier un regard appuyé.

— Vingt mille, peut-être, supputa Tony.

— Plus, dit Priscilla. Elle avait dit que je ne serais pas oubliée à sa mort.

— Cinquante mille, peut-être, rectifia Tony.

— Il y avait cinq mille, rappela Georgie.

— Peut-être même cent, dit Tony, qui, au goût de Georgie, se rapprochait un peu trop de la vérité.

Priscilla jeta un nouveau coup d'œil à sa montre.

— Il faut le trouver, ce salaud, déclara-t-elle.

Elle se leva avec grâce, adressa un sourire éblouissant aux sept ou huit personnes assises dans la salle et, la démarche élégante, sortit dans le hall, suivie de Georgie et Tony.

Ils trouvèrent Clotilde Prouteau fumant une cigarette au comptoir d'un petit bistrot français, à une heure du matin. Nul ne comprenait les subtilités du Code administratif de la ville interdisant de fumer dans les lieux publics, mais on s'accordait généralement à penser qu'on pouvait fumer dans un restaurant accueillant moins de trente-cinq clients. Le Canard Bleu répondait à ce critère. En outre, même dans les restaurants plus grands, il était permis de fumer à tout comptoir servi par un barman. Il n'y avait aucun barman de service pour le moment, mais Clotilde était couverte par les dimensions de l'établissement et fumait donc à s'en esquinter le cerveau. D'ailleurs, ils n'étaient pas venus pour l'arrêter parce qu'elle fumait dans un lieu public. Ni parce qu'elle pratiquait le vaudou.

Haïtienne de cinquante-deux ans à l'accent français marqué, à la peau couleur chêne, elle tenait un fume-cigarette rouge dans la main droite et rejetait courtoisement la fumée loin des inspecteurs. Elle relevait la pâleur de ses yeux gris-vert d'un coup de crayon bleu et d'une épaisse couche de mascara. Sa bouche voluptueuse était peinte d'un rouge outrageusement vif. Elle portait un cafetan en soie à motifs qui flottait sur ses hanches larges, ses fesses et sa poitrine généreuses. Des boucles en émail rouge pendaient à ses oreilles. Un pendentif assorti ornait sa gorge. Dehors, la tempête de neige faisait rage, et la température était tombée à − 14 °C. Mais, dans le petit bistrot enfumé, un lecteur de CD laissait échapper les goualantes de Piaf, et Clotilde Prouteau avait l'air excessivement tropicale et exotiquement française.

– Le vaudou n'est pas illégal, vous savez?

– Nous savons.

– C'est une religion.

– Nous savons.

– Et ici, en Amérique, on peut pratiquer la religion de son choix, eh?

Le discours sur les Quatre Libertés, pensa Carella, en se demandant si elle avait une carte verte [1].

– Francisco Palacios nous a dit qu'il vous arrive de conduire la cérémonie.

– Pardon? Conduire la cérémonie?

– Ou la célébrer, je sais pas.

– De quelle cérémonie vous parlez?

– Allons, Miss Prouteau. Nous parlons de vaudou, nous parlons de la dame qui implore Papa Legba de lui ouvrir la barrière et qui sacrifie...

– Un sacrifice? *Vraiment, messieurs*, protesta-t-elle en français.

– Nous savons que vous sacrifiez des poulets, des chèvres...

– Non, non, c'est contre la loi.

– Mais tout le monde s'en fout, la rassura Carella.

Elle les regarda.

La loi à laquelle Clotilde se référait était l'article 26, chapitre 353 de la législation sur l'Agriculture et les Marchés, qui interdit expressément de maltraiter, de torturer, de battre cruellement, de blesser sans raison, d'estropier, de mutiler ou de tuer n'importe quel animal, sauvage ou apprivoisé. La violation de cette loi constituait un acte délictueux passible d'une peine de prison

---

1. Permis de travail. *(N.d.T.)*

d'un an, maximum, ou d'une amende de mille dollars, ou des deux.

Comme la plupart des lois de cette ville, elle visait à protéger un mode de vie civilisé élaboré au fil des siècles. Mais les flics invoquaient rarement la loi pour empêcher les sacrifices d'animaux dans les cérémonies religieuses de crainte de devoir rendre leur insigne et leur arme en vertu de la législation sur les droits civiques. Clotilde se demandait si ces deux-là allaient lui mener la vie dure pour quelque chose qui se faisait quotidiennement dans toute la ville, en particulier dans les quartiers haïtiens. Pourquoi vous embêter avec moi? pensait-elle. Vous n'avez rien de mieux à faire, *messieurs**? Pas de *trafiquants** à arrêter? Pas de *terroristes**? Et comment ils étaient au courant, pour vendredi soir?

— Qu'est-ce que vous cherchez au juste?

— Une personne qui aurait apporté un poulet vivant à une cérémonie vaudou, répondit Hawes, qui se sentit soudain idiot.

— Désolée, mais je n'ai apporté de poulet nulle part, déclara Clotilde. Ni vivant ni mort. Un poulet, vous dites?

Hawes se sentit encore plus idiot.

— Nous cherchons une personne qui aurait volé un pistolet dans une Cadillac empruntée, expliqua Carella.

Ce qui ne sonnait pas mieux.

— Je n'ai pas volé de pistolet non plus, dit Clotilde.

— Mais avez-vous célébré une cérémonie vaudou vendredi soir?

— Le vaudou n'est pas interdit par la loi.

— Alors, vous n'avez rien à craindre. Vous l'avez fait ou pas?

— Je l'ai fait.

— Donnez-nous des détails.

— Qu'est-ce que vous voulez que je vous dise?

— A quelle heure ça a commencé?

— Neuf heures?

Haussement d'épaules indifférent. Autre bouffée tirée au fume-cigarette assorti aux boucles d'oreilles, au

* En français dans le texte. *(N.d.T.)*

pendentif et aux lèvres boudeuses. Nuage de fumée souf-
flé loin des deux inspecteurs.

– Il y avait qui?

– Des fidèles. Des suppliants. Des croyants. Appelez
ça comme vous voudrez. Je vous l'ai dit, c'est une religion.

– Oui, on a pigé, merci, fit Hawes.

– Pardon?

– Vous pouvez nous raconter ce qui s'est passé?

– Ce qui s'est passé? Rien d'anormal. Qu'est-ce qui
s'est passé, d'après vous?

D'après nous, quelqu'un a apporté un poulet pour le
sacrifice et volé un flingue dans la voiture, pendant qu'il
y était, pensa Hawes, sans le dire.

– Quelqu'un a apporté un poulet? demanda Carella.

– Non. Pourquoi?

– Pour le sacrifier.

– Nous ne faisons pas de sacrifices.

– Qu'est-ce que vous faites, alors? insista Hawes.
Clotilde soupira.

– Nous nous réunissons dans un vieux bâtiment de
pierre, une ancienne église catholique. Vous savez, il y a
beaucoup d'emprunts au catholicisme dans le vaudou,
bien que nos divinités composent un panthéon plus vaste
que la Sainte Trinité. Mon rôle de *mamaloi* consiste à
appeler Papa Legba...

– Gardien de la Barrière, dit Carella.

– Dieu des Carrefours, ajouta Hawes.

– Oui, murmura Clotilde avec révérence. Comme
vous l'avez mentionné tout à l'heure, je l'implore
d'ouvrir la barrière...

« ... *Papa Legba, ouvre la barrière pour moi. Papa Legba,
où sont tes petits-enfants?* * »

Les fidèles assemblés dans la vieille église en pierre ferment les yeux et psalmodient en réponse « *Papa Legba,
nous voilà! Papa Legba, ouvre la barrière pour nous laisser
passer!* * »

« Papa Legba, ouvre la barrière... », supplie Clotilde.

« Ouvre la barrière », clament les fidèles.

« Papa Legba, ouvre la barrière... »

* En français dans le texte. *(N.d.T.)*

166

« Pour nous laisser passer. »

Appel et répons.

L'Afrique.

« Quand nous serons passés... »

« Nous remercierons Legba. »

« Legba, assis sur la barrière... »

« Autorise-nous à passer. »

Puissants éléments africains d'une religion.

A présent, une fillette de six ou sept ans s'avance vers l'autel. Entièrement vêtue de blanc, elle porte dans chaque main un cierge blanc allumé. D'une voix frêle, haut perchée, elle se met à chanter sur un rythme envoûtant.

« La chèvre sauvage s'est échappée.

« Et doit retrouver le chemin de la maison.

« Je me demande ce qui se passe.

« En Guinée, tout le monde est malade.

« Je ne suis pas malade.

« Mais je mourrai.

« Je me demande ce qui se passe. »

Clotilde gardait le silence ; les inspecteurs attendaient. Elle tira de nouveau sur sa cigarette, rejeta la fumée. Piaf continuait à chanter les amours non partagées. « La Guinée, c'est l'Afrique », expliqua la prêtresse. Elle retomba dans son mutisme, comme si, en esprit, elle retournait en Haïti et, au-delà, en Afrique même, à la Guinée du chant plaintif de l'enfant, Côte d'Ivoire, Côte de l'Or et Côte des Esclaves, aux empires des Fulas, des Mandingues, des Ashantis et des Kangasis. Les inspecteurs attendaient toujours. Clotilde exhala un autre panache de fumée et se mit à parler à voix basse. De la fumée, des murmures rauques hypnotiques, la vieille église en pierre parut resurgir. Une fillette en blanc se tient devant la prêtresse qui asperge ses cheveux de vin, d'huile et d'eau, qui lui blanchit les paupières à la farine.

Clotilde souffle les cierges.

Les fidèles se remettent à psalmodier.

« Maîtresse Ezili, *viens* nous guider !

« Si tu *veux* un poulet,

« Nous t'en *donnerons* un !

« Si tu *veux* une chèvre,

« En voici *une* pour toi !

« Si tu *veux* un taureau,

« Nous t'en *donnerons* un !

« Mais une chèvre sans cornes,

« Oh ! *où* en trouverons-nous une...

« *Où* en trouverons-nous une...

« *Où* en trouverons-nous une ? »

Le silence se fit au bar.

Clotilde rejeta une bouffée de fumée par-dessus son épaule, en évitant les inspecteurs.

— C'est en gros la façon dont se déroule la cérémonie, dit-elle. Les fidèles appellent Ezili jusqu'à ce qu'elle apparaisse. Généralement sous la forme d'une femme montée...

— Montée ?

— Possédée, diriez-vous. Ezili prend possession d'elle. La déesse Ezili. J'ai laissé de côté certains détails, mais, pour l'essentiel...

— Vous avez laissé de côté le sacrifice, fit remarquer Carella.

— Oui, en Haïti, il arrive qu'on sacrifie une chèvre, un poulet ou un taureau. Et peut-être qu'en Afrique, il y a des siècles, on procédait à des sacrifices humains, je ne sais vraiment pas. Je suppose que c'est ça, la chèvre sans cornes. Mais ici en Amérique ? Non.

— Ici en Amérique, si, affirma Carella.

Clotilde le regarda.

— Non.

— Si. Après l'huile et l'eau...

— Non.

— ... le vin et la farine, quelqu'un égorge un poulet ou une chèvre...

— Pas en Amérique.

— Je vous en prie, madame Prouteau. C'est à ce moment-là que la prêtresse trempe son doigt dans le sang et trace une croix sur le front de la fillette. La bête sacrifiée est posée sur l'autel, et les tambours résonnent. Le sacrifice, c'est ce qui persuade Ezili d'apparaître. Le sacrifice...

— Je vous dis qu'il n'y a pas de sacrifice dans nos cérémonies.

— Nous ne cherchons pas à vous coincer pour un 353 sans intérêt, dit Hawes.

– Tant mieux, répondit Clotilde, qui hocha vigou-
reusement la tête pour signifier la fin de la discussion.

– Nous enquêtons sur un meurtre, plaida Carella,
tout ce que vous pourriez dire pour nous aider...

– *Mais qu'est-ce que vous voulez que je vous dise** ? fit-
elle avec un haussement d'épaules. S'il n'y avait pas de
poulet, il n'y avait pas de poulet.

Elle ôta le mégot du cylindre émaillé, y inséra une
autre cigarette. Piaf beuglait qu'elle ne regrettait rien.
L'Haïtienne tira un briquet de son sac, le tendit à
Hawes, qui lui donna du feu. Elle exhala la fumée, en
évitant le visage du policier, et reprit :

– Il y a des combats de coqs dans toute la ville le vendredi soir, vous le saviez ?

Le plus intéressant dans le casier judiciaire de Jamal
Stone, c'était qu'il donnait les noms de plusieurs filles
ayant appartenu à son écurie à éclipses. Parmi elles, une
certaine Yolande Marie Marx, alias Marie St. Claire, qui
en faisait apparemment partie jusqu'à son récent décès,
et qui avait laissé son sac à main, des cheveux, des poils
et des fibres dans l'appartement de feu Richard Cooper.
Ah ! oui, pensa Ollie, se livrant à son imitation mondiale-
ment célèbre de W.C. Fields jusque dans son for intérieur, le monde est petit, ah ! oui. Une autre des pouliches actuelles de Stone portait le nom de Sarah
Rowland, alias Carlyle Yancy, et habitait à la même
adresse que Stone quand il était encore de ce monde,
ah ! oui.

Ollie ne s'attendait pas à trouver une turbineuse chez
elle à cette heure de la nuit. Mais le Seigneur lui-même
s'est reposé le dimanche (bien que ce fût déjà lundi), et,
roulant sous la neige, le Gros se rendit dans le centre,
dans le territoire du 87ᵉ, arriva dans la rue de Stone vers
une heure et quart, s'arrêta dans le *diner* ouvert pour
boire un café avant de pénétrer dans l'immeuble du mac
– odeur de pisse dans le hall – et de monter au troisième
pour cogner à sa porte. Et c'est alors – miracle ! – qu'une
voix de femme répondit aux coups frappés.

* En français dans le texte. *(N.d.T.)*

169

– Oui, qu'est-ce que c'est?

– Police, désolé de vous déranger si tard, vous voulez bien ouvrir, s'il vous plaît?

Le tout d'une traite, dans l'espoir qu'elle ouvrirait cette foutue porte avant de penser mandat de perquisition, brutalités policières, violations de la vie privée, droits civiques et autres conneries auxquelles les gens du coin pensaient jour et nuit.

– Une seconde, dit-elle.

Des pas à l'intérieur, se dirigeant vers la porte.

– Il attendit.

La porte s'entrebâilla, bloquée par une chaîne de sûreté. Un morceau de visage apparut dans la fente. Une fille de dix-neuf, vingt ans, la peau jaune clair. Des yeux marron méfiants qui le scrutaient.

– Qu'est-ce qu'il y a?

– Miss Rowland?

– Oui.

– Inspecteur Weeks, 88e district, dit-il, approchant son insigne de la fente. Je peux entrer une minute?

– Pourquoi?

Il se demanda si elle savait que son mac était mort. Les nouvelles circulent vite dans la communauté noire, mais celle-là ne lui était peut-être pas encore parvenue.

– J'enquête sur le meurtre de Jamal Stone, lui annonça-t-il carrément. J'ai quelques questions à vous poser.

Elle savait, il le vit à son expression. Pourtant, elle hésitait. Un flic blanc qui frappe à la porte d'une fille noire à une heure du matin – il s'imaginait peut-être que personne ne regarde la télé?

– Bon, alors, qu'est-ce que vous décidez, Miss? J'essaie d'aider, moi.

Il perçut le léger hochement de tête. La chaîne tomba, la porte s'ouvrit toute grande. La fille portait un court peignoir en soie orné d'une sorte de motif floral, noir avec des pétales roses, ceinture à la taille, pyjama de soie noire dessous, pantoufles noires à pompon rose. Elle avait l'air jeune et fraîche, mais il savait que dans le genre de boulot qu'elle faisait ça ne durerait pas longtemps. Il n'en avait rien à secouer, d'ailleurs.

— Merci, dit Ollie, et il entra dans l'appartement.

Elle referma derrière lui, tourna le verrou, remit la chaîne. Il faisait froid dans l'appartement.

— La police est déjà passée ? demanda-t-il.

— Pas pour Jamal.

— Ah ? Pour quoi ?

— Yolande.

— Ah ? C'était quand ?

— Hier. Deux inspecteurs du 87.

— Uh-huh. Bon, moi, c'est pour Jamal.

— Vous croyez qu'ils sont liés ?

— Les deux meurtres ?

— Oui.

— J'en sais rien. A toi de me le dire.

— Richie a été tué aussi, non ?

— Il aimait pas qu'on l'appelle Richie.

— Je le savais pas.

— Si. Il préférait qu'on l'appelle Richard.

Ce sac de merde, pensa-t-il.

— Vous pensez que quelqu'un leur en voulait à tous les trois ?

— J'en sais rien. A toi de me le dire.

Ollie avait remarqué que cette tactique était souvent payante. Faites-les gamberger, ils vous racontent des tas de trucs. Des fois, ils en racontent tellement qu'ils se retrouvent avec une inculpation d'homicide volontaire sur le dos. Parce qu'ils se croient tellement malins. Pour lui, cette petite mignonne à l'air doux et innocent avait fort bien pu éventrer l'autre pute, noyer Richard sac à merde et égorger son mac, allez savoir. Avec ces gens-là ? Allez savoir. Ils vous demandent : « Vous pensez que c'est lié ? Vous croyez que quelqu'un leur en voulait à tous les trois ? » Mais c'est peut-être du cinéma – la personne à qui il ne faut jamais faire confiance, c'est n'importe qui.

— Tout ce que je sais, c'est que, la dernière fois que j'ai vu Jamal, il sortait pour récupérer le sac de Yolande.

— Le sac, hein ?

— La pochette rouge qu'elle avait en partant d'ici.

— C'était quand ?

— Samedi soir. Jamal l'a conduite au pont.

– Quel pont?

– Celui de Majesta.

– Il était quelle heure?

– Ils sont partis vers dix heures moins le quart.

– Jamal est revenu quand?

– Vers les onze heures. Il est passé me prendre pour m'amener à la petite fête qu'il avait arrangée pour des hommes d'affaires du Texas.

– Combien?

– Les Texans? Trois.

– Tu te rappelles de leurs noms?

– Juste les prénoms. Charlie, Joe et Lou.

– Et ça s'est passé où?

– Au Brill. Ils avaient une suite, là-bas.

– Dans Fawcett?

– Ouais.

– T'es arrivée à quelle heure?

– Jamal m'a déposée à minuit. J'ai pris un taxi pour rentrer.

– Quand?

– Trois heures.

– Qu'est-ce qu'il avait comme voiture? Stone.

– Une Lexus.

– Il la rangeait où?

– Le garage au coin de la rue. Dans Ainsley. Pourquoi?

– On pourrait peut-être y trouver des choses, hasarda Ollie.

Il pensait à de la dope. Il y avait peut-être de la dope dans la voiture. Des fioles de crack sur le carrelage de la salle de bains et dans le sac à main de la fille; c'était peut-être une affaire de dope, allez savoir, avec ces gens-là.

– Tu sais le numéro?

– Non.

– Il était connu, Jamal, au garage?

– Bien sûr.

– Ainsley, tu dis?

– Ouais.

– Tu sais le nom?

– Non, mais c'est juste au coin de la rue.

— OK. Donc, tu dis que t'es revenue ici vers trois heures. Yolande était déjà rentrée?

— Non. Seulement Jamal.

— Elle est rentrée à quelle heure, Yolande?

— Elle est pas rentrée. Et, là-dessus, deux flics qui se pointent et qui frappent à la porte.

— A quelle heure?

— A huit heures, dimanche matin. Jamal a cru que c'était ce fêlé de dealer colombien qui disait que Jamal lui avait piqué des fioles de crack, et qui venait le buter – c'était même pas vrai, d'ailleurs.

— Qu'il lui avait piqué des fioles, tu veux dire?

— Ouais. Jamal a balancé quatre balles dans la porte en croyant que c'était ce dingue de Diaz, mais non, c'était deux flics.

— Il a tiré sur des flics?

— Ouais.

— C'est pas une bonne idée, ça.

— Vous m'en direz tant.

— C'était qui, tu te souviens?

— Deux gars du 87e. Un rouquin...

— Hawes?

— Je sais pas.

— C'est quoi le prénom de Diaz? Le dealer.

— Manny. Manuel, en fait. Vous croyez qu'il les a tués?

— Ben, je sais pas. A toi de me le dire.

— Moi, je pense que ça se peut qu'il ait tué Jamal, parce qu'il est cinglé, ce mec, et il croit que Jamal lui a volé de la merde, ce qui n'est pas vrai, d'ailleurs. Mais je vois pas ce que Yolande et Richie viendraient faire là-dedans.

— Richard, corrigea le Gros. Tu le connaissais?

— De vue.

— Il était dealer, lui aussi, tu sais.

— Ouais.

— Tu crois qu'il connaissait Diaz?

— Je sais pas.

— Donc, Jamal tire quatre pelos dans la porte...

— Ouais.

— ... donc, ils l'agrafent, naturellement.

— Ouais.

— Et ensuite ?

— Ils l'emmènent.

— Et comment ça se fait qu'il se retrouve dehors ? Comment ça se fait qu'ils l'ont pas gardé ?

— Ils ont dû se dire qu'ils avaient rien contre lui.

— Et le pétard ? Il tire sur deux flics, ils le bouclent pas ?

— Il croyait que c'était Diaz.

— Il avait un permis de port d'armes, pour le flingue ?

— Je crois.

— Avec son casier, on lui aurait filé un port d'armes ?

— Il en avait peut-être pas.

— Alors, pourquoi ils l'ont relâché ?

— Aucune idée.

Quelquefois, ça ne vaut même pas le coup d'emballer pour un simple délit de classe A, pensait Ollie. Par exemple, la violation de l'article 265.01, selon lequel la possession illégale d'une arme à feu peut vous valoir une année d'emprisonnement, ce qui n'est pas rien, même si on vous libère au bout de trois mois et demi pour bonne conduite.

Mais le gars Jamal avait canardé une paire de flics, ce qui avait dû les irriter fortement et les inciter à le boucler tout de suite. A moins qu'ils aient estimé qu'il leur serait plus utile dehors que dedans, qu'il les conduirait à celui qui avait ramoné la pute à la toile émeri, allez savoir. Le premier qui tire sur Ollie, il commence par cracher ses dents, puis il se retrouve au trou à attendre d'être inculpé, avec ses godasses qui se débinent et son fute qui lui tombe sur les pieds parce qu'on lui a confisqué sa ceinture, ses lacets et sa Rolex toute neuve fauchée de la veille.

Ou alors – c'était une possibilité –, ils s'étaient dit qu'avec un meurtre sur les bras, et leur service qui allait se terminer, ils allaient pas perdre leur temps à arrêter un type, à lui tirer le portrait, à lui prendre ses empreintes, à le faire passer au tribunal pour un simple délit de classe A, alors qu'il serait peut-être relâché s'il tombait sur un juge noir au cœur tendre. Valait mieux le laisser sortir tout de suite, ce merdeux, d'autant qu'il avait essayé de refroidir un *autre* merdeux, et qu'il réussirait peut-être le prochain coup. Il y a plus de choses dans le travail de police, Horatio, qu'il n'y a de rêves dans ton cocktail d'amphètes.

Quand même, Ollie poserait la question.

La prochaine fois qu'il passerait au 87e, il leur demanderait pourquoi ils laissent un bougnoule coupable de possession illégale d'arme à feu sortir comme ça de ce bon vieux commissariat, ah! oui, mes chers garçons, oui, alors.

— Donc, Yolande et Jamal sont partis d'ici à dix heures moins le quart.

— Ouais.

— Et Jamal est revenu vers onze heures...

— Ouais.

— Pour te conduire au Brill.

— C'est ça.

— Et il était là quand t'es rentrée, à trois heures et des...

— Trois heures et demie, il devait être.

— Il était à la maison?

— Oui.

— Mais Yolande n'est jamais rentrée.

— Non. Ce qui est drôle, d'ailleurs.

— Pourquoi, drôle?

— Parce qu'elle avait téléphoné pour dire qu'elle rentrait.

— Oh? A quelle heure?

— Vers cinq heures et demie.

— Elle a téléphoné ici?

— Ouais. Elle a dit à Jamal qu'elle sortait du Stardust...

— Le Stardust? Là-bas, dans Coombes?

— Ouais.

— Et elle a dit qu'elle rentrait?

— Dès qu'elle trouverait un taxi, répondit Carlyle.

Bingo! pensa Ollie.

10

Les flics en uniforme qui obligèrent le taxi à se garer le long du trottoir ne pensaient pas avoir affaire à un véhicule volé, ou quelque chose de ce genre, parce qu'un 10-69 est un incident de nature spécifiquement non délictuelle. Pourquoi, nonobstant, le standard avait-il demandé à toutes les voitures de retrouver et d'arrêter le taxi portant ce numéro d'immatriculation? Retrouver, arrêter et prévenir – tel était le message.

Ils arrêtèrent donc le véhicule, réclamèrent ses papiers au chauffeur, et, tandis qu'un des policiers les examinait, comme s'ils venaient d'intercepter une grosse cargaison de drogue en provenance de Colombie, l'autre prévenait le central qu'ils tenaient le type, et qu'est-ce qu'ils devaient faire maintenant? Le policier du standard leur demanda leurs coordonnées et leur dit d'attendre que l'inspecteur Weeks, du 88ᵉ, les rejoigne. Pendant ce temps, Max Liebowitz mouillait son pantalon derrière le volant.

La scène se passait dans un secteur glauque de Calm's Point. Il venait de prendre et de déposer deux Noirs d'allure suspecte, qui, s'avéra-t-il finalement, étaient deux agents de change rentrant d'une soirée donnée pour fêter une fusion de plusieurs millions de dollars. Liebowitz n'aimait pas se trouver dans cette partie de la ville à deux heures moins le quart du matin, et pas davantage se faire arrêter par des flics – tous les deux noirs, soit dit en passant –, d'autant qu'ils refusaient de lui signifier quelle infraction il avait commise, et qu'il perdait de l'argent à rester là le long du trottoir. Finalement, une Chevrolet déglinguée s'arrêta devant la voiture des flics, un gros portant un léger trench-coat ouvert sur sa bedaine de buveur de bière en descendit. Sous le trench, Liebowitz remarqua une veste sport à carreaux, également déboutonnée, et une cravate criarde qui gueulait les menus de tous les repas que le type avait pris depuis une semaine. D'une démarche dandinante, il s'approcha des deux flics noirs assis dans leur voiture, dont la rampe lumineuse flashait comme si c'était encore Noël, cogna à la vitre du conducteur et montra un insigne. L'œil de Liebowitz capta un reflet doré. Un inspecteur. Le gars assis au volant descendit sa vitre mais ne sortit pas. Le gros semblait insensible au froid. Il devait faire − 16 °C, il neigeait toujours, et il se penchait vers la fenêtre, le trench grand ouvert, comme un exhibitionniste, pour bavarder avec les deux Noirs. Finalement, il marmonna quelque chose comme « Je comprends » ou « Je le prends », remercia les deux flics et leur adressa un salut de la main, tandis que leur voiture démarrait, laissant derrière elle un sillage de fumée blanche.

Ollie se dirigea vers le taxi.

— Mr Liebowitz?

— Ouais, quel est le problème?

— Aucun problème, Mr Liebowitz. Je suis l'inspecteur Weeks, j'ai quelques questions à vous poser.

— Je perds de l'argent, là.

— Vous m'en voyez désolé, mais il s'agit d'un meurtre, vous comprenez.

Liebowitz pâlit.

— Je peux m'asseoir à l'intérieur? sollicita le Gros.

— Certainement, acquiesça le taxi. Un meurtre, vous dites?

— Trois, en fait, précisa Ollie d'un ton jovial.

Il fit le tour de la voiture, ouvrit la portière et s'installa confortablement devant le compteur fixé au tableau de bord. Déchiffrant la licence, il récita : « Max R. Liebowitz, hein? Le R, c'est l'initiale de quoi?

— Reuven.

— Je parie que c'est juif, non? fit Ollie, avec un grand sourire.

Quelque chose dans ce sourire apprit à Liebowitz tout ce qu'il devait savoir sur Ollie Weeks le Gros. Ce n'était pas pour rien que la moitié de sa famille était passée dans les fours crématoires d'Auschwitz.

— C'est juif, oui.

— Joli nom, apprécia Ollie, toujours souriant. Dites-moi, Max, vous avez pris une jeune femme devant le Stardust hier matin aux alentours de cinq heures et demie ?

— Comment voulez-vous que je me souvienne du client que j'ai chargé hier matin à cinq heures et demie ?

— Le bureau des taxis dit que, d'après votre feuille de courses, vous avez pris quelqu'un à cinq heures trente devant la boîte, c'est pas vrai, Max ?

— Je m'en souviens vraiment pas, affirma le chauffeur, qui croyait avoir affaire à un flic de la brigade des mœurs.

— Vous pourriez pas baisser un peu le chauffage ? On étouffe dans votre bahut. Vous trouvez pas qu'on étouffe ?

Max mourait de froid.

Il baissa le chauffage.

— La jeune femme en question était blonde, dix-neuf ans, vêtue d'une jupe noire, courte, et d'une fausse veste en fourrure, rose. Avec un sac à main rouge vif. Une pochette, ça s'appelle. Vous vous souvenez de cette fille, Max ?

— Je crois que oui. Maintenant que vous le dites.

— Elle est morte, Max.

— Désolé de l'apprendre.

— Ainsi que deux autres personnes qu'elle connaissait peut-être. Mortes, je veux dire. Pas désolées comme vous. Enfin, désolées aussi, peut-être, vu qu'elles sont mortes. Deux Noirs, Max. Y avait deux Noirs avec elle quand vous l'avez chargée ?

— Non, elle était seule.

— Ça vous revient, maintenant, hein ?

— Ouais.

— Il était cinq heures et demie ?

— Quelque chose comme ça.

— Sur votre feuille de courses, c'est marqué cinq heures et demie.

— Alors, il devait être cinq heures et demie. Parce qu'on est tenu de l'inscrire, vous savez.

— Je sais, Max. Vous l'avez déposée au coin d'Ainsley et de la 11ᵉ Nord, comme c'est marqué sur votre feuille?

— Oui, effectivement.

— A quelle heure, Max?

— Il devait être six heures.

— Ça vous a pris une demi-heure pour faire le trajet du Stardust à Ainsley – environ cinq kilomètres?

— Ouais.

— Comment ça se fait, Max? A cette heure de la journée, ça n'aurait pas dû prendre plus de dix minutes, un quart d'heure.

— Il devait y avoir de la circulation, argua Liebowitz, et il haussa les épaules.

— A cinq heures et demie du matin, un dimanche?

— Ça arrive qu'il y en ait.

— Et, ce jour-là, il y en avait, c'est ça que vous me dites?

Ollie se pencha vers le chauffeur, et la banquette avant parut soudain fort étroite. Il émanait de l'obèse une odeur corporelle insupportable – Liebowitz pensait que cela ne lui aurait pas fait de mal de prendre un bain de temps en temps. Certains prétendent que ce n'est pas la personne mais les vêtements qui sentent, des vêtements qui n'ont pas été nettoyés depuis un bout de temps. Mais, pour que des fringues se mettent à sentir, il faut bien que la personne qui les porte pue elle-même, non? Liebowitz était prêt à parier que ce type n'avait pas pris de bain depuis Rosh ha-shana, qui, l'année dernière, était tombé le 24 septembre. Son haleine aussi empestait: l'ail et l'oignon. Et, d'ailleurs, qu'est-ce qu'il voulait ce flic, à lui faire perdre son temps pendant que le compteur ne tournait pas?

— Je ne me rappelle plus s'il y avait de la circulation ou pas, répondit-il. Je sais que ça a pris le temps que ça a pris pour aller de tel à tel endroit.

— Une demi-heure, vous avez dit.

— Si c'est ce que ça a pris, c'est ce que ça a pris, se défendit Liebowitz. Écoutez, inspecteur, je travaille, j'ai besoin de gagner ma vie. Vous voulez savoir quelque chose sur cette fille, posez-moi des questions. Sinon, laissez-moi travailler.

– Bien sûr. Vous saviez que c'était une prostituée?

– Non, je ne le savais pas, mentit Liebowitz. Elle m'a dit qu'elle chantait et qu'elle dansait dans une boîte *topless*.

– Ce que j'essaie de savoir, Max, c'est si vous l'auriez pas déposée du côté de St. Sab et de la 1re...

– Non, je...

– ... au lieu d'Ainsley et de la 11e. Vous l'auriez pas vue s'engager dans une ruelle donnant sur St. Sab, par hasard?

– Non.

– Parce que c'est là qu'on l'a retrouvée morte, dans une ruelle, vous voyez. Et on se demande si c'est les deux merdeux noirs qui l'ont tuée pour la voler ou si c'est deux autres. C'est sérieux, Max.

– Je le sais.

– Alors, si vous l'avez déposée à un autre endroit que celui indiqué sur votre feuille de courses...

– Non.

– Ou si elle s'est arrêtée quelque part pour se ravitailler...

– Non, non.

– Parce qu'elle avait dix fioles de crack sur elle, 'voyez.

– Je l'ai emmenée nulle part ailleurs qu'à Ainsley et la 11e.

– Pas de petit arrêt? Même juste une minute?

– Même.

– Alors, pourquoi le trajet a pris si longtemps?

Le chauffeur garda le silence.

– Tu me mens, Max?

– Pourquoi je vous mentirais?

– Je sais pas. A toi de me le dire.

Dehors, dans la rue, la sirène d'une ambulance hurla à la nuit. Liebowitz se taisait. Ollie attendait. La plainte de l'ambulance se perdit dans la chanson incessante de la ville la nuit, un murmure qui montait et descendait, montait et descendait, le pouls d'une métropole géante. Ollie continua à attendre.

– D'accord, la jeune femme et moi, on a eu des rapports.

— Vous avez lu des rapports? fit Ollie, délibérément obtus.

Liebowitz s'éclaircit la voix.

— Non. Des rapports.

— Oui, des rapports sur quoi?

— Des rapports sexuels, murmura le chauffeur.

— Sexuels?

— Oui.

— Tu veux dire que t'as fait l'amour avec elle, Max?

— Non, non.

— Qu'est-ce que tu veux dire, alors?

— Elle m'a fait... euh... une fellation.

— Ah.

— C'est pour ça qu'on a mis si longtemps.

— Ah.

— Je suis plus tout jeune, vous comprenez.

— Je comprends.

— Il me faut du temps...

— Max, tu pourrais te faire arrêter, tu sais?

— Je sais.

— T'as fait une belle connerie, Max. Tu sais que t'aurais pu choper le sida, tu le sais?

— Je vous en prie, me parlez pas de ça.

— Très dangereux, ce que t'as fait, Max.

— Je le sais, je le sais.

— Enfin, ça nous donne l'explication.

— Oui.

— Une demi-heure pour faire cinq kilomètres.

— Oui.

— Mais tu l'as bien déposée à Ainsley?

— Oh! oui.

— Pas de halte sur le trajet?

— Euh, si. Je me suis garé le long du trottoir le temps qu'elle... qu'elle me le fasse.

— Où ça?

— Je ne me souviens plus. Dans une rue sombre. J'ai choisi un coin qui me paraissait sombre.

— Et, ensuite, directos Ainsley et la 11ᵉ, c'est ça?

— Oui. Je l'ai déposée juste au coin.

— T'aurais pas remarqué quelle direction elle a prise, par hasard?

– Non. Je suppose qu'elle est partie avec les types qui l'attendaient.

– Quoi? fit Ollie.

– Y avait des types qui l'attendaient.

– Quels types?

– Trois jeunes Blancs et un Noir.

– Dis-moi à quoi ils ressemblaient, ces mecs, demanda Ollie.

Le directeur de nuit de l'hôtel Powell avait communiqué à Priscilla les adresses et numéros de téléphone du directeur et du portier qui était de service quand le grand blond avait apporté l'enveloppe contenant la clef du casier. La lettre avait été déposée un peu après onze heures, le dimanche matin, et on était maintenant un peu avant deux heures, lundi matin, mais Priscilla ne se sentirait le lendemain qu'après s'être mise au lit et levée de nouveau.

Ce n'était pas un point de vue partagé par James Logan, qui dormait quand la chanteuse lui téléphona, à une heure et quart, pour lui annoncer sa visite, et qui dormait de nouveau, à une heure cinquante-huit, lorsqu'elle sonna à sa porte. Jurant à mi-voix, Logan sortit du lit, passa un peignoir sur son pyjama et alla à la porte d'entrée en marmonnant. A quiconque d'autre, il aurait dit où il pouvait aller, à cette heure de la nuit, mais Miss Stetson était une artiste qui faisait tomber *muchas* pépètes dans le tiroir-caisse du bar de l'hôtel. Arborant un sourire en toc, il ouvrit la porte et l'accueillit comme si elle était Lady Di en personne – à qui elle ressemblait un peu, à dire vrai.

Logan était homosexuel.

Il se serait donné un coup de peigne s'il avait su qu'elle serait accompagnée de deux hommes, dont un pas mal du tout. En l'occurrence, Logan se tenait sur le pas de sa porte en peignoir élimé, pyjama fripé, pantoufles éculées, sourire peu convaincant aux lèvres, et donnez-vous donc la peine d'entrer. Tout le monde entra; Logan proposa un verre. Le type pas mal du tout – Georgie, c'était ça? – répondit qu'il ne refuserait pas un petit scotch si Logan en avait, merci. Un dur, autant que Logan pût en juger. L'autre, Tony, dit qu'à la réflexion il boirait bien un petit scotch lui aussi, merci. Avec une larme de soda, s'il vous plaît. Logan alla chercher une bouteille de soda dans le réfrigérateur. Cela devenait une véritable petite sauterie, à deux heures du matin. Avec un jeune Noir nommé Daryll dans la chambre.

— Je veux savoir tout ce que vous pourrez me dire sur l'homme qui vous a remis cette lettre pour moi ce matin, attaqua Priscilla.

— Hier matin, corrigea Logan, puisque lui s'était couché et réveillé — avait été réveillé, plus exactement.

— Il vous a donné son nom ? demanda la petite-fille de la virtuose.

— Vous m'avez déjà posé la question hier matin. Non, il ne m'a pas donné son nom.

— Qu'est-ce qu'il a dit au juste ?

— De porter l'enveloppe à votre suite.

— Il a dit « suite » ?

— Oui.

— Pas « chambre » ?

— Il a spécifié « suite ».

— Donc, il sait que j'ai une suite à l'hôtel, dit Priscilla à Georgie.

Celui-ci hocha la tête prudemment et but une gorgée de son whisky. Il devait faire en sorte que Priss ne retrouve jamais le grand blond, parce qu'il lui apprendrait que l'enveloppe était épaisse quand il l'avait laissée à la consigne. Elle aurait alors le choix entre croire le grand blond inconnu ou faire confiance à deux Italiens qui avaient l'air de débarquer d'un bateau venu de Napoli — en costume Armani, il est vrai. L'expérience avait enseigné à Georgie que les blonds croient toujours plus volontiers les blonds que les ritals basanés. Et, l'instant d'après, elle leur demanderait pourquoi l'enveloppe était si plate, et, avant que vous ayez pu dire Giuseppe Umberto Mangiacavallo, elle les accuserait d'avoir piqué ces putains de quatre-vingt-quinze sacs — tout ça parce qu'ils étaient italiens. Misère.

— Dites-moi à quoi il ressemblait.

– Un grand blond.

– Grand comment?

– Deux mètres.

– Blond blond ou blond sale?

– Plutôt blond sale.

– Comme Robert Redford?

– Pas aussi blond. Redford se teint, je parie.

– Mais blond sale, c'est ça?

– Blond terne, je dirais. En fait, il ressemblait à Redford. A part l'accent.

– Quel accent?

– Je vous l'ai dit. Un accent prononcé.

– Russe?

– Je ne saurais pas vous dire. Il y a tellement d'accents, dans cette ville.

– Il était habillé comment?

– Un manteau bleu foncé.

– Un chapeau?

– Pas de chapeau.

– Une écharpe?

– Oui. Rouge.

– Des gants?

– Non.

– Quelle couleur les chaussures?

– Je n'ai pas pu voir de derrière le bureau.

– Barbe? moustache?

– Non. Rasé de près.

Priscilla ignorait que les flics avaient quasiment posé les mêmes questions la nuit où sa grand-mère avait été assassinée. Elle ne savait pas non plus, bien entendu, que l'homme qui vivait à l'autre bout du couloir leur avait donné ce même signalement.

– Vous vous rappelez quelque chose d'autre?

Elle parlait de plus en plus comme un flic.

Une vocation manquée, peut-être.

– Eh bien... ça va vous paraître étrange, je le sais... commença Logan.

– Oui?

– Il sentait le poisson.

– Qu'est-ce que vous voulez dire?

– Quand il m'a tendu l'enveloppe, par-dessus le

bureau, j'ai senti monter de ses mains une légère odeur de poisson.

— De poisson?

— Mm.

— James? appela une voix de la chambre à coucher.

— Oui, Daryll?

— Tu vas rester debout toute la nuit, mec?

— Je crois que nous avons terminé, répondit Logan en direction de la porte. Mon cousin, expliqua-t-il aux visiteurs. De Seattle.

Georgie haussa les sourcils.

Ils passèrent voir Danny Gimp parce qu'ils n'arrivaient pas à remettre la main sur le Cow-Boy et qu'ils n'aimaient pas particulièrement avoir affaire à Fats Donner, le troisième homme de leur triumvirat d'indicateurs sûrs. A la différence de la plupart des bonnes balances, Danny n'avait aucune dette envers la police. Les flics n'avaient rien sur lui qui aurait permis de l'envoyer en cabane. Ou, s'ils avaient quelque chose, ils avaient oublié ce que c'était. Danny était un homme d'affaires, purement et simplement, un fournisseur de tuyaux de première qualité qui avait la confiance de la communauté criminelle parce qu'il racontait partout qu'il avait fait de la taule, ce qui était vrai. Ce qui ne l'était pas, c'était son histoire de balle reçue dans la jambe lors d'une bataille rangée entre gangs, d'où sa claudication. Danny boitait parce qu'il avait eu la polio dans son enfance, une maladie dont on n'avait plus à se soucier maintenant. Mais l'histoire de la balle lui donnait un certain cachet qu'il jugeait essentiel au métier d'indic. Même Carella, qui avait été lui-même blessé une ou deux fois, merci, avait oublié que l'histoire de Danny était un mensonge.

— Vous avez remarqué que, la plupart des fois qu'on travaille ensemble, c'est l'hiver? souligna Danny.

— On dirait.

— Je me demande pourquoi. Peut-être parce que j'ai horreur de l'hiver. Vous aimez l'hiver, vous?

— Ce n'est pas ma saison préférée, répondit Carella.

Au volant de la voiture banalisée, il conduisait Danny

et Hawes à un *deli* du Stem ouvert toute la nuit. Il avait cessé de neiger, et ils étaient pressés de faire avancer les choses, mais Danny se comportait en *prima donna* qui n'aime pas être traitée comme un petit mouchard de troisième zone qui refile ses tuyaux dans une ruelle sombre ou à l'arrière d'une voiture de police. Hawes était assis à l'arrière. Danny ne lui demanda pas quelle était sa saison préférée parce qu'il ne le blairait pas trop. Il ne savait pas pourquoi. Peut-être à cause de sa mèche blanche. Ça le faisait ressembler à la fiancée de Frankenstein. Ou peut-être à cause de sa légère trace d'accent de Boston, qui lui donnait un air de parenté avec un de ces foutus Kennedy. Bref, il s'adressait surtout à Carella.

Il n'y avait que trois ou quatre autres clients dans la salle quand ils entrèrent, mais Danny la balaya du regard comme un espion sur le point de livrer des secrets atomiques. Une fois assuré qu'on ne le verrait pas en train de parler aux flics, il choisit un box dans le fond, s'assit face à la porte. Grisonnant, l'air plus costaud qu'il ne l'était, il prit sa tasse de café à deux mains et la but lentement, comme si un saint-Bernard la lui avait apportée à travers le blizzard. Il avait mal à la jambe. Il dit à Carella que sa jambe lui faisait mal quand il neigeait. Ou quand il pleuvait. Ou même quand il faisait soleil, en fait. Cette putain de jambe lui faisait mal tout le temps.

Carella lui expliqua ce qu'ils cherchaient.

— Ben, y a pas de combats de coq le dimanche soir, répondit Danny.

Il ne s'était pas encore couché, lui non plus. Pour lui, c'était encore dimanche soir.

— Y en a le samedi soir, dans diverses parties de la ville, poursuivit-il. Surtout dans les quartiers latinos, mais pas le dimanche soir.

— Et le vendredi soir?

— Des fois, quand y a du pet, on change le jour et l'endroit. Mais, en général, c'est le samedi soir.

— C'est vendredi qui nous intéresse.

— Vendredi dernier?

— Oui.

— Y a peut-être eu quelque chose, faudrait que je donne quelques coups de fil.

— Vas-y, donne-les.

— Quoi, maintenant ? Il est deux heures du mat !

— On enquête sur un meurtre, dit Carella.

— C'est quoi, ça, la formule magique ? grogna Danny. Laissez-moi finir mon café. Je déteste réveiller les gens en pleine nuit.

Carella haussa les épaules comme pour signifier « Tu veux faire des affaires ou mener une vie de laisser-aller et d'indolence ? »

Danny prit son temps pour vider sa tasse puis s'extirpa du box et boitilla vers le téléphone fixé au mur, près des toilettes des hommes. Ils le regardèrent composer un numéro.

— Il ne peut pas me sentir, fit observer Hawes.

— Mais non.

— Je te dis que si.

— Il est venu à l'hôpital quand j'ai reçu une balle, rappela Carella.

— Je devrais peut-être choper une balle, alors.

— C'est malin de dire une chose pareille.

Ils burent leur café en silence. Laissant leurs chasse-neige orange garés devant le *deli*, deux employés de la voirie entrèrent, s'installèrent sur des tabourets. Par cette nuit sans étoiles, tout était noir, sauf les engins orange. Danny avait obtenu son correspondant et, penché vers l'appareil, parlait, opinait du chef, gesticulait, même. Il revint, en traînant la patte, cinq minutes plus tard.

— Ça va vous coûter un peu de blé, annonça-t-il.

— Combien ? demanda Hawes.

— Deux cents pour moi, trois cents pour le gars que j'ai appelé.

— Qui est-ce ?

— Celui qui a organisé un combat de coqs à Riverhead vendredi dernier. Il devait aussi y en avoir un à Bethtown mais il a été annulé. Grosse communauté asiatique, là-bas ; c'est pas seulement latino, ce truc.

— Où ça à Riverhead ? voulut savoir Hawes.

— La thune, s'il vous plaît, réclama Danny, frottant son pouce contre son index.

Hawes regarda son collègue, qui acquiesça d'un signe

de tête. Le rouquin sortit son portefeuille, en tira deux billets de cent dollars.

— *Gracias*, dit Danny en prenant l'argent. Je vous conduis là-bas pour vous présenter à Luis. Ça m'étonne que vous soyez pas déjà au courant.

— Pourquoi?

— Les flics ont fait une descente vendredi soir. C'est uniquement pour ça qu'il accepte de vous parler.

Ramon Moreno était le portier de service devant l'hôtel, dimanche matin, quand le grand blond avait apporté l'enveloppe. Ils lui avaient téléphoné au club Durango, dans le Quarter, et il s'apprêtait à rentrer chez lui quand ils arrivèrent, à deux heures et quart. Ramon était aussi musicien. Il travaillait à l'hôtel dans la journée pour payer les factures, mais, sa passion, c'était le saxophone ténor, et il acceptait tous les cachetons qu'on lui proposait. Il avait confié à Priscilla – une consœur, en quelque sorte – qu'il avait joué au Durango trois soirs de suite et qu'il espérait décrocher un engagement durable. C'était une boîte mexicaine où l'on jouait tous les vieux morceaux comme « *El Jarabe de la Botella* » et « *La Chachalaca* », ainsi que l'indétrônable « *Cielito lindo* », mais, de temps à autre, pour un public plus branché, ils glissaient dans leur répertoire du vrai jazz aux accents hispaniques. Quand il ne jouait pas au Durango, Ramon faisait les mariages, les anniversaires...

— ... les quinze ans d'une fille, c'est un événement, dans la culture latino.

Tout ce qui se présentait. Il avait même joué pour une bar-mitsva, deux semaines plus tôt.

Passionnant, tout ça, pensait Georgie.

Ramon était devenu joueur de ténor de façon étrange, expliquait-il. Au départ, il jouait de l'alto, instrument mieux adapté à sa taille puisqu'il ne mesurait qu'un mètre soixante-cinq. A l'époque, il faisait partie d'un orchestre avec une section saxo de quatre bonshommes, et l'un des gars, qui jouait du ténor, était un grand mec de deux mètres cinq, deux mètres dix, ce qui cadrait, parce que le ténor est un instrument plutôt grand, pas

188

autant que le baryton, mais de bonne dimension, vous comprenez? Un jour, pendant une répétition, ils avaient échangé leurs instruments, juste pour plaisanter, et ils s'étaient aperçus que celui qu'ils avaient emprunté leur convenait mieux, respectivement. Ramon soufflant dans un saxo ténor presque aussi gros que lui, et le grand mec jouant d'un alto qui avait presque l'air d'un jouet dans ses mains.

De plus en plus passionnant, pensa Georgie.

— A propos d'hier soir, coupa Priscilla.

— Ouais, fit Ramon, l'air un peu froissé. Qu'est-ce que vous voulez savoir?

— Un grand blond avec un manteau bleu foncé et un cache-nez rouge. Il est entré vers onze heures, il est ressorti cinq minutes plus tard. Tu l'as vu?

— Pas quand il est entré, répondit le portier.

Il est encore un peu vexé, se dit Georgie. Il se demande pourquoi son histoire idiote sur un grand type qui joue avec un petit saxo et un petit mec qui souffle dans un gros saxo n'emballe pas les foules, ici, dans la grande méchante ville. Va au diable, pensa Georgie. Ne lui dis rien qui puisse la mener au grand blond.

— Mais tu l'as vu? insista la chanteuse.

— Ouais, quand il est sorti. Parce qu'il m'a demandé un taxi.

— Il parlait comment?

— Comment?

— Son accent.

— Oh. Ouais. C'est vrai.

— C'était un accent latino?

— Non. Absolument pas.

— Il ne t'a pas parlé en espagnol?

— Non. En anglais. Mais avec un accent. Comme vous disiez.

— Russe?

— Italien, peut-être. Je suis pas sûr.

— Tu lui as trouvé un taxi?

— Ouais.

— Tu sais où il allait?

— Il se trouve que oui, répondit Ramon.

Ils attendirent.

Le maître du suspense, pensa Georgie.

— Les portiers du Powell apprennent à demander aux clients leur destination et à transmettre l'information au chauffeur de taxi, expliqua Ramon, comme s'il récitait la brochure de l'hôtel. Beaucoup de nos clients sont étrangers. Ils ont juste une adresse griffonnée sur un morceau de papier, dont ils ne savent même pas où elle se situe. Les Japonais, par exemple. Les Arabes. Les Allemands. Nous essayons de les aider. A titre gracieux. Des gens qui savent à peine parler anglais.

Mais le blond parlait anglais, lui, pensa Georgie.

— Alors, il allait où? s'impatienta Priscilla.

Georgie espérait que Ramon ne s'en souviendrait pas.

— Je m'en souviens parce que j'ai joué là-bas, une fois, dit le portier.

— Où? s'énerva Priscilla.

— Un rade appelé le Juice Bar. Un club qui reste ouvert après l'heure légale de fermeture. Dans Harris Avenue. A Riverhead. Près de l'Alhambra, le cinéma.

A deux heures et demie, ce matin-là, Luis Villada attendait devant l'Alhambra quand Danny Gimp arriva avec les deux inspecteurs. L'indic fit les présentations, déclara qu'on n'avait plus besoin de ses services, héla un taxi et repartit vers le centre sans même jeter un regard en arrière. Hawes était plus que jamais certain que ce type ne l'aimait pas.

Luis examina les deux flics.

Il ne craignait pas de leur dire tout ce qu'ils voulaient savoir à propos de vendredi soir, parce que tous les policiers de la ville savaient déjà ce qui s'était passé. Ou, du moins, tous ceux du 48e district et du groupe d'intervention de Riverhead, sans parler des vingt agents de l'ASPCA, sigle dont un grand nombre de touristes japonais, allemands ou arabes ignorent qu'il désigne l'American Society for the Prevention of Cruelty to Animals, la SPA américaine. Comme si les combats de coqs étaient cruels. En outre, on ne pouvait pas l'inculper plus qu'il ne l'était déjà. En qualité de spectateur, il avait été arrêté pour cruauté envers les animaux et participation à des combats d'animaux.

— Ils nous ont gardés toute la nuit dans le ciné, dit-il. Pour dresser les contraventions.

Pas une trace d'accent, remarqua Carella. Sans doute un Portoricain de la troisième génération.

— Ils nous ont laissés repartir après nous avoir donné la date de notre comparution. Moi, je dois passer au tribunal le 28 février.

Regardant les flics droit dans les yeux, Luis ajouta :

— Danny m'a dit que vous avez quelque chose pour moi.

Hawes lui tendit une enveloppe.

Luis ne prit pas la peine de l'ouvrir ni de compter ce qu'il y avait à l'intérieur. Hé, si on ne peut pas faire confiance aux flics, à qui on fera confiance ? Ha ha ha. Il empocha l'argent, entraîna Carella et Hawes le long d'une ruelle obscure sentant la pisse qui débouchait sur l'arrière du cinéma, dont la police avait enfoncé la porte vendredi soir, et sur laquelle on n'avait pu ensuite mettre un cadenas. Pas étonnant, la porte n'était plus que du petit bois. Clouée au linteau, une pancarte LIEU DE CRIME dissuadait quiconque d'entrer, porte ou pas porte. Mais Luis, partisan d'ignorer les mises en garde de la police, enjamba ce qui restait du panneau inférieur pour pénétrer dans une obscurité plus profonde encore que celle du dehors. Les inspecteurs le suivirent; Hawes alluma une lampe-stylo.

— *Mejor*, dit Luis.

Hawes promena le faisceau de la lampe autour d'eux.

Ils s'avancèrent.

Luis se mit à parler.

A l'entendre, on aurait cru qu'il avait reçu une avance de quatre millions de dollars pour couvrir une rencontre sportive importante plutôt que trois cents balles pour donner des informations sur ce qu'il avait vu et entendu vendredi soir. Tel un témoin oculaire s'apprêtant à décrire une catastrophe majeure – tremblement de terre, avalanche ou accident d'avion –, il commença par planter le décor en évoquant l'ambiance, l'excitation de la nuit, le simple plaisir d'être là. Il prit la lampe que lui tendait Carella, leur fit faire le tour de l'ancien cinéma qui avait servi d'arène. Là où s'alignaient autrefois des sièges rembourrés, il y avait maintenant des gradins entourant un ring au tapis maculé de sang.

– Les cloisons sont montées sur roulettes, expliqua Luis. Si la police se pointe, les organisateurs les retirent pour faire croire que c'est un match de boxe. Ils ont deux mecs en short et gants de boxe qui attendent dans le bureau du fond. Le gars qui fait le guet donne l'alarme, les cloisons s'écartent, les boxeurs montent sur le ring, se tapent dessus – tout est parfaitement légal. D'ailleurs, les combats de coqs, ça ne devrait pas être interdit. C'est légal dans certains États, vous savez. Louisiane, Oklahoma – j'ai oublié les deux autres. C'est autorisé dans quatre États. Pourquoi ce serait interdit ici? Merde! Je vais à un combat de coqs pour me distraire, et me voilà inculpé de deux délits, passibles d'un an de prison chacun. Pourquoi? Quel crime j'ai commis? C'était une réunion associative, ici.

La réunion associative, comme disait Luis, avait commencé à neuf heures vendredi soir, quand les spectateurs, environ deux cent cinquante, s'étaient rassemblés dans ce cinéma de Harris Avenue, dans la partie Harrisville de Riverhead, l'avenue et le quartier devant leur nom à un conseiller municipal d'antan appelé Albert J. Harris. Le combat aurait dû avoir lieu le samedi dans un autre endroit, mais quelqu'un avait rencardé la police et on avait changé la date et le lieu – sauf que quelqu'un avait aussi rencardé les flics sur le changement.

La réunion de vendredi est importante parce que c'est le premier grand combat de la saison, qui débute en janvier et s'achève en juillet. Les coqs ne muent pas pendant cette période. Quand ils muent, le sang irrigue les tuyaux de leurs plumes, ce qui les rend vulnérables, inaptes au combat...

– Vous avez vu le film *Les Oiseaux?* demanda Luis. Y a un moment où la fille dit que les oiseaux ont des airs de chiens battus quand ils muent. Hitchcock a pondu une drôle de réplique, parce que comment un oiseau pourrait avoir un air de chien battu?

Carella secoua la tête d'étonnement.

– Bref, il y avait juste eu une réunion après les

vacances, et puis venait celle de vendredi soir, qui aurait dû avoir lieu le lendemain, mais les organisateurs avaient vendu plein de billets à l'avance, et il suffisait de prévenir les gens que le jour et l'endroit étaient changés : au lieu de la salle de gym de Dover Plains, c'était maintenant l'Alhambra, ici, dans Harris. L'entrée coûte...

... vingt dollars, ce qui est quasiment donné. Les organisateurs ne comptent pas sur le prix des places pour gagner de l'argent. Combien ça fait deux cent cinquante fois vingt ? Cinq mille ? C'est tout. Là où ils se font du fric, c'est sur la bouffe et l'alcool qu'ils vendent. Et les paris, bien sûr. On joue des milliers de dollars sur chaque combat. Pour une réunion normale de trois heures, il peut y avoir de vingt à trente combats, ça dépend de la férocité et de la résistance des bêtes. En moyenne, un combat dure un quart d'heure, mais certains se terminent au bout de cinq minutes, et d'autres – les plus appréciés du public – durent une demi-heure ou même quarante minutes, les coqs se mettant littéralement en pièces dans leur rage.

Il y a, en face de l'Alhambra, un vaste parking souterrain, et c'est là que les spectateurs garent leur voiture, à l'abri des regards indiscrets des agents de police – quoique, en ce vendredi soir, les indics aient déjà été payés, et qu'une descente massive se prépare, avant même l'arrivée de la première voiture. Dans la salle, il règne un climat de jovialité et de convivialité qui rappelle le bon vieux temps dans l'île, où les combats de coqs sont toujours un divertissement honorable. Luis avait assisté à son premier combat quand il avait sept ans. Son père élevait des coqs de combat, et il se souvient du régime spécial de viande crue et d'œufs additionnés de vitamines qu'on leur donnait pour augmenter leur ardeur et leur puissance. Ici, dans cette ville, les propriétaires de coqs de combat paient parfois jusqu'à trois ou quatre cents dollars par mois pour cacher leurs bêtes dans des fermes clandestines des États voisins. Des bêtes coûteuses – certaines valent cinq voire dix mille dollars.

– Un divertissement honorable, répéta Luis.

Buvant du rhum au bar, mangeant des *cuchifritos*, parlant leur langue maternelle, les spectateurs – des hommes, pour la plupart, mais on voit ici ou là une jolie brune aux yeux noirs élégamment vêtue pour la circonstance – se détendent dans une atmosphère de tendre nostalgie. On croirait entendre la brise tropicale souffler dans l'ancien cinéma, le bruissement des palmes, dehors, le grondement de l'océan battant une plage de sable blanc. Un moment de répit pour ces êtres transplantés, à qui l'on fait souvent sentir qu'ils sont des étrangers dans cette ville.

Les combats sont féroces et mortels.

Saignants, dans tous les sens du terme.

On croise les coqs avec des faisans pour accentuer leurs traits les plus agressifs. Nourris aux stéroïdes qui gonflent les tissus musculaires, drogués à la poudre d'ange, qui endort la douleur, ils sont munis d'ergots en fer puis lâchés dans l'arène pour tuer ou être tués. En Inde, où les combats sont très populaires, les coqs combattent « ergots nus », n'utilisant que leurs propres griffes pour déchirer et lacérer. A Porto Rico, les « coqueleux » attachent à l'ergot une longue pointe en plastique qui ressemble à une aiguille à repriser. Ici, dans cette ville, on y fixe un *slasher*, morceau d'acier coupant comme un rasoir. Ces sortes d'éperons sont attachées aux pattes et constituent deux armes jumelles de mutilation et de destruction.

Luis lui-même ne supporte pas de regarder les derniers moments d'un combat, quand les coqs, dopés au PCP, s'éventrent et se déchirent avec leurs ergots de métal, faisant gicler le sang et voler les plumes, tandis que la foule réclame un mort. Très souvent, les deux coqs succombent.

– C'est triste, se lamenta Luis. Personne n'aime voir souffrir un animal. Mais c'est un divertissement parfaitement honorable.

La police qui opéra une descente dans l'ancien cinéma, à vingt-trois heures vingt-sept, vendredi dernier, ne partageait apparemment pas cet avis. Le capitaine Arthur Forsythe Jr, qui dirigeait le groupe d'intervention servant de fer de lance à l'opération, déclara plus tard à la presse que forcer ces animaux à se battre était rien moins que barbare, que c'était un acte criminel qu'il fallait faire disparaître si cette ville voulait un jour se dire civilisée. Ses hommes avaient maîtrisé les deux sentinelles postées à l'entrée, leur avaient passé les menottes et les avaient allongées sur le trottoir avant qu'elles puissent donner l'alarme. Puis ils avaient pénétré dans la salle, protégés par des gilets pare-balles, armés de mitraillettes, suivis par les hommes du 48ᵉ et de l'ASPCA.

— Pourtant, il y a des caméras et des chiens de garde. Je sais pas comment ils sont entrés aussi vite et aussi facilement, s'interrogea Luis.

Malgré cette célérité, quand les policiers parvinrent dans la zone même du ring, certaines des fausses cloisons avaient déjà été retirées, et les organisateurs s'enfuyaient par les toits et les tunnels, l'un donnant sur Harris Avenue, l'autre dans un institut de beauté jouxtant le parking. La police ne pinça que l'un d'eux, un nommé Anibal Fuentes, qui fut inculpé de deux délits.

— On ne devrait pas permettre ça, s'indigna Luis en secouant la tête. Les rois et les empereurs assistaient aux combats de coqs, vous le saviez? Même des présidents américains! Thomas Jefferson! George Washington! Le père de la nation, non? Il aimait les combats de coqs. C'est scandaleux, ce qu'ils font. Persécuter des gens qui s'adonnent à un honorable divertissement!

Dans son rapport au directeur de la police, le capitaine Forsythe nota que, dans la rue située derrière le cinéma, ses hommes avaient trouvé vingt-cinq coqs couverts de sang, tous armés d'ergots d'acier, vingt déjà morts, le reste encore vivant et se tordant de douleur. Dans les pièces dissimulées derrière les fausses cloisons, des agents du 48ᵉ avaient découvert quarante autres volatiles en cage, une taie d'oreiller sur la tête pour qu'ils restent calmes dans le noir avant d'être jetés dans l'arène.

— Ils venaient de partout, précisa Luis. Floride et Pennsylvanie, Connecticut et Washington DC. Certains propriétaires avaient même amené leurs coqs de San Juan et de Ponce! C'était une soirée exceptionnelle! Avec des coqs qui venaient de partout! Comme des toréadors pour une grande corrida!

— Vous n'auriez pas remarqué une limousine noire? demanda Carella.

C'est pas vrai, pensait-il. Des toreadors pour une corrida !

— Oh ! si, bien sûr, répondit aussitôt Luis.

— Quelle marque ?

— Une Caddy.

— Vous l'avez vue où ?

— Derrière le ciné. En venant du parking. Devant la porte par laquelle on est entrés. Celle par laquelle les « coqueleux » amènent leurs bêtes. L'entrée des artistes, quoi. Celle que les flics ont enfoncée.

— Vous avez vu un propriétaire sortir un poulet d'une limousine noire, une Cadillac, c'est ça ?

— Pas un poulet. Un coq. Un coq de combat !

— Le type l'avait amené dans une Caddy ?

— Ouais. A l'arrière.

— Dans une cage ?

— Non, pas de cage. Juste une taie d'oreiller sur la tête. On voyait que les pattes qui dépassaient.

— Vous le connaîtriez, ce propriétaire ?

— Pas personnellement.

— Comment, alors ?

— J'ai regardé son nom.

— Pardon, vous avez fait quoi ?

— Sur le programme.

— Le programme ?

— Ouais, les noms des propriétaires sont sur le programme. Je l'ai reconnu quand il a amené son coq sur le ring. Je me suis souvenu que je l'avais vu dans sa Caddy. J'ai pensé que ça devait être un crack, vous voyez ? Trimballer son coq dans une limousine... Alors, j'ai cherché son nom sur le programme.

— Et c'était quoi, ce nom ? demanda Carella, qui retint sa respiration.

— José Santiago, répondit Luis.

11

Priscilla et ses gars n'arrivaient pas à trouver le club.

Leur taxi montait et redescendait Harris Avenue, passant plusieurs fois devant la marquise éteinte de l'Alhambra. A leur dernier passage, deux hommes en épais manteaux, tous deux tête nue, l'un avec des cheveux roux, grimpaient dans une automobile. Priscilla leur trouva un air familier, mais, au moment où elle tendait le cou pour mieux voir à travers la vitre arrière embuée, les portières de la voiture se refermèrent sur eux. Un troisième homme, plus petit, plus léger, et portant un trois-quarts vert, resta sur le trottoir à les regarder partir.

— Revenez en arrière, demanda Priscilla au chauffeur.

— Je ne vais pas passer la nuit à chercher cette boîte, maugréa le taxi.

— Revenez en arrière, s'il vous plaît, insista-t-elle. Avant qu'il disparaisse, lui aussi.

Le chauffeur passa la marche arrière, recula lentement vers Luis Villada, qui, les mains dans les poches, s'éloignait de l'ancien cinéma. A cette heure de la nuit, dans ce quartier, il se serait mis à courir à toutes jambes si la voiture qui s'approchait n'avait été un taxi. Il resta cependant sur ses gardes jusqu'à ce qu'il vît la blonde assise à l'arrière baisser sa vitre.

— Excusez-moi... fit-elle.

Luis ne s'approcha pas du taxi parce qu'il venait de constater que la blonde était en compagnie de deux hommes, tous deux coiffés d'un chapeau. Il ne faisait pas confiance aux porteurs de chapeaux.

– Ouais?

– Vous connaissez un club appelé le Juice Bar?

– Ouais?

– Vous pourriez nous l'indiquer, s'il vous plaît?

– Y a pas d'enseigne.

– Nous n'arrivons même pas à trouver l'adresse.

– La moitié des maisons du coin n'ont même plus de numéro.

– C'est censé se trouver au 1712, Harris Avenue.

– Ouais, là-haut, dit-il, sortant la main droite de sa poche et tendant le bras. Entre la teinturerie et la *carnicería*. Elles n'ont sûrement pas de numéro non plus.

– Merci beaucoup.

– C'est une porte bleue, ajouta Luis. Il faut sonner.

– Merci.

– *De nada.*

Il remit sa main dans sa poche et repartit.

Se fit estourbir au coin de rue suivant.

Son agresseur sans chapeau lui vola sa montre, son portefeuille, et l'enveloppe contenant les trois cents dollars que les inspecteurs lui avaient donnés en échange de son temps et de ses informations.

Dans cette ville, on sert des boissons alcoolisées jusqu'à quatre heures du matin, mais les clubs clandestins ne ferment qu'un peu avant l'aube, moment où les vampires doivent regagner leur cercueil. Le Juice Bar proposait de la gnôle, de la bière, du vin, et même des jus de fruits jusqu'à l'heure légale de fermeture, puis – avec accompagnement d'un trio jazz – se mettait à servir tout ce qui pouvait faire planer le client. A six heures, le club offrait le petit déjeuner, tandis qu'un pianiste solitaire remplissait l'air d'un pot-pourri matinal.

Il était près de trois heures quand Priscilla pressa le bouton de sonnette serti dans le chambranle de la porte bleue, à droite.

– Qu'est-ce que c'est que cette boîte, bordel? marmonna Georgie.

Ils attendirent.

Un judas s'ouvrit.

Une saloperie de clandé, voilà ce que c'est, pensa Georgie.

Priscilla tendit sa carte en annonçant :

– Je suis venue écouter l'orchestre.

– OK, fit aussitôt le videur, qui ouvrit la porte.

A vrai dire, il n'avait même pas jeté un coup d'œil à la carte. Jusqu'à quatre heures du matin, le club fonctionnait légalement, et il aurait même laissé entrer trois pirates barbaresques borgnes et armés de sabres.

La salle avait la forme d'un croissant de lune, avec l'estrade des musiciens à l'apogée de son arc, le point le plus éloigné de la porte. L'entrée et le vestiaire se trouvaient côte à côte sur le flanc incurvé de la corne gauche du croissant. Le bar, devant lequel s'alignaient une douzaine de tabourets, occupait la corne droite. Priscilla et ses gars laissèrent leurs manteaux à la fille du vestiaire, qui adressa un sourire de bienvenue à Georgie en lui remettant les trois tickets. Elle portait une minijupe noire sous un corsage blanc au décolleté en V, et Georgie la détailla comme si elle passait une audition pour un film. L'équivalent d'un maître d'hôtel – à savoir un garçon en habit – leur proposa une table, mais Priscilla déclara qu'elle préférait s'asseoir au bar, plus près de l'orchestre. Dans une boîte, c'est toujours le barman qui remarque qui entre, à quel moment et pour quoi faire. C'est toujours le barman qui détient les informations.

L'orchestre jouait « Midnight Sun ».

L'air fit presque monter les larmes aux yeux de Priscilla, peut-être parce qu'elle se rendait compte qu'elle ne pouvait espérer le jouer aussi bien que le pianiste de ce bar de Riverhead, peut-être parce que la lettre pathétique de sa grand-mère avait ravivé un espoir abandonné depuis longtemps. Priscilla savait qu'elle ne serait jamais pianiste de concert. La pensée que, avant sa mort, Svetlana avait encore cette ambition pour sa petite-fille était poignante, surtout compte tenu de la maigre somme qu'elle avait laissée pour la réalisation de ce rêve impossible. Ou y avait-il eu beaucoup plus dans l'enveloppe ? C'était, après tout, la raison pour laquelle elle cherchait le grand blond qui l'avait apportée. Mais même, même s'il y avait eu un million de dollars dans cette vieille enveloppe jaunie, Priscilla savait qu'elle n'avait pas, qu'elle n'aurait jamais le talent requis. Comment pourrait-elle ne serait-ce qu'approcher un monument comme le mouvement *presto agitato* de la *Sonate au clair de lune* alors qu'elle n'avait pas encore vraiment maîtrisé « Midnight Sun », le soleil de minuit? Elle se sécha les yeux avec un mouchoir et demanda un Grand Marnier on the rocks. Ses gars commandèrent de nouveau du scotch.

Le barman avait l'air d'un acteur...

Tous ceux qui, dans cette ville, voulaient devenir acteurs étaient barmans ou serveurs.

Longs cheveux noirs noués en queue de cheval. Yeux marron expressifs. Mains aux doigts délicats. Profil de médaille.

Son nom était Marvin.

Changes-en, pensa Priscilla.

– Marvin, voici pourquoi nous sommes ici.

Marvin. Seigneur!

Il regardait la carte de la jeune femme, impressionné, en songeant que les deux durs devaient être ses gardes du corps. La dame jouait du piano au Powell, elle avait besoin de gardes du corps. Il espérait qu'un jour, quand il serait devenu une vedette des planches ou une star de cinéma, il aurait des gardes du corps à lui. En attendant, il se sentait flatté de la visite de cette femme. Dans une boîte merdique comme ici...

– L'homme que nous cherchons, Marvin...

Seigneur!

– ... serait venu ici hier matin, vers onze heures et demie, peut-être un peu plus tard.

Elle calculait qu'il fallait une demi-heure environ pour venir en taxi un dimanche matin, quand la circulation est fluide. Le blond ayant quitté l'hôtel un peu après onze heures, on pouvait raisonnablement situer son arrivée à Harris Avenue vers onze heures trente.

– Ouais, ça se peut, répondit Marvin. On commence à servir le petit déjeuner à six heures.

– Vous servez encore à onze heures trente?

– Le dimanche, ouais. On a beaucoup de monde pour le brunch, on sert jusqu'à deux heures et demie, trois heures, puis on rouvre à neuf heures. On est ouvert tout le week-end, fermé lundi et mardi – c'est mort, ces soirs-là.

– Vous travailliez samedi soir ?

– J'arrive à quatre heures toutes les nuits. Au moment où ça ferme légalement et où on change de service. Enfin, pas le mardi ni le mercredi.

– Vous aviez pris votre service à quatre heures, samedi ?

– Ouais. Dimanche, en fait.

– Quatre heures du matin, c'est bien ça ?

– Ouais.

– Vous étiez encore là à onze heures et demie, midi ?

– Ouais, j'ai travaillé jusqu'à ce qu'on ferme. Longue journée, le dimanche – je fais près de douze heures. Le reste de la semaine, on ferme à neuf heures du matin. C'est une sorte de petit déjeuner gratuit qu'on sert. Pour ceux qui sont restés toute la nuit.

Georgie se demandait pourquoi, si Marvin pointait tous les matins à quatre heures, sauf le mardi et le mercredi, pourquoi il était là, maintenant, à trois heures, trois heures et quart, peut-être, un dimanche matin. Il jeta un coup d'œil à sa montre. Trois heures vingt. Hein, comment ça se fait, Marvin ?

Le barman était télépathe.

– Jerry m'a téléphoné pour me demander de venir plus tôt, expliqua-t-il.

Qui c'est, Jerry ? se demanda Georgie.

– Parce que Frank s'était mis à vomir.

Qui c'est, Frank ? se demanda Georgie.

– La grippe, sûrement, supposa Marvin.

– Donc, aujourd'hui, vous êtes venu plus tôt, c'est ce que vous voulez dire ? fit Tony.

– Ouais, je suis arrivé il y a une heure.

– Et hier ? dit Priscilla.

– A l'heure habituelle.

– Quatre heures du matin.

– Ouais.

– L'homme que nous cherchons est blond, reprit la chanteuse.

– Vous êtes de la police, hein ?

– Non, je suis artiste. Vous avez vu ma carte.

– Et vos copains, là ? Ils sont flics ?

– Ils ont l'air de flics ?

Non, convint Marvin *in petto*.

– Le grand blond portait un manteau bleu et une écharpe rouge, dit Priscilla.

Le barman secouait déjà la tête quand Georgie enchaîna :

– Vous avez vu quelqu'un qui ressemble à ça ?

Il était ravi de voir Marvin secouer la tête. Ce qu'il fallait faire, maintenant, c'était se tirer en vitesse, avant que Marvin le télépathe ne change d'avis.

– Non, je ne vois pas, dit le barman.

Parfait, pensa Georgie. On s'en va.

– Mais pourquoi vous ne demandez pas à Anna ? ajouta Marvin. C'est à elle qu'il aurait confié son manteau, votre type.

Ils finirent par trouver José Santiago à trois heures vingt-cinq, ce lundi. En partant du principe qu'un homme qui élevait des pigeons et transportait un coq de combat dans une limousine empruntée devait aimer les oiseaux. Ils retournèrent donc sur le toit de son immeuble, et, comme de juste, il était là, adossé à son pigeonnier. La fois précédente, l'aube se levait sur un dimanche matin glacial. Cette fois, un lundi matin encore plus froid, le soleil se ferait encore attendre quatre heures, et ils n'étaient pas plus près d'apprendre qui avait tué Svetlana Dyalovich samedi soir. En outre, Santiago ne semblait pas en état de leur prodiguer une aide quelconque dans cette direction. Il pleurait. Il était aussi très, très soûl.

– José Santiago ? fit Hawes.

– C'est moi.

– Inspecteur Cotton Hawes, 87ᵉ district.

– *Mi gusto*, bredouilla Santiago.

– Mon collègue, l'inspecteur Carella.

– *Igualmente*, assura le pompiste.

Il porta à ses lèvres une bouteille de rhum *Don*

Quixote, l'inclina et but une longue rasade. Bien qu'il fît
– 15 °C il n'avait sur le dos qu'une chemise blanche et
un sweater rose avec un col en V. Mince, la trentaine,
des cheveux noirs et bouclés, le teint pâle, des traits délicats. Ses yeux marron au regard flou étaient humides,
parce qu'il continuait à pleurer. A peine les inspecteurs
s'étaient-ils présentés qu'il parut oublier leur présence.
Comme s'il était seul sur son toit, il se mit à secouer la
tête, pleurant amèrement, serrant la bouteille contre sa
poitrine. Dans le froid âpre, son haleine dessinait un
panache sur la nuit.

— Qu'est-ce qu'il y a, José? demanda Hawes avec douceur.

— Je l'ai tué, répondit Santiago.

Les deux inspecteurs se raidirent. Mais l'homme qui
venait d'avouer un meurtre avait l'air tout à fait inoffen-
sif, assis là en pleine nuit, devant ses pigeons immobiles
et silencieux, la bouteille pressée contre lui, de grosses
larmes roulant sur ses joues.

— Tu as tué qui? demanda Hawes.

Toujours avec douceur. A côté de lui, Carella regardait sangloter l'homme au sweater rose, ridicule en cette
saison, adossé au pigeonnier obscur et calme.

— Dis-nous qui tu as tué, José.

— Diablo.

— Qui est-ce?

— *Mi hermano de sangre.*

Mon frère de sang.

— C'est son surnom? Diablo?

Santiago secoua la tête.

— Son vrai nom?

Il acquiesça.

— Diablo comment?

Il inclina de nouveau la bouteille, avala une autre
gorgée de rhum, s'étrangla, toussa. Les policiers attendirent.

— Son nom de famille, José?

De nouveau Hawes. Carella restait à l'écart, la main
droite glissée à l'intérieur de son manteau déboutonné
au niveau de la taille. Il devait ressembler un peu à
Napoléon, comme ça, mais son holster et la crosse d'un

Detective Special 38 n'étaient qu'à quelques centimètres de l'extrémité de ses doigts. Santiago ne répondit pas ; Hawes essaya un autre angle d'attaque.

– Tu l'as tué quand, José ?

Toujours pas de réponse.

– José ? Tu peux nous dire quand ça s'est passé ?

Hochement de tête, cette fois.

– Quand ?

– Vendredi soir.

– Vendredi dernier ?

Nouveau hochement de tête.

– Où ? Tu peux nous dire où, José ? Tu peux nous dire ce qui s'est passé ?

Dans le froid perçant de la nuit, Santiago se lança dans une tirade confuse, mêlant l'anglais et l'espagnol, expliquant que c'était entièrement de sa faute, qu'il n'aurait pas dû laisser faire, qu'il avait tué Diablo aussi sûrement que s'il lui avait tranché le cou. Buvant le rhum à grands traits, crachant, bavant sur le devant de son absurde sweater en coton, tremblant, assurant aux policiers qu'il n'avait jamais rien fait qui puisse lui faire du mal, jamais. Mais, vendredi soir, il l'avait tué, aussi sûrement que s'il l'avait fait lui-même, oh ! Seigneur Dieu, il l'avait tué, Jésus-Marie-Joseph, il avait même laissé l'être qu'il aimait le plus au monde se faire déchirer, tailler...

Carella commençait à comprendre.

... en pièces, il aurait dû tout arrêter dès l'instant où il avait deviné...

Hawes aussi.

... comment ça finirait, dès l'instant où il avait vu que l'autre était plus fort ; il aurait dû arrêter le combat, monter sur le ring, arracher son coq aux ergots d'acier de l'adversaire plus grand, plus puissant. Mais non, il avait continué à regarder, horrifié, se couvrant finalement le visage, criant comme une femme quand le pauvre Diablo était tombé.

– Je l'ai tué, répéta-t-il.

Dès le début, il avait soupçonné l'autre d'être gonflé aux stéroïdes, rien qu'à voir sa taille, un vautour contre un poussin, le pauvre Diablo s'avançant courageusement

204

sur le ring, en champion orgueilleux qu'il était, luttant en vain contre un ennemi supérieur, donnant sa vie...

— Je l'ai tué par cupidité, avoua Santiago. J'avais misé dix mille dollars sur lui. Je pensais qu'il pouvait encore gagner; ce sang, tout ce sang sur ses plumes, *madre de Dios!* J'aurais dû essayer d'arrêter le massacre. Il y a des propriétaires qui sautent sur le ring pendant le combat, sans la permission de l'arbitre, il y a des règles strictes, vous savez, mais ils les violent, pour sauver leur coq. Moi, je pensais à l'argent, et j'avais peur de violer les règles, alors, je l'ai laissé mourir. J'aurais pu le sauver, j'aurais dû le sauver, pardonne-moi, Marie, mère de Dieu, j'ai pris une vie innocente.

— Qu'est-ce que t'as pris d'autre? intervint Carella.

Parce que, d'un seul coup, cela redevenait l'histoire d'un pistolet et d'une vieille femme assassinée, pas un mélo sur un poulet mort. Du poulet, les gens en mangent tous les dimanches.

— P-pris? balbutia Santiago. Qu'est-ce que vous voulez dire?

— Tu as conduit Diablo là-bas en limousine, non?

— C'était un champion!

— Tu as volé une Caddy noire...

— Emprunté!

— ... au Texaco du Pont. Une limousine...

— Je l'ai ramenée.

— ... sur laquelle on devait mettre un moteur neuf.

— C'était un champion!

— C'était un coq qu'il fallait conduire là-haut.

— Un héros!

— Et qui a laissé plein de saletés sur la banquette arrière.

— Des saletés? Des plumes de champion! Les plumes de *Diablo!*

Sa merde, aussi, pensa Hawes.

— Je n'aurais pas supporté d'y toucher, murmura Santiago, qui se remit à pleurer.

Il porta la bouteille de rhum à ses lèvres, mais elle était vide. Il essuya sa morve à la manche du sweater rose.

— Tu as trouvé un pistolet dans la boîte à gants de la voiture? demanda Carella.

– Non. Hé, non.

– Tu savais qu'il y avait un pistolet dans la boîte à gants ?

– Non. Quel pistolet ? Non.

– Un Smith & Wesson 38.

– Non, je ne le savais pas.

– Tu l'as pas vu, le flingue ?

– Non.

– Tu ne savais pas qu'il était dans la boîte à gants ?

– Non.

– Tant mieux, José. Parce qu'on s'en est servi pour un meurtre...

– Un meurtre ? Non.

– Si, un meurtre.

– Et si on arrive à établir un lien entre toi et ce flingue...

– Si on trouve tes empreintes dessus, par exemple...

– Je n'ai tué personne avec ce pistolet.

– Ah ! tu l'as vu, alors ?

– Je l'ai vu, oui. Mais...

– Tu l'as piqué dans la boîte à gants ?

– Je l'ai emprunté.

– Comme la limousine, hein ?

– Parfaitement. La limousine, je l'ai empruntée. Et le pistolet aussi.

– Pourquoi ?

– Pour abattre le coq qui a tué Diablo.

– C'était donc après le combat ?

– *Sí.*

– Tu as pris le pistolet dans la voiture après le combat.

– *Sí.* Pour tuer le coq.

– Et tu l'as tué ?

– Non. Les flics sont arrivés. J'allais rentrer dans le cinéma quand j'ai vu tous ces flics débarquer. Alors, je suis retourné au parking, en courant.

– Avec le pistolet.

– Avec le pistolet. *Sí.*

– Qu'est-ce que tu en as fait, après ?

– Je l'ai vendu.

Les inspecteurs échangèrent un regard.

— C'est vrai, affirma José. Je l'ai vendu.

Carella poussa un soupir.

Son collègue aussi.

— A qui tu l'as vendu?

— A un gars que j'ai rencontré dans une boîte, en haut de la rue.

— Quelle boîte?

— Le Juice Bar.

— Quel gars?

— Je sais pas son nom.

— Tu as vendu une arme volée à un type que tu connaissais même pas?

— On bavardait, il a dit qu'il avait besoin d'un flingue. Moi, j'en avais un. Je lui ai vendu.

— Un flingue que tu venais juste de voler.

— Je venais de perdre mon meilleur ami...

— Quel rapport?

— Et aussi dix mille dollars.

— Ah. Combien t'a tiré du pistolet?

— Deux cent cinquante.

— C'est ce que j'appelle réduire les pertes, commenta Hawes.

— La plus grande perte, c'était Diablo.

— A quoi il ressemblait? demanda Carella.

— Un grand coq blanc, le poitrail large, avec...

— Le type à qui tu as vendu le pistolet.

— Oh. Un grand blond.

— Un blond avec un manteau bleu et une écharpe rouge, ouais, dit Anna. Grand. Oui. En fait, il est venu ici deux fois.

Cela commençait à devenir intéressant.

Georgie espérait que cela ne le deviendrait pas trop.

— La première fois, vendredi soir, vers minuit, poursuivit la fille du vestiaire. Il avait rendez-vous avec un nommé Bernie, qui est toujours fourré ici. Une cicatrice à la joue droite — je crois qu'il est book.

— Le blond? fit Tony.

— Non, Bernie.

— Vous n'auriez pas entendu son nom? demanda Priscilla.

– Je viens de vous le dire. Bernie.

– Je parle du blond.

– Ah. Non. En fait, vendredi soir, je le voyais pour la première fois.

– Et la fois suivante?

– Hier, vers midi. Encore pour retrouver Bernie. Ils se sont installés là-bas, dit Anna, qui indiqua une table. De l'argent a changé de mains. Tout au moins hier. Vendredi, ils n'ont fait que parler. Il avait l'air très en colère.

– Le blond? demanda Priscilla.

– Non, Bernie.

– Il était en colère hier?

– Non, vendredi. Hier, il était tout sourire.

– Si j'ai bien compris, intervint Georgie, se faisant l'interprète de Priscilla, vendredi soir, le blond et Bernie le book ont discuté à cette table, et Bernie était salement en rogne, c'est bien ça?

Anna acquiesça.

– Mais, hier, de l'argent a changé de mains, et Bernie a retrouvé le sourire. Toujours exact?

– En fait, oui.

– Vous savez à quoi ça me fait penser? dit Georgie.

– A quoi? demanda Priscilla.

– A quelqu'un qui paie une dette.

– Ça me fait penser à ça aussi, approuva Tony en hochant gravement la tête.

Priscilla opina du chef, elle aussi, et se tourna vers Anna.

– Mais vous ne connaissez pas le nom du blond.

– En fait, non.

– Ni le nom de famille de Bernie.

– Juste son prénom.

Dans ce cas, tirons-nous, pensa Georgie.

– Mais Marvin le connaît peut-être, hasarda Anna.

En fait, il le connaissait.

Trois Noirs qui avaient l'air de SDF se chauffaient à un feu brûlant dans un baril de pétrole au coin d'Ainsley et de la 11e. Ollie se sentait d'humeur à les boucler. Il avait froid, il était fatigué après huit heures de service, sans parler de sa cavale dans toute la ville pour essayer d'avoir un tuyau sur le lascar qui avait refroidi la pute et ses deux copains noirs. Trois heures et demie du matin, merde, il avait vraiment envie de les embarquer.

— Hé, leur lança-t-il en s'approchant, vous savez ce que ça coûte, incendie criminel?

— Pe'sonne ici a commis d'incendie c'iminel, répondit l'un des hommes.

C'était un vieux clodo aux cheveux poivre et sel qui ressemblait au Noir dans le film, là, *Miss Daisy et son chauffeur :* l'histoire d'un Noir qui conduit la bagnole d'une vieille juive sudiste avant de se retrouver en cabane. Le vieux clodo qui tendait les mains vers le brasero ressemblait au mec du film. Les deux autres ressemblaient aux clodos noirs ordinaires qu'on voit autour de n'importe quel brasero à trois heures et demie du matin. Ils fixaient les flammes en se chauffant les mains.

— Alors, c'est votre coin habituel, ici? s'enquit le Gros. Cet agréable cadre de verdure? ajouta-t-il, sarcastique.

C'était une partie inhabituellement sale d'Ainsley Avenue. Du fait de la tempête de neige de la veille – et parce qu'on était à Diamondback, où tout le monde se fout du ramassage des ordures, de toute façon –, les poubelles débordaient sur les trottoirs, et des rats en maraude de la taille d'un bison s'attaquaient hardiment aux piles de sacs en plastique noir. Le bruit que faisaient les rats était en lui-même effrayant. Par-dessus le crépitement du feu dans le tonneau, Ollie entendait leurs couinements incessants. Il avait envie de leur tirer dessus.

— Z'êtes tous durs d'oreille?

— C'est not' coin habituel, oui m'sieu, répondit celui du film.

Ollie ne savait pas lesquels il détestait le plus – ceux qui faisaient des courbettes ou ceux qui avaient une attitude de défi. Il n'y avait pas d'attitude de défi, autour du feu. Juste trois sans-abri craignant d'aller se coucher dans leur caisse en carton, où ils risquaient de se faire égorger par l'un de leurs frères.

— Vous étiez là, samedi soir, à cette heure-ci? demanda-t-il. Un peu plus tard, en fait?

Personne ne répondit.

— Hé! beugla le Gros. Y a quelqu'un qui m'écoute?

— Ve's quelle heu' ce se'ait, m'sieur? dit la vieille cloche, faisant son numéro d'oncle Tom pour cet abruti de flic blanc.

— Ce se'ait dans les six heu' du matin, m'sieur, répondit Ollie. Ce serait une blonde en minijupe et veste de fourrure rouge qui descendrait d'un taxi pour retrouver trois Blancs en parka bleue et un Noir en blouson de cuir. Alors, où c'est que t'étais à cette heure, m'sieur, et est-ce que tu les aurais vus?

— On était là, dit le vieux, et on les a vus.

Carella et Hawes arrivèrent au Juice Bar environ cinq minutes après le départ de Priscilla et de ses gars; Marvin, le barman, et Anna, la fille du vestiaire, éprouvèrent une sensation de déjà-vu quand les deux inspecteurs montrèrent leurs insignes et posèrent des questions sur le même grand blond. Marvin et Anna leur répondirent exactement la même chose qu'à Priscilla et ses gars.

Cinq personnes étaient maintenant à la recherche d'un bookmaker nommé Bernie Himmel.

Les flics avaient un avantage.

A cette heure-là, le Silver Chief Diner était essentiellement peuplé de prédateurs. Les équipes du matin ne prendraient pas la relève avant huit heures, et tous les gens honnêtes accomplissant un travail de nuit – agents de surface et personnel hospitalier, flics et veilleurs de nuit, boulangers, chauffeurs de taxi, employés de péage – étaient encore occupés à gagner leur vie. Ici, dans le *diner*, il y avait surtout des prostituées et des souteneurs, des cambrioleurs et autres voleurs, des fournisseurs et consommateurs de drogue, avec parfois un saupoudrage non criminel d'ivrognes, d'insomniaques ou d'écrivains en panne d'inspiration. Ollie sépara instantanément le bon grain de l'ivraie. Dès qu'il entra, tous les malfrats le reconnurent eux aussi pour ce qu'il était, et aucun ne regarda dans sa direction.

Il alla droit au comptoir, prit un tabouret et commanda un café à une serveuse rousse en uniforme vert pâle. SALLY, était-il écrit sur son badge.

— Vous servez de la bouffe indienne? s'enquit-il.

— Non, m'sieur, sûrement pas.

— De la bouffe des Américains de souche?

— Non plus.

— Alors, pourquoi ça s'appelle, le Silver Chief, ici?

— C'est censé être le nom d'un train, m'sieur [1].

— Ah, ouais?

— Oui, monsieur, c'est ce qu'on dit.

— De quel coin du Sud vous venez, Sally?

— Du Tennessee.

— On sert de la farine de maïs, ici?

— Non, monsieur.

— De la bouillie de maïs?

— Non, monsieur.

— Alors, si vous me donniez une tasse de café bien chaud? Et un de vos *doughnuts*, là.

Ollie parcourut de nouveau la salle des yeux. Chaque fois que son regard tombait sur quelqu'un qui avait exercé ce soir ses talents criminels, le visage se détournait. C'est bien, pensa-t-il. Chiez dans votre froc.

Quand Sally revint avec le café et le *doughnut*, il lui montra sa plaque et annonça:

— Je suis officier de police. Vous étiez de service samedi soir, autour de cette heure-ci, un petit peu plus tard?

— Oui.

— Je cherche une blonde en minijupe noire et veste de fourrure rouge, déclara Ollie.

Sans mentionner qu'elle était morte.

— Fausse fourrure, précisa-t-il. Fausse blonde, aussi.

— On en a des tas comme ça qui défilent ici, dit Sally, avec un léger mouvement de tête indiquant qu'il y en avait en ce moment même, assises aux tables çà et là derrière Ollie.

— Et samedi soir? Vous vous rappelez d'une blonde en fourrure rouge.

— Non, pas du tout.

1. Les *diners* sont aménagés comme des wagons-restaurants. *(N.d.T.)*

— Ni de trois Blancs en parka bleue à capuche ?

— Nan.

— Ni d'un Noir en blouson de cuir noir ?

— On en voit plein, des Noirs en blouson de cuir noir.

— Les trois Blancs auraient fait pipi dans le caniveau.

— Où ?

— Là, dehors, répondit le Gros, pointant le menton par-dessus son épaule en direction des vitres de devant.

— Par ce temps-là ? gloussa Sally.

Ollie émit un petit rire, lui aussi.

— Faut plutôt mettre des caleçons molletonnés, par ce temps-là, ajouta la serveuse.

— Un Noir serait sorti du *diner* et leur aurait dit d'arrêter.

— J'lui donne pas tort, fit Sally, qui rit de nouveau.

Ollie s'esclaffa lui aussi.

— Mais d'où vous tenez tous ces détails fascinants ? demanda la serveuse.

Ollie se fit la réflexion qu'elle flirtait un brin avec lui. Beaucoup de femmes préféraient les hommes un peu enveloppés, comme il disait.

— Des trois Noirs, là dehors.

— Oh ! ces trois-là.

— Vous les connaissez ?

— Ils sont là toutes les nuits.

— Ah ouais ?

— Ouais, ils sont fous.

— Ah ouais ? Fous ?

— Ouais, ils sont sortis de Buenavista y a quelques mois.

— Buenavista, huh ?

— Ouais. Dans ces hôpitaux psychiatriques, on donne des médicaments à tous ces malades de la tête jusqu'à ce qu'ils soient stabilisés. Ensuite, on les relâche dans la rue avec une ordonnance qu'ils suivent même pas. Et, en un rien de temps, ils se remettent à faire des trucs dingues. Vous le croirez pas, j'ai vu un bonhomme parler à une boîte aux lettres, l'autre jour. Toute une conversation à une boîte aux lettres. Ces trois types passent la nuit autour de leur feu comme si c'était une sorte de sanctuaire. Celui qui ressemble à Morgan Fairchild...

– Le nom que je cherchais! s'exclama Ollie en claquant des doigts.

– C'est le plus fêlé des trois. Tout ce qu'il raconte, faut le prendre avec des pincettes.

– Il m'a dit que les trois Blancs étaient en train de pisser dans le caniveau quand un Noir en blouson de cuir noir est sorti d'ici pour qu'ils arrêtent.

– Nan, fit Sally. Croyez pas ça.

– Vous étiez seule à bosser, samedi soir? demanda Ollie le rusé.

Il passa les quinze minutes qui suivirent à parler à une autre serveuse, au cuisinier et à la caissière, qui était aussi la gérante de nuit. Aucun n'avait vu trois Blancs en parka à capuche uriner dans le caniveau. Et si tous avaient vu une demi-douzaine de Noirs en blouson de cuir noir, aucun n'en avait vu un se précipiter dehors pour faire cesser cette miction en masse.

Cinq minutes après le départ d'Ollie, Joe Simms le Frisé fit son entrée.

Il n'y avait ni Bernie Himmel ni Bernard Himmel dans aucun des annuaires téléphoniques des cinq parties de la ville. Au cas où Marvin le barman aurait mal compris le nom de famille du bookmaker, ils cherchèrent même à Himmer et à Hammil mais ne trouvèrent aucun prénom correspondant. Il y avait bien deux B. Hemmer, mais, ô surprise, il s'agissait de femmes, qui n'apprécièrent pas d'être réveillées à quatre heures moins le quart du matin.

– Bon, on laisse tomber pour le moment, proposa Georgie. On rentre, on dort un peu...

– Non, décida Priscilla.

Elle venait d'avoir une idée.

L'ordinateur leur donna un Bernard Himmel, alias Bernie Himmel, alias Benny Himmel, alias Bernie Himmel le Banquier, un Blanc de trente-six ans tombé deux fois pour violation de l'article 225.10 du Code pénal de l'État, intitulé incitation au jeu, premier degré :

« Une personne est coupable d'incitation au jeu au

premier degré quand elle encourage sciemment le jeu illégal ou en tire profit : 1) en recevant ou acceptant plus de cinq paris par jour, pour un total de plus de cinq mille dollars ; 2) en recevant, dans le cadre d'une loterie...

Etc., le second cas ne s'appliquant à aucun des antécédents de Bernie.

La violation de l'article 225.10 constituait un crime de classe E passible d'une peine d'emprisonnement n'excédant pas quatre ans. La première fois, Bernie avait été condamné à une peine de un à trois ans et s'était retrouvé de nouveau libre, exerçant comme avant son boulot de book, après avoir purgé l'année requise. La seconde fois, il avait écopé de deux à quatre ans en sa qualité de récidiviste puis avait été libéré sur parole après avoir tiré le minimum. D'après l'adresse qu'il avait donnée à son agent de liberté conditionnelle, il habitait au 1110 Garner Avenue, à moins de un kilomètre du Juice Bar, où, apparemment, il tenait de nouveau boutique.

Carella et Hawes arrivèrent à Garner à quatre heures.

Si Himmel avait effectivement recommencé à prendre des paris, il était à tout le moins coupable de violation des conditions de liberté conditionnelle et serait reconduit en prison pour purger les deux ans qu'il devait encore à l'État. Si, en outre, il était de nouveau arrêté et mis en examen, il deviendrait un multirécidiviste pouvant être condamné pour un crime de classe A-1, ce qui signifiait quinze à vingt-cinq ans derrière les barreaux. Ni Carella ni Hawes n'avaient jamais entendu parler de quelqu'un condamné à une telle peine pour violation de la loi sur les jeux. Mais Bernie le Banquier n'en risquait pas moins de faire les deux ans restant dus, plus, en tant que récidiviste, une autre peine de deux à quatre ans pour violation de la loi sur les jeux. De telles perspectives auraient fait de n'importe quel homme un désespéré. En outre, deux jours plus tôt, Carella et Hawes, frappant à une porte, avaient été accueillis par quatre balles qui avaient transpercé le panneau de bois. Ils ne tenaient pas à provoquer une autre fusillade.

Faute de mandat d'arrestation *no-knock*[1], ils étaient

---

1. « Sans frapper. » Qui permet aux policiers de faire irruption dans un lieu sans s'annoncer. *(N.d.T.)*

tenus de faire les présentations. Échaudés, ils se postèrent de part et d'autre de la porte. Arme de service à la main. Carella tendit le bras, frappa. Pas de réponse. Il frappa de nouveau et s'apprêtait à recommencer quand une voix d'homme demanda :

— Qu'est-ce que c'est ?

— Mr Himmel ?

— Oui ?

— Police. Vous pouvez ouvrir, s'il vous plaît ? dit Carella.

Toujours plaqué contre le mur. Hawes lui faisant face, de l'autre côté du chambranle. Il faisait froid, dans le couloir. Pas un bruit dans l'appartement. Pas un bruit dans l'immeuble. Ils attendirent.

— Mr Himmel ?

Pas de réponse.

— Mr Himmel ? Ouvrez, s'il vous plaît. (Ils attendirent.) Ou nous reviendrons avec un mandat. (Toujours pas de réponse.) Mr Himmel ?

Ils entendirent des pas s'approcher.

Un cliquetis de serrure.

La porte s'entrouvrit, bloquée par une chaîne de sûreté.

— Oui ? fit la même voix.

— Mr Himmel ?

— Oui ?

— Nous pouvons entrer ?

— Pourquoi ?

— Nous aimerions vous poser quelques questions.

— A propos de quoi ?

— Si vous voulez bien nous laisser entrer...

— Non, je ne crois pas, dit Himmel, avant de leur claquer la porte au nez.

Nouveau cliquetis de la serrure. Ils attendirent. L'instant d'après, ils entendirent le bruit aisément reconnaissable d'une fenêtre qu'on ouvre.

Carella prit un risque calculé.

Expédia son pied dans la porte.

Il se soucierait plus tard de convaincre un juge qu'un témoin digne de foi avait vu un individu condamné pour violation de la loi sur les jeux, et mis en liberté conditionnelle, acceptant de l'argent d'un autre individu soupçonné de meurtre dans un établissement servant de l'alcool après l'heure légale. Il se soucierait plus tard de convaincre un juge que claquer la porte au nez de deux officiers de police venus simplement poser des questions, fermer ensuite cette porte à clef et ouvrir une fenêtre étaient des actes qui constituaient une fuite – et il n'est pas de meilleur indice de culpabilité, demandez-le à O.J.

Pendant ce temps, le bois éclata, la serrure céda, la chaîne se brisa, et ils se retrouvèrent à l'intérieur d'un studio, devant une fille allongée sur un lit, écarquillant les yeux et pressant une couverture contre sa poitrine. Derrière, un vent glacé agitait les rideaux d'une fenêtre ouverte. Carella se rua dans l'appartement, traversa la pièce, passa la tête dans la nuit.

– Arrêtez! Police! cria-t-il en direction de l'escalier d'incendie.

Personne ne s'arrêta.

Il entendit des pas résonner sur les marches métalliques.

– J'ai rien fait, dit la fille.

Ils étaient déjà ressortis.

12

Au cinéma, l'un des flics enjambe la fenêtre et descend quatre à quatre l'escalier d'incendie à la poursuite du criminel en fuite, passe devant des fenêtres où des dames en chemise de nuit montrent une mine éberluée, tandis que l'autre flic dévale l'escalier intérieur et fonce dans la cour, si bien que le criminel se retrouve pris en sandwich. Allez, Louie, laisse tomber ce flingue !

Dans la vie réelle, les flics savent qu'il est plus rapide et plus sûr, surtout si le criminel est armé, d'emprunter l'escalier intérieur, tandis que ledit criminel descend vers le niveau de la rue par des marches métalliques étroites, souvent glissantes, en particulier quand la température extérieure est de – 16 °C. Carella et Hawes étaient à un battement de cœur derrière Bernie Himmel le Banquier. Ils tournèrent le coin de l'immeuble au moment où il escaladait la barrière en bois chapeautée de neige séparant les cours.

C'était une belle nuit pour un petit jogging à travers la ville. Les nuages s'étaient dispersés, le ciel était une voûte noire constellée d'étoiles, où une lune presque pleine baignait le paysage d'une lueur inquiétante. Tout était silencieux, hormis les craquements de leurs pas sur la croûte gelée, le halètement de leurs souffles entre leurs lèvres gercées. Ils grimpèrent la barrière à la suite du bookmaker, la main droite, glacée, fermée sur la crosse de noyer de leur arme, la main gauche protégée par un gant, l'écharpe claquant au vent derrière eux comme s'ils étaient des aviateurs de la Première Guerre mondiale. Himmel était petit, Himmel était rapide; Carella et Hawes, plus lourds, en mauvaise forme, peinaient à le suivre.

Dans les films, les inspecteurs font des haltères dans la vieille salle de gym du Central ou s'exercent à ce bon vieux stand de tir. Dans la vie réelle, ils ne participent pas très souvent à des scènes d'action. Ils ne pourchassent quasiment jamais les voleurs. Ils tirent rarement, voire jamais, sur des suspects en fuite. Dans la vie réelle, les inspecteurs arrivent généralement après coup. Le cambriolage, le vol à main armée, l'incendie criminel, le meurtre ont déjà été commis. Leur travail consiste à reconstituer des événements passés, à appréhender la ou les personnes ayant commis un ou plusieurs crimes. Parfois, oui, un suspect tente de fuir, mais, même dans ce cas, des règles strictes limitent le recours à la force et l'usage d'une arme. La police de Los Angeles doit elle aussi observer ces règles – parlez-en à Rodney King.

Déclencher une fusillade était la dernière chose que souhaitaient Hawes et Carella – l'avant-dernière étant le recours à la force. En outre, vu la tournure que prenait la poursuite, Bernie le Banquier serait hors de portée de leurs armes d'un moment à l'autre. Tous les trois avaient quitté les cours désolées pour les rues désertes – enfin, presque désertes – de la ville, Himmel courant dans les passages étroits dégagés à la pelle sur les trottoirs gelés, distançant rapidement Carella et Hawes qui le suivaient et se suivaient dans les mêmes « sentiers » bordés de murets de neige, conscients qu'ils allaient le perdre.

Trois choses se produisirent alors coup sur coup.
Himmel tourna le coin de la rue et disparut.
Un chien se mit à aboyer.
Un chasse-neige remonta la rue.

– C'est ce que j'aimerais savoir, dit Priscilla.
Georgie bâilla.
Tony bâilla aussi.
– Si le grand blond a bien apporté la clef du casier...
– Il l'a fait, souligna Georgie. On le sait, ça.

– Alors, il devait connaître ma grand-mère, d'accord?

– Euh... oui, bien sûr.

– C'est forcément elle qui lui a remis l'enveloppe contenant la clef, d'accord?

– D'accord.

– Alors, pourquoi nous perdons notre temps à chercher ce book, c'est ce que j'aimerais savoir. Alors qu'il suffit de nous rendre à l'immeuble de ma grand-mère et de voir si quelqu'un, là-bas, connaît le grand blond.

– Bonne idée, reconnut Georgie. Allons-y demain matin, quand tout le monde sera réveillé.

– C'est déjà demain matin.

– Priss, arrête. Si on se met à frapper aux portes à cette heure-ci...

– Tu as raison, admit-elle.

Ce qui le sidéra.

Bernie Himmel fut sidéré de voir un gros chien noir planté en travers du « sentier » comme une apparition. Il stoppa net. Devant lui, l'animal, grondant, aboyant, montrant les dents, barrant le passage. Derrière, quelque part sur la chaussée, le rugissement d'un chasse-neige fonçant sur la chaussée. Le book fit ce que tout homme sensé aurait fait face aux crocs menaçants dégouttant de bave. Il sauta par-dessus le muret de gauche, sur la chaussée, juste au moment où le chasse-neige passait dans un bruit de tonnerre.

Là où, l'instant d'avant, un monstre grondant gardait les portes glacées de l'Enfer, une avalanche de neige, de glace et de sel s'abattit sur les épaules et la tête de Himmel, le renvoya dans la neige déjà entassée sur le trottoir, l'enfouit quasiment. Il agita les bras, battit des jambes, émergea en crachant d'une montagne grise et sale de *shmutz*, et se retrouva clignant des yeux devant une paire de revolvers.

Putain de Cujo, pensa-t-il.

L'interrogatoire se déroula dans la salle *ad hoc* du premier étage, à cinq heures trente, ce lundi matin. Ils expliquèrent à Himmel qu'ils ne l'accusaient de rien, qu'ils ne s'intéressaient pas du tout à lui, en réalité...

— Alors, qu'est-ce que je fous ici? demanda-t-il, à juste titre.

Il était déjà passé par là, quoique pas dans ce lieu particulier, qui ressemblait à tous les commissariats merdiques de la ville, et même à certains de ceux qu'il avait connus à Chicago, Illinois, ou à Houston, Texas.

— On veut simplement te poser quelques questions, répondit Hawes.

— Alors, donnez-moi lecture de mes droits et dégotez-moi un avocat.

— Pourquoi? s'étonna Carella. T'as quelque chose à te reprocher?

— Vous connaissez mon adresse, ça veut dire que vous avez déjà consulté mon casier. Vous voulez juste me poser des questions, et, moi, je me retrouve en zonzon demain pour violation de conditions de liberté surveillée. Je veux un avocat.

— Ça n'a rien à voir avec ta liberté surveillée.

— Alors, pourquoi vous en parlez?

— C'est toi qui en parles.

— Parce que j'ai six longueurs d'avance sur vous.

— Il s'agit d'une personne avec qui tu étais au Juice Bar, vendredi soir...

— Je veux un avocat.

— ... et dimanche matin.

— Je veux quand même un avocat.

— Fous-nous un peu la paix, Bernie.

— Pourquoi? Vous allez me foutre la paix, vous?

— On te l'a dit: tu nous intéresses pas.

— Alors, je me répète: si je vous intéresse pas, qu'est-ce que je fais ici?

— Ce blond à qui tu parlais... commença Hawes.

— Ben quoi, ce blond? A supposer que je lui parlais.

Il y a du progrès, pensa Carella.

— L'arme du crime nous a permis de remonter jusqu'à lui, dit-il.

— Oh! je vois. Un meurtre, maintenant. Vous feriez mieux de me laisser voir un avocat tout de suite.

— Tout ce que nous voulons c'est son nom.

– Je le connais pas, son nom.

– Qu'est-ce que tu sais de lui, alors?

– Rien. On a fait connaissance dans une boîte, on a échangé quelques mots.

– Quelques billets, aussi, non?

La pièce devint silencieuse.

Himmel aussi.

– Mais ça, on est prêts à l'oublier, déclara Carella.

– Alors, tout ce que je vous raconte est au conditionnel.

– Dis toujours.

– D'abord, on se met d'accord : c'est au conditionnel.

– D'accord, au conditionnel, accepta Carella.

– Disons que le gars est un gros joueur. Il parie sur tout.

– C'est-à-dire?

– Boxe, base-ball, football, hockey, basket – le sportif complet. Je pense qu'il joue aussi sur les bourrins, mais dans un course-par-course.

– Bon, c'est un joueur.

– Non, vous m'écoutez pas. C'est un gros joueur. Et généralement dans les dettes jusqu'au cou. Il gagne quelquefois, mais, la plupart du temps, il fait n'importe quoi. Ce con de rital connaît même pas la différence entre le base-ball et le football, comment voulez-vous qu'il sache parier? Je lui donne les cotes, il choisit au hasard ce qui lui paraît...

– Comment ça, rital? interrompit Hawes.

– Il est italien.

– D'Italie, tu veux dire? demanda Carella.

– Bien sûr, d'Italie. D'où ils viennent, les Italiens? De Russie?

– Tu veux dire vraiment italien?

– Ouais, vraiment vraiment italien. Qu'est-ce qui va pas?

– Non, rien.

– Vous êtes surpris qu'il soit italien? Parce qu'il est blond?

– Non, je ne suis pas surpris.

– Il a des yeux bleus, en plus – ça vous étonne aussi?

– Rien ne m'étonne, soupira Carella.

— Pour vous, un macaroni, c'est forcément un petit noiraud aux cheveux bouclés. Le gars fait plus de deux mètres, il pèse au moins quatre-vingt-dix kilos. Et beau, en plus. Ce taré sait même pas ce que c'est, le Super Bowl, il mise une fortune sur Pittsburgh, il perd sa chemise.

— C'était quand, ça?

— Y a deux semaines. Toujours au conditionnel.

— Au conditionnel, qu'est-ce qu'il faisait au Juice Bar, vendredi dernier?

— Au conditionnel, il disait à son book, dans son anglais pourri, qu'il avait pas les vingt mille balles qu'il lui devait.

— C'est ce qu'il avait parié sur les Steelers?

— Vingt mille. Je lui avais donné du 14,5 d'écart. Les Cow-Boys ont gagné de seize points.

— Alors, qu'est-ce qui s'est passé, vendredi soir?

— Le book lui a dit de trouver le blé avant dimanche matin s'il voulait pas aller *nager* avec les petits poissons.

— Comment il a réagi?

— Il a dit qu'il devait donner un coup de fil.

— Il l'a fait?

— Ouais, de la cabine.

— Il était quelle heure?

— Une plombe du mat', par là. Quelques heures après la descente des flics à l'Alhambra. Là où ils organisent des combats de coqs.

— Comment tu le sais?

— Un des propriétaires est passé. Sa bestiole venait de se faire viander, il chialait quasiment sur la table. Il m'a dit qu'il avait un feu, qu'il allait se buter.

— Il ne s'appellerait pas José Santiago?

Cette ville grouillait de télépathes.

— Si. Comment vous le savez?

— J'ai deviné, dit Hawes. Il est arrivé à quelle heure, lui?

— Santiago? Onze heures et demie, minuit. Juste après la descente. Moi, j'étais là, j'attendais Larry.

— Qui est-ce?

— Le gars qui me devait vingt plaques.

— Je croyais que tu ne connaissais pas son nom.

— C'était avant que tout passe au conditionnel.

— Larry comment?

— Il s'appelle Lorenzo, mais tout le monde dit Larry.

— Lorenzo comment?

— J'arrive pas à le prononcer.

— Essaie.

— Je vous dis que je peux pas. Je l'ai noté la première fois qu'il m'a filé un pari — c'est un de ces putains de blases ritals imprononçables.

Carella soupira.

— Tu l'as noté où?

— Sur le ticket.

— Le ticket de pari?

— Non, celui que j'ai avec la serveuse du Juice Bar, répondit Himmel avec un grand sourire.

Les inspecteurs le regardèrent, sans sourire. Il haussa les épaules.

— Ouais, le ticket de pari. Y a longtemps que je l'ai plus.

— Tu l'as jamais écrit une autre fois?

— Jamais. J'aurais pas pu. Il fait un kilomètre de long. D'ailleurs, j'avais son numéro de téléphone. Quand un mec paie pas ses dettes, je l'appelle, je lui fais, Joey, tu me dois un petit quelque chose, non? En général, ça leur fait peur.

— Il a eu peur, Lorenzo?

— Il s'est pointé au Juice Bar dimanche, non?

— Et il a téléphoné un quart d'heure plus tard?

— Ouais. On avait plus grand-chose à se dire après que je lui ai parlé de ses petits poissons.

— Tu as entendu ce qu'il disait?

— Oui, mais c'était tout en italien.

— Tu penses qu'il a appelé une personne de langue italienne?

— Je sais pas qui il a appelé. Je sais qu'il parlait italien.

— Et après?

— Il est revenu à la table, il a dit qu'il aurait l'argent dimanche. Ensuite, il m'a demandé si je connaissais quelqu'un qui pourrait lui vendre une arme.

— Et tu lui as recommandé Santiago, dit Carella.

— Ouais, fit Himmel, l'air surpris.

– Tu n'aurais pas vu l'arme changer de mains, par hasard? demanda Hawes.

– Non. Mais si on parle toujours au conditionnel, Larry l'a achetée.

– Il est parti à quelle heure?

– Une heure et demie, dans ces eaux-là.

– Une dernière chose... commença Carella.

– Son numéro de téléphone, hein? dit Himmel. Toujours six longueurs d'avance.

A six heures quatre, lundi matin, le sergent de permanence au 88ᵉ appela Ollie Weeks chez lui pour l'informer d'un fait nouveau qui pouvait être lié au triple meurtre sur lequel il enquêtait. Il ne savait pas s'il devait le réveiller ou non...

– T'as bien fait, bâilla le Gros.

... mais un certain Joe Simms, le Frisé, avait téléphoné pour dire qu'il était passé prendre un café au Silver Chief, le *diner* d'Ainsley, et qu'une serveuse nommée Sally lui avait raconté qu'un inspecteur du nom d'Ollie Weeks était venu et l'avait interrogée au sujet de trois jeunes qui auraient pissé dans le caniveau, et Joe le Frisé avait vu ces trois jeunes avec un dénommé Richie Cooper, un bon copain à lui, maintenant décédé. Alors, si l'inspecteur voulait lui parler...

– Son numéro? demanda Ollie.

La compagnie du téléphone apprit à Hawes que le coup de fil donné à la cabine du Juice Bar à une heure dix-sept, le 19 janvier, était destiné à une abonnée du nom de Svetlana Helder, 1217 Lincoln Street, à Isola.

C'était intriguant.

Pourquoi Larry Trucmuche avait-il téléphoné à une femme qui s'était fait assassiner le lendemain avec une arme qu'il avait achetée moins de cinq minutes après lui avoir parlé au téléphone?

Pendant ce temps, Carella composait le numéro que Bernie le Banquier leur avait donné. Il était maintenant six heures et quart.

– *Pronto?* fit une voix de femme.

– *Signora?*

– *Si?*

– *Voglio parlare con Lorenzo, per piacere.*

– *Non c'è.*

Pendant les cinq minutes qui suivirent, en italien balbutiant et en anglais bredouillant, Carella et la femme – qui s'appelait Carmela Buongiorno et qui, précisa-t-elle, louait des meublés dans un immeuble de Trent Street – eurent une conversation au cours de laquelle il apprit que Lorenzo Schiavinato habitait l'immeuble depuis le 24 octobre, mais qu'il était parti dimanche. Elle ne savait pas où il était maintenant. C'était un homme très gentil – il avait des ennuis?

– *Che succede?* demanda Carmela Buongiorno.

Qu'est-ce qui est arrivé?

– *Niente, signora, niente*, affirma Carella.

Rien, *signora*, rien.

Mais il était arrivé quelque chose.

Un meurtre.

Et Lorenzo Schiavinato avait acheté l'arme du crime vingt-quatre heures avant que quelqu'un ne s'en serve pour assassiner Svetlana Dyalovich.

Ils avaient maintenant le nom du blond.

Qu'ils introduisirent dans l'ordinateur.

Niente, signora.

Niente.

Ollie s'attendait à ce que Joe Simms le Frisé soit chauve, et il ne fut pas déçu. Il nota mentalement de recommander à Meyer Meyer, le collègue du 87ᵉ, de se faire appeler Meyer le Frisé. Joe Simms portait des oreillettes jaunes et un pardessus de laine marron boutonné sur un cache-nez vert. Les yeux larmoyants, la goutte au nez, il expliqua à l'inspecteur qu'il était un oiseau de nuit, ce qui signifiait qu'il dormait seulement dans la journée. D'ailleurs, là, maintenant, il commençait à être un peu somnolent, mais il faut faire son devoir de citoyen, pas vrai? Ollie aussi était un peu somnolent, mais uniquement parce qu'il s'était levé une demi-heure plus tôt. A six heures quarante-deux, il n'y avait pas grand-chose d'ouvert autour du commissariat du 88ᵉ. Ils se retrouvèrent à la cafétéria de l'hôtel Harley, au coin de la 92ᵉ et de Jackson. Le Harley était un hôtel de passe accueillant les putes et leur clientèle. Les filles ne cessaient d'entrer à la cafétéria ou d'en sortir pendant qu'Ollie et le Frisé s'entretenaient.

Joe était chagriné que quelqu'un ait noyé ce pauvre Richie Cooper.

— Richie était un bon copain à moi.

Si bon que tu sais même pas qu'il avait horreur qu'on l'appelle Richie, pensa Ollie, sans le dire. L'homme avait fait tout le trajet depuis Ainsley, à six heures du matin, il méritait qu'on l'écoute, même s'il était chauve. Le Gros enfourna un autre *doughnut* et écouta.

Joe but une gorgée de café et rapporta que, samedi soir, il était assis avec Richie dans un des box du Silver Chief Diner, à boire un jus, quand, d'un seul coup, Richie se lève et gueule :

— T'as vu ça?

— J'ai vu quoi?

— Dehors. Les trois mecs.

Le Frisé avait regardé.

Trois mastards en parka à capuche, alignés au bord du trottoir, pissaient dans le caniveau. Comme la scène n'avait rien d'inhabituel dans le quartier, Joe ne comprenait pas ce qui mettait Richie dans un tel état. Parce qu'il était clairement contrarié pour se lever comme ça d'un bond, enfiler son blouson de cuir noir...

— Il était tout en noir, dit Joe. Jean noir, chemise noire, bottes et blousons noirs...

— Ouais, continue, fit Ollie.

... jeter deux dollars sur la table — sa part de l'addition —, se précipiter dehors et marcher vers les trois gars en train de secouer Popaul. A travers la vitre du *diner*, le Frisé assista, mais sans entendre un mot, à la conversation entre les quatre hommes, Richie tout en noir, apparaissant devant eux tel l'ange vengeur de la mort. Ils pissèrent presque sur ses godasses tant il était près.

— *Vous appelez ça comment?*

— *Nous appelons ça pisser dans le caniveau.*

226

– *Moi, j'appelle ça manque de respect pour le voisinage. La lettre P, c'est l'initiale de quoi ? Pisser ?*

– *Pourquoi vous ne faites pas comme nous ?*

– *Je m'appelle Richard.*

Le grand Blanc costaud, qui ferme sa braguette et tend la main à Richie.

– *Moi aussi.*

L'autre Blanc, qui tend également la main.

– *Moi également.*

Le troisième, qui imite les deux autres.

– *Comme ça se trouve, mon nom à moi, c'est aussi Richard.*

Richie serre la main des trois Blancs, l'un après l'autre. Et une conversation sérieuse s'engage sur le trottoir, Richie expliquant probablement que, ce qu'il fait, ici, à Diamondback, c'est vendre du crack à de bons petits gars comme les trois étudiants en parka à capuche. Une minute plus tard, environ, il les entraîne plus haut dans la rue, après le *diner* où Joe est toujours assis derrière la vitre, sans doute pour les emmener au Trash Cat, un clandé où c'est bourré de filles à n'importe quelle heure de la nuit, comme au Harley.

Ils font de nouveau halte un peu plus loin pour une autre petite conversation sérieuse que Joe ne peut toujours pas entendre.

– *Les gars, ça vous intéresse ces bonnes grosses fioles que j'ai justement dans la poche ? Ça vous dit d'y tâter, à quinze sacs pièce ?*

Joe voit le crack et l'argent changer de mains, du Noir au Blanc et du Blanc au Noir, quand un taxi s'arrête le long du trottoir. Une fille longiligne en veste de fausse fourrure et boots de cuir rouge en descend. Sa tête dit quelque chose à Joe, mais il ne la reconnaît pas tout de suite. Le chauffeur baisse sa vitre, il a l'air un peu hébété, comme s'il venait de se faire rentrer dedans par un bus.

– *Merci, Max.*

La fille lui envoie un baiser, pivote sur le trottoir, un sac à main rouge sous le bras...

– *Hé, Yolande, t'es juste la fille qu'on cherchait.*

... et là, Joe reconnaît la nana que Jamal Stone lui avait

refilée, un jour qu'il avait parié deux cents sacs sur un canasson et qu'il était un peu à court. Elle s'appelait Marie St. Claire, elle avait taillé à Joe la meilleure pipe de sa vie – Ollie connaît la Sucette marocaine ? Nouveau conciliabule, sur le trottoir, auquel Joe assiste sans pouvoir l'entendre, Richie parlant avec les mains : *Six cents pour les trois étudiants, là, qu'est-ce que t'en dis ? Deux cents pièce*, argumente-t-il, avec force mouvements de tête, *et si tu me prends aussi, je mets cinq fioles au pot, qu'est-ce que t'en dis, ma poule ?* Grande conférence au sommet, là, dans Ainsley Avenue. *On monte tous chez moi pour prendre du crack et passer aux choses sérieuses, frangine, t'entends c'que j'dis ?*

– *Je suis dehors depuis onze heures hier soir, ça fait long, frangin. Alors, on devrait peut-être laisser tomber, à moins de mettre un petit supplément au pot, mm ?*

– *Un petit supplément ? Ce serait quoi, un petit supplément ?*

– *Si t'en es aussi, il me faut dix fioles...*

– *Pas de problème.*

– *Et une plaque pour les étudiants, là. Mais vous êtes tous si mignons que je pourrais baisser jusqu'à neuf cents.*

– *Disons huit cents.*

– *Je peux pas pour moins de neuf cents. Vous êtes tous très mignons, mais...*

– *Huit cent cinquante ?*

– *C'est neuf cents, sinon je marche pas.*

– *Vous prenez les chèques de voyage ?*

– *Ça marche.*

... et ils se mettent tous à rigoler. Ils se sont sûrement mis d'accord, vous croyez pas ? dit Joe le Frisé. Parce que, maintenant, elle en prend deux par le bras, et les voilà partis vers l'immeuble de Richie ; elle est en veste rouge, Richie en blouson noir, et les trois jeunes en parka bleue à capuche avec un grand P blanc et une petite balle de foot dans le dos.

Le point du jour porte bien son nom.

A la différence du crépuscule, où les couleurs s'attardent dans le ciel longtemps après que le soleil a sombré sous l'horizon, l'aube est annoncée par un rougeoiement similaire, mais bref, et soudain c'est le matin. Soudain le ciel est clair. Le jour point, surprenant la nuit rose, la mettant en déroute.

Des fenêtres de la salle des inspecteurs, au premier étage du vieux bâtiment du commissariat, ils regardaient le jour poindre. Le temps serait encore clair et froid. L'horloge murale indiquait sept heures et quart.

Un peu après sept heures et demie, les inspecteurs commencèrent à arriver pour la relève. Le service huit heures-seize heures commençait en fait à huit heures moins le quart parce qu'un grand nombre de policiers en tenue étaient relevés sur le terrain, et les inspecteurs – tous anciens flics de ronde – respectaient un usage établi par le temps. Ils accrochèrent pardessus et chapeaux au porte-manteau, échangèrent des saluts matinaux. Se plaignant du café infect préparé au secrétariat, au bout du couloir, ils posèrent néanmoins leurs fesses sur le bord de leur bureau et burent lentement à leur gobelet en carton. Dehors, le vent passait sa rage sur les carreaux.

On doubla l'équipe sur l'affaire Dyalovich parce que cela faisait plus de trente heures qu'on avait découvert le cadavre de la vieille dame, et les inspecteurs n'étaient toujours pas plus près de trouver la ou les personnes qui l'avaient tuée. Cela faisait aussi plus de vingt-quatre heures qu'on avait découvert le corps de Yolande Marie Marx dans une ruelle, près de St. Sab et de la 1re. Mais, alors que l'affaire Marx leur incombait officiellement selon la règle du « premier sur le coup », ils avaient été informés qu'Ollie Weeks le Gros avait hérité d'un double meurtre lié au premier, et ils ne demandaient pas mieux que de lui abandonner cette enquête à trois voies. Une tapineuse, un mac, un dealer minable? Laissons la mère d'Ollie se faire du mouron.

— Moi, j'ai l'impression que vous avez que dalle, leur assena Andy Parker.

Parker était un bon ami d'Ollie Weeks. Une amitié fondée sur un racisme commun. Mais, alors que le Gros était aussi un bon flic, Parker s'élevait rarement à des sommets de science déductive. Presque aussi peu soigné qu'Ollie, il avait un penchant pour les chemises non repassées, les costumes maculés, les chaussures non cirées, et une allure générale crade, qui, croyait-il, le faisait ressembler à un bon flic de télévision. Selon lui, il n'existait que deux sortes de séries policières. Les nulles, qu'il appelait *Les Flics de Madison County*, et les bonnes, qu'il qualifiait de *Funk pur jus*.

En sa qualité d'inspecteur – quoique pas très bon –, Parker savait que le mot *funk* dérivait de *funky* – « agréablement excentrique », « original » – dérivé lui-même d'un style jazz de piano appelé *funky butt*, « trouduc puant ». Il avait trouvé amusant, l'autre jour, qu'un critique gastronomique de la radio accole l'épithète *funky* à la cuisine d'un bistrot du centre.

Un rien amusait Parker.

En particulier à une heure aussi matinale.

– On a le nom du type, fit observer Hawes.

– Quel type ?

– Celui qui a acheté l'arme du crime.

– Et sur qui vous arrivez pas à mettre la main.

– Il a déménagé hier, se justifia Carella.

– Il est en cavale, c'est ce que tu penses ? demanda Willis.

Assis au bord du bureau du lieutenant, telle une gargouille sur une gouttière de Notre-Dame, il écoutait attentivement. Byrnes l'appréciait beaucoup. Il appréciait les petits, il pensait que les petits devaient faire plus d'efforts que les autres. Willis atteignait à peine la taille minimal requise pour être policier dans cette ville, mais il était excellent judoka, et capable d'expédier au tapis n'importe quel malfrat en moins de dix secondes. Son amie s'était fait tuer récemment par deux truands colombiens qui avaient pénétré dans son appartement. Willis ne parlait pas beaucoup d'elle, mais il n'était plus le même depuis sa mort. Byrnes se faisait du souci. Il se faisait du souci pour tous ses gars.

– Le lendemain du meurtre, il se carapate. Il est forcément en cavale, conclut Kling.

Beaucoup de souci aussi pour Kling. Jamais eu de chance avec les femmes, apparemment. Byrnes croyait savoir qu'il était maintenant avec une Noire, une ponte des services, pas moins, comme si les rapports entre Noirs et Blancs n'étaient pas déjà assez compliqués. Byrnes lui souhaitait bonne chance, mais il attendait de voir. Le chapitre suivant, pensait-il. La vie est toujours pleine de nouveaux chapitres, dont certains jamais écrits.

— Il est peut-être déjà retourné en Italie, suggéra Brown.

Sourcils froncés. Toujours. Ça lui donnait l'air d'être tout le temps en colère, comme de nombreux Noirs dans cette ville, à juste titre. Mais cela faisait des années que Byrnes le connaissait, et il ne l'avait jamais vu perdre son calme. Véritable masse, Brown aurait pu jouer arrière dans une équipe pro de football américain – il lui rappelait beaucoup Rosie Greer, d'ailleurs, mais Greer était quoi, maintenant, pasteur? Byrnes s'efforça de se représenter Brown en pasteur, mais son imagination ne se montra pas à la hauteur de la tâche.

— Peut-être, convint Carella.

— Où, en Italie? dit Meyer.

— Sais pas.

— Qu'est-ce que tu as trouvé en fouillant l'appartement? demanda Byrnes.

— Moi?

— Toi.

— Un chat mort à côté d'elle, répondit Carella.

— Laisse tomber le chat.

— Des arêtes de poisson sur le sol de la cuisine.

— Laisse tomber le chat, je te dis.

— Un livret de caisse d'épargne dans un tiroir de la commode, cent vingt-cinq mille balles retirées le matin même.

— A quelle heure?

— Dix heures vingt-sept.

— Chèque ou liquide?

— Je sais pas.

— Mais qu'est-ce que tu sais, alors? lui lança Parker. Carella se contenta de le regarder.

— On connaît le nom du gars, argua Hawes.

— A supposer que ce soit lui qui l'ait tuée.

— Qu'il l'ait tuée ou pas, on sait comment il s'appelle.

— Mais pas où il crèche.

– Vérifiez auprès des compagnies aériennes, conseilla Brown. Il est peut-être vraiment retourné en Italie.

– On a aussi remonté la piste de l'arme du crime, rappela Carella.

– Qui va d'où à où?

– Enregistrée au nom d'un certain Rodney Pratt, garde du corps, volée dans sa limousine la veille du meurtre...

– Par qui? demanda Kling.

– Un nommé José Santiago.

– Le roi de la corrida? fit Parker.

Une blague qu'il avait déjà sortie et qui était sa façon de rabaisser toute personne d'origine hispanique. Byrnes avait entendu des rumeurs – qu'il avait tendance à mettre en doute – selon lesquelles Parker vivait maintenant avec une Portoricaine. Parker? Coucher avec une reine de la corrida?

– Le roi des combats de coqs, corrigea Hawes.

– Le roi des gonocoques?

Personne ne rit.

Parker haussa les épaules.

Byrnes revint aux choses sérieuses.

– Bon, vous voyez quoi comme scénario? Un cambrioleur surpris dans son boulot?

– Si les cent vingt-cinq mille étaient dans l'appartement, oui.

– Qu'est-ce que vous avez trouvé, vous, quand vous l'avez fouillé?

– Nous? fit Meyer.

– Vous.

– Ça puait le poisson mort.

– Et la pisse, renchérit Kling.

– La pisse de chat.

– Encore ce chat? bougonna Byrnes.

Il ne passait pas pour un grand ami des animaux. Quand il avait dix ans, sa tortue, nommée Alice, était morte. Puis son canari Petie, quand il avait douze ans. Lorsqu'il en eut treize, sa mère donna aux voisins un petit chien appelé Ruffles. Parce qu'il faisait pipi dans tout l'appartement. Ce qu'apparemment faisait aussi le chat de Svetlana Dyalovich. Byrnes ne voulait pas entendre un mot de plus sur le chat mort de la femme morte.

— Ce serait bien si les chats aboyaient, hein? ricana Parker.

— Ce serait bien si on oubliait un peu ce foutu chat, grommela le lieutenant. Qu'est-ce que vous avez trouvé d'autre?

— Nous? demanda Kling.

— Vous.

— Rien.

— Pas d'argent, hein?

— Rien.

— Alors, c'était peut-être un cambrioleur.

— Et le chat expliquerait les taches sur le vison, avança Carella.

— Quelles taches? dit Brown.

— Les taches de poisson.

— Il y avait des taches de poisson sur le manteau?

Byrnes observait l'inspecteur noir. Les yeux s'étrécissaient, les sourcils accentuaient leur froncement. Il cherchait quelque chose. Il ne savait pas quoi encore, mais il cherchait.

— Comment on sait qu'il y a des taches de poisson sur le vison? demanda Byrnes.

— Par Grossman, répondit Willis. J'ai pris le coup de fil.

— Elle mettait son vison pour donner à bouffer au chat? fit Parker.

— Tu penses que le chat se frottait contre elle? dit Brown.

— Non, les taches étaient près du col, répondit Carella.

— Près du col?

— J'ai pris le coup de fil, répéta Willis.

— Qu'est-ce qu'il a dit au juste, Grossman? voulut savoir Byrnes.

— Qu'il y avait des taches de poisson sur le manteau.

— Près du col? répéta Brown.

— Tout en haut, précisa Willis, qui ouvrit son calepin. Il a dit exactement, ouvrez les guillemets : « des taches à l'intérieur et à l'extérieur, près du col. D'après leur emplacement, il semblerait que quelqu'un ait tenu le manteau à deux mains, de part et d'autre du col, les pouces à l'extérieur, les autres doigts à l'intérieur », fermez les guillemets.

— J'arrive pas à me le représenter, dit Brown secouant la tête.

— Je peux? sollicita Willis.

— Bien sûr, acquiesça Byrnes.

L'inspecteur prit un magazine sur le bureau du lieutenant, le tendit à Brown.

— Tiens-le avec les pouces dessus, les autres doigts dessous.

Brown essaya.

— C'est comme ça qu'on a tenu le manteau.

— Tu veux dire qu'il y avait des empreintes?

— Non. Mais Grossman pense qu'une personne ayant de l'huile de poisson sur les mains a tenu le manteau comme tu tiens ce magazine.

Brown regarda ses mains refermées sur le magazine. Tous les flics présents dans le bureau regardaient ses mains sur le magazine.

— Et tu dis qu'elle portait un manteau en laine? dit Kling.

— Ouais. Quand elle est descendue s'acheter une bouteille.

— A quelle heure? demanda Byrnes?

— Onze heures du matin.

— Le jour où on l'a tuée?

— Oui. Une demi-heure après avoir retiré l'argent.

— Y a comme une drôle d'odeur, dans cette histoire, dit Byrnes, sans se rendre compte qu'il venait de faire un jeu de mots.

Quand Priscilla et ses gars arrivèrent en taxi à huit heures, le gardien de l'immeuble de Svetlana sortait les poubelles en se demandant si les éboueurs reprendraient un jour le ramassage. La chanteuse se présenta comme la petite-fille de Mrs Helder, et il lui exprima toute sa sympathie en secouant la tête devant les mystères et les malheurs de l'existence. Ils échangèrent des banalités pendant trois ou quatre minutes avant qu'il ne finisse par mentionner que la meilleure amie de Mrs Helder dans l'immeuble était une femme nommée Karen Todd, qui vivait au même étage, à l'autre bout du couloir.

– Elle est sûrement encore chez elle, dit-il. Elle ne part pas travailler avant huit heures et demie.

Georgie tomba instantanément amoureux de la jeune femme élancée qui ouvrit la porte de l'appartement 3C. Il lui donnait vingt-cinq ans environ. Avec son air exotique, elle lui rappelait sa cousine Tessie, qu'il avait essayé de peloter sur le toit de son immeuble quand ils avaient tous deux seize ans. Tessie avait fini par épouser un dentiste. Mais la fille avait les mêmes longs cheveux bruns, les mêmes yeux marron, les mêmes lèvres sensuelles, le même buste avantageux, comme disait la mère de Georgie.

Bien qu'en train de finir son petit déjeuner, Karen les convia cordialement à entrer – battant des cils en direction de Georgie, remarqua Priscilla –, les prévint qu'elle devait bientôt partir mais que, en attendant, elle se ferait un plaisir de répondre à leurs questions. Même si, franchement, elle avait déjà dit tout ce qu'elle savait à la police.

Priscilla suggéra que la police ne lui avait peut-être pas posé les mêmes questions.

Karen parut perplexe.

– Par exemple, poursuivit la chanteuse, avez-vous remarqué un grand blond qui aurait rendu visite à ma grand-mère.

– Non, dit Karen. En fait, non.

– Vous la connaissiez bien, la vieille dame? s'enquit aimablement Georgie.

Karen jeta un coup d'œil à l'horloge.

Puis leur livra à peu près les mêmes informations qu'à la police – le thé avec Svetlana en fin d'après-midi, les vieux 78 tours...

– Ça me faisait un peu penser à T.S. Eliot, dit-elle de nouveau, et elle sourit à Georgie, qui ignorait totalement qui était T.S. Eliot.

Elle leur parla aussi du jour où elle avait accompagné Svetlana chez le docteur...

— Elle avait une arthrite terrible, vous savez...

... et une autre fois chez un oto-rhino qui lui avait conseillé de voir un neurologue. Pour le sifflement dans ses oreilles, vous voyez.

— Ça remonte à quand? demanda Priscilla.

— Oh! avant Thanksgiving. C'était affreux. Elle sanglotait dans le taxi...

— Et vous êtes sûre de ne jamais l'avoir vue avec un grand blond?

— Certaine.

— Jamais?

— Jamais. Enfin, pas avec elle.

— Qu'est-ce que vous voulez dire?

— Je ne pense pas qu'il soit entré.

— Entré?

— Dans l'appartement. Mais, un matin qu'elle était malade...

— Oui?

— Il a apporté du poisson pour le chat.

— Qui? intervint Tony.

— Un grand blond.

— Il ne s'appellerait pas Eliot? fit Georgie, avec une expression rusée.

— Aucune idée.

— Il a apporté du poisson? dit Tony.

— Du poisson, oui.

— Mais il n'est pas entré?

— Eh bien, en fait, je ne sais pas. Je partais travailler quand je l'ai vu frapper à la porte. Svetlana a ouvert, et il a dit... mm, oui, c'est ça, attendez un peu. Il lui a dit son nom, mais je ne m'en souviens pas. Un nom étranger. D'ailleurs, il avait un accent.

— Russe? hasarda Priscilla.

— Je ne sais vraiment pas. Il a dit qu'il apportait le poisson pour Irina.

— Pour Irina. Donc, il connaissait le nom du chat. Donc, il connaissait aussi ma grand-mère. Mais est-ce qu'il est entré quand elle a ouvert?

— Je ne peux vraiment pas vous dire. J'étais déjà dans l'escalier.

— Quelle sorte de poisson? demanda Georgie.

– Aucune idée.

– Et il venait d'où, ce poisson?

– Je dirais du marché au poisson, non?

– Quel marché au poisson?

– Celui où Svetlana allait tous les matins pour son chat.

– Et c'est où? demanda la chanteuse, qui retint sa respiration.

– Essayons de mettre un peu d'ordre dans tout ça, d'accord? proposa Byrnes, exaspéré.

Il n'aimait pas que les petites vieilles en manteau de vison râpé sentant le poisson se fassent allumer avec une arme volée dans une limousine ayant servi à transporter un coq de combat. Il n'aimait pas les animaux, point. Tortues, canaris, chiens, chats, poissons, coqs, punaises, tout ce que vous voudrez.

– Par où vous voulez qu'on commence, Pete? s'enquit Carella.

– Par le pistolet.

– Il appartient à un nommé Rodney Pratt. Qui a un permis. Qui le range dans la boîte à gants de sa limousine. Jeudi soir, la voiture tombe en panne, il la conduit au garage le plus proche du pont de Majesta. Le Texaco du Pont, ça s'appelle. Il oublie l'arme dans la boîte à gants.

– Bon, ensuite?

– Comment vous savez que c'est pas lui, l'assassin? intervint Parker.

– On le sait, répondit Hawes, refusant l'idée même de la culpabilité de Pratt.

– Oh! bon, excuse-moi de respirer! geignit Parker.

– Ensuite, reprit Carella, les gars du garage travaillent sur la voiture tout le vendredi. L'un des pompistes, un nommé José Santiago, l' « emprunte », entre guillemets, pour conduire son coq de combat à une réunion organisée ce soir-là à Riverhead.

– Excusez-moi, mais ça me donne envie de gerber, dit Parker.

– Eh ben, dégueule, répondit Kling.

— Une saloperie de coq sur la banquette arrière d'une limousine ?

— Dégueule, répéta Kling, te gêne pas.

— Santiago perd son coq. Il trouve le pistolet dans la boîte à gants, décide de descendre le propriétaire du coq vainqueur, change d'avis quand les collègues du 48ᵉ descendent. Il va dans un clandé proche, le Juice Bar...

— Je connais, dit Brown.

— ... où ce salaud de grand blond qu'on essaie de retrouver rencontre un book du nom de Bernie Himmel qui le menace de l'envoyer nager avec les petits poissons s'il ne lui paie pas avant dimanche matin les vingt plaques qu'il a perdues dans le match des Steelers contre les Cow-Boys.

— *Nager* avec les petits poissons, corrigea Hawes.

— Quoi ?

— Il a insisté sur le mot « nager ».

— Je vois pas ce que tu veux dire.

— Il a menacé Schiavinato de l'envoyer *nager* avec les petits poissons.

— Au lieu de quoi ? dit Meyer. Danser avec les poissons ?

— Je fais que répéter ce que j'ai entendu.

— Laisse-moi entendre la suite, dit Byrnes.

— Samedi soir, à minuit moins le quart, on est avisés d'un DCD à l'arrivée au 1217 Lincoln Street, une vieille dame du nom de Svetlana Helder, qui se révèle être en fait Svetlana Dyalovich, la célèbre pianiste.

— Jamais entendu parler, déclara Parker.

— Deux balles dans le cœur.

— Je l'ai vu, ce film, dit Kling.

— C'était le titre ?

— J'en suis presque sûr.

— Le lendemain matin, vers sept heures, on a une prostituée morte dans une ruelle donnant sur St. Sab.

— Quel rapport ?

— Aucun.

— Alors, pourquoi tu nous en parles ?

— Le triste lot du policier, dit Carella avec un haussement d'épaules.

Hawes revint à la charge :

— Il a dit aussi que c'étaient les poissons du grand blond.

— Je nage, là, avoua Parker.

— Moi aussi, dit Byrnes.

— Himmel. Le book. Bernie le Banquier. Lui et le grand blond n'avaient plus grand-chose à se dire après qu'il lui ait parlé — je cite — de ses petits poissons.

— Je vois toujours pas, reconnut Parker.

— S'il te plaît, tu pourrais nous dire où tu veux en venir? demanda Byrnes.

— *Ses* petits poissons. Pas *les* petits poissons, mais *ses* petits poissons. Les petits poissons de Schiavinato.

Tout le monde le regardait.

Seul Carella comprenait.

— Le chat, dit-il.

— Ah! non, pas encore le chat, gémit Byrnes.

— Elle sortait tous les matins acheter du poisson frais pour son chat.

— Où t'as dit qu'elle habitait? fit Parker, qui venait de saisir.

— 1217 Lincoln.

— Simple, dit-il. Le marché au poisson de Lincoln Street.

— Nager avec les poissons, dit Meyer, hochant la tête. Au lieu de les vendre.

13

A huit heures et quart, ce matin-là, le marché au poisson de Lincoln Street n'était pas aussi animé qu'il l'avait
été entre quatre et six heures, quand tous les poissonniers de la ville venaient s'y approvisionner. Au moment
où Priscilla et ses gars arrivèrent en taxi, seuls les ména-
gères et les patrons de restaurant examinaient les prises
du jour disposées sur la glace de manière alléchante –
enfin, alléchante si on aime le poisson.

Le marché était un vaste complexe d'étals abrités ou
en plein air. Sur le trottoir, devant l'édifice aux hautes
fenêtres cintrées, des hommes en mitaines et bonnet de
laine enfoncé jusqu'aux oreilles, tablier blanc taché de
sang sur plusieurs couches de pulls proposaient leur
marchandise à des clients potentiels qui inspectaient le
poisson comme s'ils cherchaient un crapaud dans un
diamant.

C'était un dimanche matin froid, clair, venteux et
ensoleillé.

Par où on commence? demanda Georgie.

Dans l'espoir de décourager Priscilla. Il ne voulait pas
qu'elle rencontre l'homme qui avait déposé à l'hôtel la
clef du casier de la consigne de la gare routière. Il ne
voulait pas qu'elle apprenne que personne n'avait touché
à ce casier excepté lui et Tony, qui se tenait à l'écart des
étals comme si sa grand-mère lui avait fait du poisson
chaque fois qu'il lui rendait visite le vendredi – ce qui
était le cas, ce qu'il avait détesté. Il avait appris après sa

mort qu'elle aussi détestait le poisson. Sa mère, en revanche, n'avait jamais eu à faire de poisson de sa vie parce que l'Église avait changé les règles. Sa mère était une catholique fervente qui pratiquait la contraception et ne croyait pas à la confession.

Priscilla semblait abasourdie.

Elle n'était jamais allée dans cette partie de la ville, et certes pas davantage dans un marché au poisson; elle n'avait jamais vu autant de poissons de sa vie et n'imaginait pas comment elle pouvait espérer trouver un grand blond parmi tous ces hommes portant bonnet, tablier et gants.

Le froid mordant n'arrangeait rien.

Priscilla, elle, portait un vison sombre et souple contrastant avec le vieux manteau marron-orange que sa grand-mère avait sur elle quand on l'avait tuée. La fourrure ne constituait qu'une mince protection contre le vent violent soufflant par-dessus la rivière. Georgie et Tony, manteau à ceinture et écharpe en laine, feutre rabattu sur le front, mains dans les poches, ressemblaient à des gangsters de cinéma. Le trio longea les quais en examinant les poissonniers derrière chaque étal en plein air, chaque bassine de glace, cherchant des favoris blonds révélateurs sous le bord roulé des bonnets de laine omniprésents.

Au terme de vingt minutes d'un examen attentif, ils furent heureux de pénétrer dans le long marché couvert. Après le hurlement du vent, dehors, même le vacarme intérieur semblait accueillant, les poissonniers vantant le pampano et le calamar, le bar et le carrelet, le maquereau et la crevette, la sole et la tortue. Ils descendirent l'allée centrale dans la lumière hivernale tombant des hautes fenêtres, Georgie soufflant dans ses doigts, Tony arborant une expression chagrine en souvenir de sa grand-mère, Priscilla serrant d'une main le col de son vison, parce que, à dire vrai, il faisait presque aussi froid dedans que dehors, quand, soudain...

Derrière l'étal de droite...

Juste devant...

Ils avisèrent un homme sans bonnet aux cheveux blond terne...

Haut de deux mètres...

Portant un tablier blanc sur un manteau bleu et une écharpe rouge...

Présentant une ressemblance marquée avec Robert Redford et soulevant de la glace un beau flétan pour le montrer à une cliente.

Hawes et Carella étaient en train de se garer dehors.

— Cheveux blonds, yeux bleus, dit Hawes.

— Il doit être de Milan, risqua Carella.

— Ou de Rome. Tu as des blonds aussi à Rome.

— Des roux.

Une rafale de vent faillit faire tomber Hawes.

— Quoi en premier ? demanda Carella. Dedans ou dehors ?

A question stupide...

Hawes tendit la main vers la poignée de la porte.

A l'autre bout du marché couvert, Priscilla demandait à Lorenzo Schiavinato s'il avait connu sa grand-mère Svetlana.

— *Non parlo inglese,* répondit Lorenzo.

Dieu soit loué, pensa Georgie.

— Il parle pas anglais, traduisit-il pour Priscilla.

— Demande-lui s'il connaissait ma grand-mère.

— Je parle pas italien.

— Moi, si, dit Tony, et Georgie eut envie de l'occire.

— Alors, demande-lui s'il connaissait ma grand-mère.

La grand-mère de Tony venait de Sicile, où l'on ne parle pas exactement l'italien de Dante, et le dialecte qu'il utilisa était celui qu'il avait entendu dans la bouche de Filomena tandis qu'elle préparait son abominable poisson. Il commença par demander son nom à Lorenzo.

— *Mi chiamo Lorenzo Schiavinato,* répondit Lorenzo.

— Il s'appelle Lorenzo, traduisit Tony. J'ai pas saisi le nom de famille.

Ça m'étonne pas, pensa Georgie.

— Demande-lui s'il connaissait ma grand-mère.

– D'où vous êtes? demanda Tony.

– *Milano*, dit Lorenzo.

Où l'on parle l'italien florentin et où l'on comprend à peine le dialecte sicilien. Lorenzo plissait d'ailleurs ses yeux diablement bleus dans un effort pour comprendre l'italien de Tony, forme elle-même abâtardie du dialecte qu'avait parlé sa sainte grand-mère.

Il vint à l'esprit de Georgie que leur conversation en « italien » se déroulait dans un marché au poisson qu'on disait sous la coupe de la pègre, dont l'italien se limitait à quelques expressions de base comme *« Boff on gool »*, forme elle-même abâtardie de la formule consacrée *« va fa in culo »*, qu'il valait mieux ne pas traduire en présence d'une dame aussi distinguée que Priscilla Stetson.

Qui répéta pour la quatrième fois, avec quelque agacement, maintenant :

– Demande-lui s'il connaissait ma fichue grand-mère.

En italien de Sicile, Tony demanda à Lorenzo si, par hasard, il n'aurait pas connu la grand-mère de Priscilla.

En italien de Florence, Lorenzo demanda qui pouvait bien être cette grand-mère.

– Svetlana Dyalovich, dit Tony.

Et Lorenzo s'enfuit.

Les inspecteurs, qui descendaient l'allée centrale du marché intérieur en inspectant les marchands vendant leur poisson derrière les étals et les bassines de glace, virent un grand blond courir vers eux, poursuivi par la petite-fille de Svetlana et les deux truands qui les avaient toisés au club, samedi soir.

Si le grand type agitant les jambes répondait au nom de Lorenzo Schiavinato, c'était lui qui avait acheté l'arme ayant servi à assassiner la grand-mère de Priscilla. Malgré ce que, dans la profession, on appelait l'« arrière-plan » – les quelques spectateurs innocents toujours présents sur n'importe quel lieu –, le fait que Lorenzo ait acheté l'arme du crime autorisait Carella et Hawes à dégainer la leur. De plus, l'homme courait. Dans cette ville, sauf quand on cherche à rattraper l'autobus, le fait même de courir est suspect.

Les pistolets jaillirent des holsters.

– Arrêtez! cria Hawes. Police!

– Police! cria Carella. Arrêtez!

Lorenzo n'arrêtait pas.

Quatre-vingt-dix kilos de muscles et d'os passèrent entre eux, déséquilibrant Hawes, repoussant Carella vers un étal de saumon glacé, incitant un moustachu coiffé d'un melon marron à lever les bras d'effroi. Les inspecteurs réagirent aussitôt, Carella d'abord, Hawes l'instant d'après.

– Halte! crièrent-ils simultanément.

Jambes fléchies, Hawes tenait son arme à deux mains. A côté de lui, Carella était prêt à faire feu.

– Halte!

Lorenzo continua à courir.

Hawes tira le premier, Carella l'instant d'après. Carella manqua son coup, Hawes également. Il tira de nouveau. La balle toucha le talon de la chaussure gauche de Lorenzo, sans le blesser, mais l'expédiant néanmoins au sol, bras et jambes en croix. Tout autour d'eux, l'« arrière-plan » glapissait. Le moustachu au melon marron courait dans le sens opposé, fuyant la fusillade, agitant hystériquement les bras. Il trébucha sur Georgie, qui s'était jeté à plat ventre dès le premier coup de feu, comme son oncle Dominick le lui avait appris. Lorenzo se relevait quand Hawes lui balança un coup de pied et lui enfonça un genou dans le dos, le maintenant pendant que Carella lui passait les menottes.

– Demandez-lui s'il connaissait ma grand-mère, dit Priscilla.

– On a aussi quelques questions à vous poser, l'informa Carella.

Tous étaient pantelants.

Ollie Weeks le Gros demanda à l'ordinateur de lui indiquer tous les collèges, lycées, écoles libres, institutions religieuses ou « écoles alternatives [1] » dont le nom commençait par la lettre P.

1. École privée dispensant un enseignement reposant sur des méthodes nouvelles. (N.d.T.)

Il y avait quinze de ces écoles privées dans la seule zone métropolitaine.

Trente-huit dans tout l'État.

Concernant les écoles publiques, l'ordinateur en dénombrait cent quarante-six, mais seulement trente dont le nom commençait par le mot Port. Port Ceci, Port Cela – jamais Ollie n'aurait soupçonné l'existence de toutes ces petites villes côtières.

Dans les États voisins, on comptait jusqu'à trente-neuf établissements privés, et cent trente-huit publics, dont le nom commençait par la lettre P.

Dans la ville même, tous les établissements publics étaient précédés des lettres P.S. [1], de sorte que l'appareil vomit plus de collèges qu'Ollie n'aurait pu en joindre en dix ans d'investigation. Il limita sa recherche aux noms propres et obtint soixante-trois écoles dont le nom commençait par P.

Certaines portaient le nom de quartiers de la ville – comme Parkhurst, Pineview ou Paley Hills –, d'autres celui d'une personne. Ne faisant pas la différence entre noms et prénoms, l'ordinateur lui donna aussi bien le collège Peter Lowell que le lycée Luis Perez. Mais Ollie était né et avait grandi dans cette bonne ville, il savait que les jeunes ne disent jamais qu'ils sont à Harry ou à Abraham, mais à Truman ou à Lincoln. Il conclut donc que, si la lettre ornant les parkas était l'initiale d'une personne dont l'établissement tirait son nom, ce devait être un nom de famille. Reprenant la liste imprimée par la machine, il réduisit les soixante-trois écoles publiques à dix-sept. Il progressait.

Lorsqu'il fut prêt à donner ses coups de téléphone, la liste élaguée semblait raisonnable.

Plus ou moins.

C'est l'histoire d'une femme qui parle à une autre femme de son fils qui fait des études de médecine et qu'elle qualifie de docteur. L'autre répond : « Pour toi, ton fils est docteur. Mais pour un docteur ? »

1. *Public school.* (N.d.T.)

Pour Byrnes, Carella était italien. Pour Hawes, Carella était italien. Mais pour un Italien?

Lorenzo Schiavinato réclama un interprète.

L'homme s'appelait John McNalley.

Il avait appris l'italien au collège et à l'université parce qu'il voulait devenir chanteur d'opéra. Il ne chanta jamais à la Scala ni au Met parce qu'il avait une voix médiocre, mais il avait aussi des facilités pour les langues, et – en plus de servir d'interprète pour la police et pour les tribunaux – il travaillait également pour de nombreux éditeurs, traduisant des ouvrages remarquables du français, de l'italien et de l'espagnol.

Il continuait à rêver de devenir ténor.

McNalley informa Lorenzo qu'il était inculpé de meurtre au second degré. Dans cet État, on était inculpé de meurtre au premier degré uniquement si on avait tué quelqu'un pendant l'accomplissement d'un autre crime, ou si l'on avait déjà été condamné pour meurtre, ou si l'acte perpétré était particulièrement bestial, ou gratuit, s'il s'agissait d'un contrat, si la victime était un policier, un gardien de prison, un prisonnier d'un établissement de l'État, le témoin d'un crime antérieur, un juge – autant de personnes qui, aux yeux de l'inculpé, méritaient d'être tuées.

Le meurtre au second degré consistait à tuer n'importe qui d'autre.

Comme le meurtre au premier degré, le meurtre au second degré était un crime de classe A-1. Selon la nouvelle législation, Lorenzo risquait au pire la peine capitale, au mieux de quinze ans à la perpétuité – dans un cas comme dans l'autre, cela n'avait rien d'une partie de plaisir.

Naturellement, il réclama aussi un avocat.

Lorenzo était un étranger en situation irrégulière aux États-Unis, mais, ho, hé, il connaissait ses droits.

L'avocat de Lorenzo s'appelait Alan Moscowitz.

C'était un grand type anguleux qui portait un costume marron trois pièces, et faisait très homme de loi avec ses lunettes à monture dorée et ses chaussures marron étincelantes. D'une manière générale, Carella n'aimait pas les avocats, mais l'espoir fait vivre, et peut-être qu'un jour il tomberait sur un avocat qui ne le prendrait pas à rebrousse-poil.

Moscowitz ne comprenait pas un mot d'italien.

Triomphe du melting-pot.

En italien, on donna lecture de ses droits à Lorenzo, qui déclara les avoir compris, et Moscowitz s'assura, par le truchement de l'interprète, que son client avait effectivement saisi et était disposé à répondre à toutes les questions que poseraient les policiers. Les questions qu'ils posèrent concernaient le meurtre de sang-froid, à bout portant, d'une vieille femme de quatre-vingt-trois ans. Lorenzo n'avait pas l'air d'un homme ayant commis un meurtre – mais il faut dire que c'est aussi le cas d'un grand nombre d'assassins. Il avait l'air d'un Robert Redford un tantinet hébété ne parlant qu'un anglais sommaire, du genre Moi Tarzan, Toi Jane.

L'échange, en anglais, en italien, puis de nouveau en anglais, donna la chose suivante :

– Mr Schiavinato...

Très difficile à prononcer. Ski-*a*-vi-*na*-to.

– Mr Schiavinato, connaissez-vous, ou avez-vous connu une dénommée Svetlana Dyalovich ?

– Non.

– Et Svetlana Helder ?

– Non.

– Sa petite-fille nous a déclaré... Vous saviez qu'elle avait une petite-fille ?

– Non.

– Nous lui avons parlé. Elle nous a appris certaines choses sur lesquelles nous voudrions vous interroger.

– Hum.

– Mr Schiavinato, avez-vous déposé à l'hôtel Powell pour Miss Priscilla Stetson la clef d'un casier de la consigne de la gare routière de Rendell Road ?

– Non.

– Dans la matinée du 21 janvier ?

– Non.

– Miss Stetson prétend que si.

– Je ne sais pas qui est Miss Stetson.

– La petite-fille de Svetlana Dyalovich.

– Je ne connais ni l'une ni l'autre.

— Casier 136. Ça ne vous dit rien?

— Non.

— Qui vous avait remis cette clef?

— Je ne sais pas de quelle clef vous parlez.

— C'est Svetlana Dyalovich qui vous avait donné cette clef?

— Personne ne m'a donné de clef.

— Svetlana Dyalovich avait-elle l'habitude de venir vous acheter du poisson pour son chat, au marché de Lincoln Street?

— Non.

— Tôt le matin.

— Non.

— Tous les matins.

— Non. Je ne connais pas cette femme.

— Jamais été chez elle?

— Comment j'aurais pu? Je ne la connais pas. Je ne sais pas où elle habite.

— Sa voisine, au bout du couloir, a raconté à la petite-fille que vous êtes allé là-bas un matin livrer du poisson.

— Je ne la connais pas, la voisine non plus, la petite-fille non plus.

— Vous ne vous êtes jamais rendu au 1217 Lincoln Street, appartement 3A?

— Jamais.

— Mr Schiavinato, je vous montre cette arme étiquetée comme preuve et je vous demande si vous l'avez déjà vue.

— Non.

— Avez-vous acheté ce pistolet à un nommé José Santiago...

— Non.

— ... la veille...

— Non.

— ... du jour où Svetlana Dyalovich a été assassinée?

— Non.

— Ne lui avez-vous pas téléphoné quelques minutes avant d'acheter l'arme?

— Non.

— Mr Schiavinato, nous avons un rapport de la compagnie du téléphone indiquant que, vendredi dernier, à une heure dix-sept du matin, quelqu'un a téléphoné de la cabine d'un bar appelé le Juice Bar à un numéro attribué à Svetlana Helder, 1217 Lincoln Street...

– *Cosa?*

La sténographe du 87ᵉ relut la question. McNalley, l'interprète, la traduisit pour Lorenzo. D'un hochement de tête, Moscowitz fit signe à son client qu'il pouvait répondre.

– Je ne sais pas qui a téléphoné à cette femme. Pas moi, en tout cas.

– Étiez-vous au Juice Bar ce soir-là à une heure?

– Non. Je ne connais pas cet endroit.

– Là-haut, à Riverhead?

– Non.

– Harris Avenue?

– Non.

– Mr Schiavinato, vous connaissez un certain Bernard Himmel?

– Non.

– Bernie Himmel?

– Non.

– Benny Himmel?

– Non.

– Le Banquier?

– Je ne connais aucune de ces personnes.

– Vous ne lui avez jamais confié un pari?

– Jamais. A aucun d'eux.

Bonne imitation du sourire de Robert Redford.

Hawes eut envie de le gifler.

– Jamais parié sur le Super Bowl par son intermédiaire?

– Qu'est-ce que c'est, le Super Bowl?

Une bonne baffe pour lui faire ravaler son sourire.

– Les Steelers contre les Cow-Boys?

– Je ne comprends rien à ce que vous dites.

– Vingt plaques sur les Steelers?

– Qu'est-ce que c'est, vingt plaques?

– Vous avez perdu. A cause de l'écart de points.

– Qu'est-ce que c'est, l'écart de points?

– J'ai l'impression de jouer à Jeopardy, soupira Carella.

– Je vous en prie, inspecteur, protesta Moscowitz, haussant un sourcil.

– Désolé, maître, fit Carella, haussant lui aussi un sourcil. Mr Schiavinato, avez-vous perdu vingt mille dollars sur le match des Steelers contre les Cow-Boys ?

– Je n'ai jamais eu vingt mille dollars de ma vie.

– Vous les aviez quand vous avez remboursé votre dette, pourtant.

– Je ne dois rien à personne. J'ai un travail honnête.

– Vous ne deviez pas à Bernie Himmel vingt mille dollars misés dans le Super Bowl ?

– Non.

– Vous êtes allé le voir vendredi soir...

– Non.

– ... et il a menacé de vous tuer si vous n'apportiez pas l'argent avant dimanche matin.

– Je ne sais pas de quoi vous parlez.

– Bernie Himmel. Votre bookmaker. Bernie le Banquier. Vous êtes joueur, n'est-ce pas, Lorenzo ?

– Il m'arrive de parier sur un cheval. Au course-par-course. Mais je ne connais pas cet homme.

– Alors, vous ne vous souvenez pas qu'il vous a menacé de vous envoyer nager avec vos petits poissons ?

– Comment il aurait pu me dire ça ? Je ne le connais pas.

– Après quoi, vous êtes allé à la cabine...

– Non.

– ... et vous avez appelé Svetlana Dyalovich. Pourquoi, Mr Lorenzo ? Pour vous assurer qu'elle serait absente quand vous iriez cambrioler l'appartement ?

– *Cosa ?*

La sténographe répéta la question ; McNalley la traduisit ; Moscowitz s'éclaircit la voix.

– Inspecteur, mon client vous a dit et répété qu'il ne connaît pas Svetlana Dyalovich, qu'il ne connaît pas sa petite-fille et qu'il n'est jamais allé à l'appartement de Lincoln Street. Il ne connaît pas non plus de bookmaker nommé Bernie Himmel, ni de trafiquant d'armes nommé José Santiago. Si vous...

– Ce n'est pas un trafiquant d'armes.

– Excusez-moi, je pensais qu'il était censé avoir vendu un pistolet à mon client.

— Il lui a bien vendu un pistolet. Mais il n'est pas trafiquant d'armes. Il est pompiste dans une station Texaco.

— Quelle que soit sa profession, mon client ne le connaît pas.

Carella soupçonnait Moscowitz d'appeler le suspect « mon client » uniquement parce qu'il n'arrivait pas à prononcer son nom.

— Alors, à moins que vous n'ayez quelque chose de nouveau à...

— Qu'est-ce que vous diriez de témoignages le reliant clairement à l'arme, maître ?

— Vous ! s'exclama l'avocat, pointant le doigt vers la sténo. Arrêtez de noter. (Il revint à Carella.) Ce qui va suivre reste entre nous ?

— Bien sûr.

L'employée attendit. Carella lui adressa un signe de tête.

— Bon, allez-y, dit Moscowitz.

— Nous avons remonté la piste de l'arme depuis son propriétaire...

— Qui s'appelle ?

— Rodney Pratt.

— Jusqu'à ?

— José Santiago, qui l'a volée dans la boîte à gants de la voiture de Pratt...

— Il l'a reconnu ?

— Oui.

— Et, de Santiago... ?

— A Mr Schiavinato, qui la lui a achetée pour deux cent cinquante dollars.

— C'est là que commencent les suppositions, inspecteur. Mais admettons, temporairement, pour faciliter la discussion, que mon client ait acheté un pistolet à cet homme. Qu'est-ce qui en fait l'arme du crime ?

— Les balles qui ont tué Mrs Helder et son chat ont été tirées avec cette arme. Nous les avons retrouvées enfoncées dans la porte, derrière la morte, et dans le plancher, derrière le chat. Nous avons retrouvé l'arme elle-même dans un égout, près de l'immeuble. La seule chose que nous n'ayons pas, ce sont les empreintes de Mr Schiavinato sur le pistolet, et franchement...

— Lacune capitale, inspecteur. N'importe qui a pu se servir de cette arme.

— Votre client... commença Byrnes.

Lui non plus n'arrivait pas à prononcer *Schiavinato*.

— ... pourrait peut-être nous expliquer pourquoi il a téléphoné à la victime quelques minutes avant d'acheter l'arme qui l'a tuée.

— Pourquoi il lui a téléphoné, lieutenant?

Le point faible.

Byrnes le savait, Carella le savait, Hawes le savait, et Moscowitz s'engouffrait dans la brèche : pourquoi Lorenzo avait-il appelé Svetlana avant d'acheter l'arme dont il se servirait plus tard pour l'assassiner?

— Nous pensons qu'il avait l'intention de cambrioler l'appartement, répondit Carella. Il a téléphoné pour savoir quand il pourrait le faire sans risque. Quand elle serait sortie.

Toujours aussi faiblard.

— Vous voulez dire qu'il l'a appelée pour lui demander quand elle était chez elle? Pour pouvoir venir la cambrioler...

— Non, il ne lui a pas demandé comme ça.

— Comment, alors?

— Je ne sais pas exactement ce qu'il lui a dit.

— Mais vous pensez qu'il cherchait à déterminer quand elle serait sortie...

— Oui.

— Pour savoir quand il pourrait venir cambrioler tranquillement?

— C'est ça.

— En italien?

— Quoi?

— Cette conversation. C'était en italien?

— Oui, d'après un témoin.

— Parce que mon client ne parle pas anglais, voyez-vous.

— Je le soupçonne de se débrouiller à peu près.

— Tiens. Et pourquoi?

— Pour vendre son poisson, il doit au moins parler un peu l'anglais, non?

— Il faudra lui poser la question, dit Moscowitz avec un sourire suave. En italien, bien sûr.

Hawes eut envie de le claquer, lui aussi.

— La conversation a duré combien de temps, vous le savez? poursuivit l'avocat.

— Non.

— La compagnie du téléphone le sait, je présume.

— Oui, mais...

— Si nous l'appelions?

— Pour quoi faire?

— Savoir combien il a fallu de temps à mon client de langue italienne pour apprendre quand sa victime éventuelle serait sortie, afin de pouvoir cambrioler l'appartement.

Il répète sa plaidoirie dans la salle d'interrogatoire, pensa Carella. Et elle est convaincante.

— A ce propos, on a décelé des indices d'effraction dans l'appartement?

— La fenêtre était ouverte.

— Ah? Cela signifie qu'il y a eu cambriolage, d'après vous?

— Non, mais Mr Schiavinato devait savoir qu'il y avait de l'argent chez Mrs Helder...

— Ah? Comment l'aurait-il su?

— Il la connaissait. Il lui parlait tous les matins au marché. Il a même livré chez elle un jour qu'elle était malade. C'était une vieille femme solitaire, elle s'est confiée à lui. Et il a abusé de sa confiance.

— Je vois. En la cambriolant. Puis en lui tirant dessus, c'est ça?

— Oui.

— Pourquoi?

— Elle l'a surpris en train de...

— Je croyais qu'il lui avait téléphoné pour savoir quand elle serait sortie.

— Oui, mais...

— S'il savait quand elle serait absente, comment a-t-il pu se laisser surprendre?

— Les gens rentrent chez eux inopinément, ça arrive tout le temps.

— Donc, il la tue. Après avoir trouvé l'argent, dont il était censé connaître la présence?

— Sûrement, puisqu'il a remboursé son bookmaker le lendemain.

— Il lui a remis vingt mille dollars, c'est ça?

— Oui. Himmel nous a dit...

— Un book, fit Moscowitz, avec un geste dédaigneux de la main.

— Il n'avait aucune raison de mentir.

— Ah? Depuis quand les paris clandestins sont-ils devenus légaux?

— Nous ne lui avons proposé aucun marché.

— Et si vous m'en proposiez un?

— C'est-à-dire?

— On rentre tous à la maison. Mon client compris.

— Votre client est un assassin.

— Qui a volé vingt mille dollars à une vieille dame, mm?

— Peut-être plus.

— Ah? Combien?

— Elle avait retiré cent vingt-cinq mille dollars à la caisse d'épargne le matin même.

Moscowitz regarda Carella.

— Attendez un peu, que je comprenne bien. Vous dites maintenant qu'il lui a volé cent vingt-cinq mille dollars?

— Je dis que l'argent a disparu. Je dis qu'une partie – vingt mille dollars – a été remise à un bookmaker le lendemain matin. Je dis que c'est hautement probable, oui.

— Qu'il ait volé l'argent et qu'il l'ait ensuite tuée, c'est ça?

— Oui, c'est ça. C'est ce que nous pensons.

— Inspecteur, je vais vous dire. Votre argumentation est tellement ridicule que je vous demande d'arrêter immédiatement d'interroger mon client...

— Schiavinato. Il s'appelle Ski-*a*-vi-*na*-to.

— Merci. Nous tournons en rond. Vous faites perdre du temps à tout le monde, et vous savez parfaitement qu'un grand jury balancerait vos accusations par la fenêtre au bout de dix secondes.

— Je ne crois pas.

— Nous ne croyons pas, amenda Byrnes.

— Que vous le croyiez ou non, on arrête. Tout de suite.

— D'accord, accepta Carella. En fait, j'ai une suggestion à faire.

— Laquelle, inspecteur ?

— Procédons à une petite séance d'identification.

L'avocat regarda le policier.

— On tire Himmel et Santiago du lit, dit Carella. Ainsi que le type qui a vu votre client se pencher au-dessus de la bouche d'égout où nous avons retrouvé l'arme.

Moscowitz garda le silence pendant un moment qui parut long, puis riposta :

— Quel type ? Je suis sûr qu'il n'existe pas, votre témoin.

— Vous voulez parier, maître ?

— Ce que je ne comprends pas, disait Priscilla, c'est ce que sont devenus les cent vingt mille.

— Moi non plus, assura Georgie.

Ils étaient assis dans le bureau du lieutenant Byrnes, Priscilla dans le confortable fauteuil de cuir noir de Byrnes, ses gars sur des chaises en bois à l'autre bout de la pièce, près des rayonnages de livres. De l'autre côté de la porte, c'était la salle des inspecteurs proprement dite. De l'autre côté des fenêtres d'angle grillagées, c'était le grondement incessant de la circulation dans Grover Avenue et la rue adjacente. Au-delà de la barrière en bois qui séparait la salle du couloir, dans une petite pièce avec l'inscription INTERROGATOIRE sur le verre dépoli de la partie supérieure de la porte, les policiers continuaient à cuisiner Lorenzo Schiavinato. La petite horloge numérique posée sur le bureau près de la photo d'une femme, que Priscilla supposait être celle du lieutenant, indiquait dix heures trente-deux. Le temps commençait à se couvrir. Il allait peut-être se remettre à neiger.

— Il a dit qu'elle avait retiré cent vingt-cinq mille à la caisse d'épargne, non ?

— Le flic, ouais, répondit Tony.

— Il nous a bien dit cent vingt-cinq ?

— Carella, ouais.

— Alors, comment se fait-il qu'il n'en restait que cinq dans l'enveloppe ? demanda Priscilla.

— Cinq mille, c'est pas des cacahuètes, lui rappela de nouveau Georgie.

Il voulait désespérément lui faire croire que la vieille

dame pensait à cinq mille dollars quand elle écrivait que sa petite-fille ne serait pas oubliée. Il voulait qu'elle cesse de penser aux cent vingt mille disparus. Il savait où se trouvait une partie – quatre-vingt-quinze mille – de cette somme. Dans une boîte à chaussures, sur l'étagère du haut du placard de sa chambre, fourrée à l'intérieur d'une paire de mocassins en cuir noir qu'il mettait, avec son smoking, dans les grandes occasions comme le réveillon du Nouvel An.

– Qu'est-ce que sont devenus les cent vingt mille? demanda de nouveau Priscilla.

Georgie faisait de l'arithmétique.

La vieille avait retiré cent vingt-cinq mille à la caisse d'épargne. Or, il n'y en avait que cent dans le casier. Où étaient passés les vingt-cinq autres?

Lorenzo pleurait dans ses mains.

Parce qu'il était italien. Et aussi parce que son avocat lui avait conseillé de lui dire tout ce qu'il savait sur la mort de la vieille dame avant que les flics ne fassent venir un tas de gens qui pointeraient le doigt vers lui. Sans le secours d'un interprète, Moscowitz écouta Lorenzo raconter son histoire dans un anglais haché.

Une triste histoire.

Après l'avoir entendue, l'avocat déclara aux inspecteurs qu'il y avait bien eu crime, mais dans des circonstances tout à fait particulières. Tenant compte de ces circonstances, il avait recommandé à son client de faire sa déclaration en présence d'un *district attorney* et réclamait donc qu'on en fassse venir un.

Ce qui signifiait qu'il était prêt à passer un accord.

Il neigeait lorsque le *district attorney* adjoint Nellie Brand arriva au 87e. Elle avait froid, elle se sentait mal habillée, bien qu'elle parût en fait d'une chaude élégance avec son tailleur marron, ses bottes en cuir assorties, son chemisier beige et le bandeau vert qui mettait en valeur ses yeux bleus et ses cheveux sable.

Elle s'était querellée avec son mari avant de partir au

travail, ce matin, et montrait une brusquerie inhabituelle, même avec des inspecteurs qu'elle connaissait aussi bien que ceux du 87e. Elle connaissait aussi Moscowitz, avait même perdu une affaire contre lui six mois plus tôt. Au total, son humeur ne présageait rien de bon pour Lorenzo Schiavinato, qui lui semblait un peu trop beau, et qui, de son propre aveu, avait logé deux balles dans une petite vieille. Nellie avait été mise au courant. Avec l'aide d'un interprète, elle commença l'interrogatoire par les conneries habituelles – nom, adresse, profession –, puis enchaîna par la procédure routinière qu'elle avait utilisée cent fois.

Q : Pouvez-vous me dire, monsieur, depuis combien de temps vous connaissiez la victime ?

Carella remarqua que Nellie évitait elle aussi d'appeler Schiavinato par son nom. S'il sortait un jour de prison, il aurait intérêt à changer pour Skeever, ou quelque chose comme ça. Il lui vint aussi à l'esprit que Nellie avait appelé Svetlana Dyalovich « la victime », et il se demanda si elle n'avait pas également des difficultés à prononcer ce nom. Peut-être que tout le monde devrait changer de nom, pensa-t-il, ce qui lui fit manquer une partie de la réponse de Lorenzo.

R : ... marché au poisson.

Q : Le marché au poisson de Lincoln Street ?

R : Oui. Là où je travaille.

Q : Et c'est là que vous avez fait sa connaissance ?

R : Oui.

Q : C'était quand ?

R : A la mi-septembre.

Q : Septembre dernier ?

R : Oui.

Q : Vous la connaissiez donc depuis quatre mois environ. Un peu plus de quatre mois.

R : Oui.

Q : Êtes-vous allé un jour à son appartement ?

R : Oui.

Q : 1217, Lincoln Street ?

R : Oui.

Q : Le 3A ?

R : Oui.

Q : Quand y êtes-vous allé?

R : Deux fois.

Q : Quand?

R : La première fois pour livrer le poisson du chat. Svetlana était malade, elle avait téléphoné au marché.

Q : Vous l'appeliez Svetlana?

R : Nous étions amis.

Q : Avez-vous rendu visite à votre amie le soir du 20 janvier, il y a deux jours?

R : Oui.

Q : De nouveau pour livrer du poisson?

R : Non.

Q : Pourquoi, alors?

R : Pour la tuer.

Q : Vous l'avez fait?

R : Oui.

Q : Pourquoi?

R : Pour la sauver.

A entendre Lorenzo, Svetlana est une charmante vieille dame qui vient au marché chaque matin acheter du poisson frais pour son chat, qui lui dit, chaque jour, dans un italien presque parfait...

Mica, lei parla italiano bene.

Solo un pochetino.

No, no, molto bene.

Il la félicite pour la façon dont elle parle sa langue maternelle; elle nie timidement, lui dit qu'il lui faudrait...

Mi bisogna un po di pesce fresco per il mio gatto...

... du poisson frais pour son chat, deux poissons, un pour le matin, un pour le soir. Elle lui donne à manger deux fois par jour, mais le poisson doit être très frais, parce que « Mon Irina est une petite difficile », dit-elle en italien, avec une moue de jeune fille qui lui fait penser qu'elle a dû être très belle. Même à son âge, elle a gardé quelque chose d'élégant dans sa démarche, un long pas gracieux, comme si elle traversait une scène. Il se demande parfois si elle n'a pas été comédienne.

Il se rend compte pour la première fois qu'elle souffre constamment, quand, un matin, au marché, elle arrive à peine à ouvrir son sac pour le payer. On est encore en septembre, le temps est doux, ensoleillé, mais elle a des difficultés avec le fermoir du sac, et il remarque, pour la première fois, les mains déformées, les doigts noueux.

La douleur la fait grimacer et elle se détourne, gênée, pour continuer à lutter en silence, le dos tourné. Quand, enfin, elle parvient à écarter les pièces de métal rebelles, elle se tourne vers lui et il voit des larmes couler sur ses joues au moment où elle lui tend quelques dollars pour les deux poissons.

– Ça va? demande-t-il.

Puoi alzare la voce? Sono un po sorda.

Peut-il parler plus fort? Elle est un peu sourde.

Il répète la question, et elle répond, en italien : « Oui, ça va. »

Il apprend un jour, au début du mois d'octobre, qu'elle est née en Russie, et, aussitôt, un lien plus fort les unit, ces deux émigrés dans une ville d'émigrés, lui marchand de poisson italien, trente-quatre ans, à la dérive en terre étrangère, elle expatriée russe, octogénaire, ancienne actrice, peut-être, ou danseuse, ou même princesse, qui sait? Une petite princesse du temps du tsar, qui sait? Venant chercher du poisson frais pour « *il mio piccolo tesoro Irina* ».

Mon petit trésor, Irina.

Elle lui rappelle un peu sa tante Lucia, douce et cultivée, qui a épousé un épicier de Napoli quand Lorenzo n'avait que douze ans, qui lui a brisé le cœur quand elle est partie pour cette ville du Sud si lointaine, magnifique mais barbare.

Leur conversation quotidienne ne dure que dix ou quinze minutes, mais, chaque fois, ils se connaissent un peu mieux, et il s'aperçoit qu'il attend avec impatience ses visites au marché, un joli foulard en soie sur la tête maintenant que l'hiver approche, des gants de laine sur ses mains tordues, un manteau de laine bleue élimé, il devine qu'elle a été autrefois une femme chic et raffinée.

Un jour, il lui révèle pourquoi il a quitté Milan.

– Je suis joueur, dit-il. Je devais de l'argent.

– Ah, fait-elle, hochant la tête gravement.

– Beaucoup d'argent. Ils ont menacé de me tuer. En Italie, ce n'est pas des menaces en l'air. Je suis parti.

– Vous jouez toujours?

– Eh, dit-il.

Avec un haussement d'épaules et un sourire triste, il avoue :

– Oui, *signora*, de temps en temps, *che posso fare?* Et vous, vous n'avez pas de mauvaises habitudes?

– J'écoute de vieux disques.

Une semaine plus tard, il apprend qu'elle a été pianiste de concert, qu'elle a souvent joué à la Scala de Milan, que c'est là qu'elle a appris l'italien...

– *Ma no! La Scala? Veramente?*

– Oui, oui, répond-elle, tout excitée. Pas seulement à Milan, mais aussi à New York, Londres, Paris...

– *Brava.*

– ... Budapest, Vienne, Anvers, Prague, Liège, Bruxelles, partout. Partout.

Sa voix se brise.

– *Bravissima.*

– Oui, murmure-t-elle.

Ils gardent un moment le silence, pendant qu'il emballe le poisson qu'il lui a conseillé.

– Et maintenant, vous jouez encore?

– Maintenant, j'écoute le passé.

Juste avant Thanksgiving, elle vient au marché et dit à Lorenzo qu'elle est allée voir l'oto-rhino la veille, qu'elle a passé des tests.

– Des tests audiométriques, *non so la parola italiana...*

... elle ne connaît pas le mot en italien, enfin, on fait entendre des bruits divers dans chaque oreille. Les résultats n'ont pas été bons, et elle craint, maintenant, d'avoir quelque chose d'autre. Depuis quelque temps, elle a des sifflements dans les oreilles, elle a peur...

Lorenzo lui répond que les tests ne sont pas toujours fiables, que les médecins se trompent souvent; ils se prennent pour Dieu, ils s'imaginent avoir le droit de jouer avec les émotions des gens, mais Svetlana continue à secouer la tête en disant qu'elle sait que les tests ne se trompent pas, elle entend moins bien de jour en jour. Et s'il venait un moment où elle ne pourrait même plus écouter ses propres enregistrements? Alors le passé lui-même disparaîtrait. Autant être morte.

Ce n'est que le jour où il lui apporte le poisson pour Irina, le matin où elle est malade...

Q : Malade ?

R : Rien de grave. Un rhume. Encore que, pour une vieille femme...

Q : Quand était-ce ?

R : Au début du mois.

Q : De ce mois-ci ?

R : Oui. Janvier.

Q : Comment saviez-vous qu'elle était malade ?

R : Elle m'avait téléphoné.

Lorenzo, non mi sento tanto bene oggi. Me lo puoi portare i pesci ?

Q : Elle vous a téléphoné au marché ?

R : Oui. Et elle m'a demandé si je pouvais choisir deux beaux poissons bien frais pour Irina, comme d'habitude, et les livrer à l'appartement. J'ai dit oui – c'était devenu une amie. Je suis arrivé là-bas...

A huit heures et demie, ce matin de janvier, le couloir est désert quand Lorenzo frappe à la porte de l'appartement 3A. Mais, juste au moment où Svetlana répond « Oui, qui est là ? », la porte du 3C s'ouvre sur une femme d'allure exotique, longs cheveux noirs et yeux sombres, une bouche à la Sophia Loren, des pommettes hautes et un merveilleux...

Q : Eh bien, quoi, cette femme ?

R : Elle sortait de chez elle.

Q : Le 3C, vous dites ?

R : Au bout du couloir.

Q : Eh bien ?

R : Rien. Je vous donne tous les détails.

A travers la porte, il annonce à Svetlana que c'est lui, Lorenzo, avec le poisson pour Irina. Elle lui crie d'entrer, ce n'est pas fermé à clef. La fille du 3C a déjà disparu dans l'escalier. Lorenzo entre. L'appartement est petit, terriblement froid. Svetlana, en peignoir de soie rose passée, est assise dans le grand lit d'une chambre minuscule, sous une couette qui a presque l'air italienne. Il y a une commode qui doit être italienne, un de ces meubles qu'on trouve en Sicile ou en Sardaigne, avec des poignées tarabiscotées, des ornements peints sur le dessus et les côtés.

È un mal raffredore, elle a attrapé un mauvais rhume, dit-elle, puis elle lui recommande gentiment de ne pas s'approcher. *Non ti avvicinare.*

Irina est allongée au pied du lit. C'est un gros animal gris, noir et blanc. Elle cligne nonchalamment des yeux en direction de Lorenzo quand il entre dans la pièce, sent l'odeur du poisson frais emballé dans un papier blanc, et soudain elle est tout oreilles dressées, yeux verts étincelants, nez qui remue. Une bête fauve, pense Lorenzo.

Svetlana lui demande s'il veut bien donner à Irina l'un des poissons. Il n'a qu'à le mettre dans son écuelle, sous l'évier; Irina mange tout à part l'arête centrale et la partie dure de la mâchoire. Lorenzo va dans la cuisine, déballe le poisson tandis que la chatte se frotte contre sa jambe. Il y a quelque chose chez les chats qui le met terriblement mal à l'aise. Il ne sait jamais ce que pense un chat. Il ne sait jamais si l'animal va lui lécher la main ou lui sauter à la gorge. Il pose le poisson cru dans l'écuelle et recule aussitôt.

Quand il revient dans la chambre, Svetlana le prie de rester un instant, elle a quelque chose à lui demander. Il va prendre une chaise près de la commode. A l'autre bout de la pièce, il voit un placard ouvert, où des vêtements élimés mais coûteux pendent sur des cintres gansés d'une soie de même couleur que le peignoir de Svetlana. Elle tousse, prend un Kleenex dans une belle boîte, sur la table de nuit, se mouche et dit :

Lorenzo, voglio che tu mi ammazi.

Lorenzo, je veux que tu me tues.

14

D'abord, il ne sait comment réagir. C'est une plaisanterie russe? En ce cas, les Slaves ont un sens très particulier de l'humour. Il est censé rire? Non, elle a l'air tout à fait sérieuse. Elle veut qu'il la tue. Elle n'a pas le courage de le faire elle-même, dit-elle. Et puis, comment se tuer si on n'a pas de pistolet? Sauter du toit? Ouvrir le gaz? Se trancher les poignets avec un rasoir ou un couteau? Se pendre au lustre? Non, trop horrible, tout ça. Un pistolet, c'est rapide et sûr, mais où en trouver un? Lorenzo saurait où trouver un pistolet? Et s'il arrivait à s'en procurer un, il aurait la gentillesse de tirer sur elle?

Elle ne sourit pas.

Ce n'est pas une plaisanterie.

Il entend, dans la cuisine, le chat qui déchiquette le poisson posé dans son écuelle. Le bruit a quelque chose d'obscène. Les chats ressemblent trop à des bêtes sauvages. Un pas en arrière, et ils se retrouveraient à chasser dans la jungle.

Svetlana lui explique qu'elle a vu un neurologue qui a diagnostiqué une tumeur bénigne du nerf du canal auditif gauche. A moins de subir une intervention chirurgicale, elle deviendra complètement sourde de cette oreille. Mais les chances de...

— Alors, vous devez...

— Non, tu ne comprends pas. Même si je fais le choix de la chirurgie... C'est comme ça qu'ils disent, Lorenzo, faire le choix, comme si je devais élire le président...

Même si je fais le choix de la chirurgie, si je l'accepte, même dans ce cas...

Elle secoue la tête.

– J'ai attendu trop longtemps, continue-t-elle. La tumeur est si grosse qu'on ne pourra sans doute pas m'éviter la surdité. Plus la tumeur est grosse, plus les chances de réussite sont faibles, voilà ce qu'il m'a dit. Le docteur. Et, si elle fait plus de trois centimètres de diamètre...

Elle se met à pleurer.

– Ils ne pourront peut-être pas sauver les nerfs faciaux non plus. Voilà ce qu'il m'a dit. Le docteur.

Lorenzo écoute, impuissant et désespéré.

– Alors, à quoi bon? Mes mains sont déjà mortes, je ne peux plus jouer. Et je devrais maintenant faire le choix de vivre sans entendre? Sans pouvoir exprimer mes sentiments avec mon visage? Quand je jouais, mes mains et mon visage exprimaient tout ce qu'il y avait à exprimer. Tu sais ce qu'on disait de moi? C'est une tornade. Une tornade venue des steppes. Mon visage et mes mains. Une tornade.

Les sanglots qui la secouent hachent son débit:

– Qu'est-ce... qu'est-ce qu'il me reste, Lorenzo? Pourquoi devrais-je choisir de vivre? Je t'en prie, aide-moi.

Elle plaque ses mains sur son visage, pleure derrière ses doigts.

– S'il te plaît, implore-t-elle. Tue-moi. S'il te plaît.

Il répond que c'est absurde.

Il répond que, même si les chances de réussite sont minces, elle doit subir l'opération, il le faut, bien sûr. En plus, on ne prend pas de décision d'une telle importance quand on ne se sent pas bien. Elle est malade...

– Regardez comme vous êtes pâle!

... elle verra les choses autrement lorsque son rhume sera guéri. Mais Svetlana secoue la tête pendant qu'il parle, non, non, elle a déjà beaucoup réfléchi, vraiment, et il lui rendrait un immense service s'il se procurait un pistolet et s'il la tuait.

– Vous êtes sérieuse? dit-il.

– Je suis sérieuse.

– Svetlana, non.

– Pourquoi?

– Parce que nous sommes amis. Vous êtes mon amie, Svetlana.

– Alors, tue-moi.

– Non.

– Je t'en prie, Lorenzo. Tue-moi. Arrache-moi à ma souffrance. Aide-moi. Je t'en supplie!

– Non.

– Je t'en prie.

– Non.

– Je te paierai.

– Non.

– Je te donnerai dix mille dollars.

– Non.

– Vingt mille.

– Non.

– Lorenzo, s'il te plaît. S'il te plaît.

– Non, Svetlana. Je suis désolé.

– Vingt-cinq mille. Pour me tuer et t'occuper ensuite d'Irina. La prendre chez toi, lui donner à manger...

– Je ne peux pas. Je ne le ferai pas.

– Je voudrais pouvoir te payer plus, mais...

– Non, Svetlana. Pas question. Même pour un million.

Mais c'est avant qu'il doive une grosse somme à Bernie le Banquier.

Ce que Bernie lui explique, si Lorenzo a correctement saisi son anglais rapide, c'est qu'il le tuera s'il ne lui apporte pas l'argent qu'il lui doit avant dimanche matin. Bernie est juif, suppose-t-il, mais il commence à faire très italien avec ses histoires de l'envoyer nager avec les petits poissons, très italien. Lorenzo a suffisamment eu affaire à des bookmakers, italiens et américains, pour savoir qu'ils ne tuent pas nécessairement, parce que, sinon, ils ne récupéreraient jamais l'argent qu'on leur doit. D'un autre côté, se faire briser les jambes ou sauter un œil n'est pas une perspective très réjouissante non plus. Il écoute sérieusement ce que le petit book lui dit, ne doute pas un instant que Bernie lui-même, ou quelqu'un que Bernie connaît, le blessera gravement s'il ne paie pas les vingt mille dollars qu'il a pariés sur ces cons de Steelers – c'est quoi, d'ailleurs, un steeler, un genre de styliste? La langue anglaise le laisse parfois perplexe, mais il est sûr de bien comprendre ce que Bernie lui dit en ce moment. « Paie-moi avant dimanche matin, lui dit Bernie, sinon, tu auras des raisons de le regretter. »

Voilà ce que Bernie lui dit.

Voilà pourquoi il appelle Svetlana et lui annonce que, si elle maintient sa proposition de l'autre jour...

– Oui, répond-elle aussitôt.

– Alors, je suis prêt à le faire, murmure-t-il au téléphone.

– Quand? murmure-t-elle à son tour.

Tous deux chuchotent en italien comme les conspirateurs qu'ils sont.

– Maintenant. Ce soir.

– Non. J'ai des choses à régler avant.

– Quand, alors?

– Demain soir?

– Bon, très bien, dit-il. Demain soir?

Le tout en italien.

Domani sera?

Si, va bene. Domani sera.

– Je vous rappelle demain, promet-il.

– D'accord. Mais pas le matin. Je serai sortie, le matin. Je dois m'occuper de quelque chose.

– Quand, alors?

– En début d'après-midi?

– Bon, je vous rappelle.

– *Ciao.*

– *Ciao.*

Deux vieux copains qui se disent au revoir. Sans faire une seule fois mention du meurtre.

Il est un peu moins de onze heures quand il arrive à l'appartement, samedi soir. Svetlana porte une robe-tablier en coton à fleurs et des chaussures à talons richelieu éculés. Elle lui dit qu'elle est passée à la caisse d'épargne le matin pour retirer l'argent qu'elle lui a promis.

– Ça m'ennuie de me faire payer pour ça, dit-il.

— C'est normal, je ne te demanderais pas de...

— J'ai une grosse dette, explique-t-il. Sinon, je n'aurais pas accepté.

— Prends, dit-elle en lui tendant une enveloppe. Compte.

— Pas besoin.

— Compte, insiste-t-elle. Il y a vingt-cinq mille dollars.

Il secoue la tête, glisse l'enveloppe dans la poche de son manteau. Il est onze heures précises.

— Je suis allée chez le coiffeur, ce matin, fait remarquer Svetlana.

— C'est très joli, dit-il, admirant les ondulations. Vous êtes belle.

— J'avais pensé à mettre une longue robe noire de concert, mais je veux donner l'impression d'avoir surpris quelqu'un chez moi. Pour qu'on ne te soupçonne pas. J'ouvrirai la fenêtre. Pour faire croire que quelqu'un est entré par là.

— Oui, dit-il.

Il se demande quel genre d'homme il est pour accepter de faire ça à une pauvre vieille femme. Quel genre d'homme? Mais il se rappelle les menaces de Bernie. Et il justifie ce qu'il s'apprête à faire, il se dit que, avec les vingt-cinq mille dollars, il peut régler les vingt mille qu'il doit et, avec les cinq mille qui restent, jouer un ou deux bons chevaux la semaine prochaine et transformer cette somme en Dieu sait combien d'argent – une fortune, peut-être. Il se dit aussi qu'il ne prend pas vraiment une vie, il fait juste ce que Svetlana souhaite. Il l'aide à mourir dans la dignité. Il l'aide à quitter ce monde avec des souvenirs intacts. Pour cette raison, Dieu lui pardonnera. Voilà ce qu'il se dit.

Ils ouvrent la fenêtre de la chambre.

L'air froid s'engouffre dans l'appartement.

Elle va au placard, y prend un vieux manteau de vison.

— C'est pour faire croire que je viens de rentrer du magasin, explique-t-elle. Pour que personne ne te soupçonne.

La main de Lorenzo commence à trembler sur la crosse du pistolet, dans la poche de son pardessus. Il n'est plus sûr d'avoir le courage nécessaire, maintenant qu'il se trouve au pied du mur. Il n'en est plus sûr du tout.

— Tu veux bien, dis? murmure-t-elle.

Il l'aide à enfiler le manteau. Il sent l'odeur de poisson de ses mains – elles sentent toujours le poisson.

Il tremble de tout son corps.

Sur le guéridon de l'entrée, elle prend son sac, fouille dedans, trouve ce qu'elle cherche, une enveloppe blanche avec un nom.

— Tu la déposeras à la réception de l'hôtel Powell, dit-elle. Le nom de ma petite-fille est écrit dessus. Tu demanderas à l'employé de la porter immédiatement à sa suite. Tu diras bien « sa suite ». Elle a une suite là-bas, tu sais?

Il acquiesce de la tête, accepte l'enveloppe.

— Promets-moi, insiste-t-elle.

— Je vous le promets.

Il range l'enveloppe dans la poche gauche de son manteau, celle qui contient déjà l'enveloppe aux vingt-cinq mille dollars. Le prix du sang. Sa main droite est dans la poche où se trouve le pistolet. Il transpire maintenant. Sa paume est moite sur la crosse de l'arme.

Il est onze heures dix.

La chatte, qui les a rejoints dans le couloir, lève les yeux vers eux, regarde d'abord le visage de Svetlana, puis celui de Lorenzo. Comme si elle s'attendait à ce qu'on lui donne à manger.

— Le panier qui sert à la transporter est dans la cuisine, dit Svetlana. Sur la table. Elle a l'habitude, elle pensera que tu la conduis chez le vétérinaire.

Il regarde la vieille dame, puis la chatte. L'animal se frotte contre sa jambe. Cela lui donne la chair de poule. Il sue et frissonne en même temps.

— Jure-moi que tu t'occuperas bien d'elle.

Il garde le silence.

— Jure.

— Je le jure.

— Jure que tu lui donneras du poisson frais tous les jours.

— Promis.

— Jure.

Je le jure.

— Sur la tête de ta mère.

— Sur la tête de ma mère, je le jure.

— L'appartement devient silencieux.

Lorenzo entend le tic-tac d'une horloge, dans la cuisine.

Il jette un coup d'œil à sa montre.

Presque vingt.

Sur le même guéridon, Svetlana prend un sac en papier brun contenant une bouteille de whisky.

— Je bois, explique-t-elle.

Son un' ubriaca.

— Tout le monde le sait, ajoute-t-elle.

Lorenzo ne connaissait pas ce détail.

En fait, il ne connaît pas du tout cette femme.

Qu'il est pourtant sur le point de tuer.

— Tu es prêt? lui demande-t-elle.

— Oui.

Elle se tient sur le pas de la porte. Le sac qui contient la bouteille est niché au creux de son bras droit. Il sort le pistolet de la poche de son manteau. La chatte continue à se frotter contre sa jambe en ronronnant. Des gouttes de sueur perlent sur son visage, coulent et se glissent sous le col de sa chemise, mouillent ses aisselles et les poils blonds emmêlés de sa poitrine. Sa main tremble violemment.

— Merci, dit-elle.

Il prend l'arme à deux mains.

— Prends bien soin d'Irina, lui recommande-t-elle une fois de plus avant de fermer les yeux.

Le silence se fait dans la salle d'interrogatoire.

Q : Vous avez tiré sur elle à ce moment-là?

R : Oui.

Q : Combien de fois?

R : Deux fois.

Q : Elle est morte aussitôt?

R : Oui.

Q : Qu'est-ce que vous avez fait ensuite?

R : J'ai tué le chat.

Nellie le regarda.

— Pourquoi avez-vous fait ça?

— Je ne voulais pas m'occuper de cette bête. Je sais, j'avais promis... Mais on ne peut pas faire confiance aux chats.

Aux hommes non plus, pensa l'adjointe au DA.

— Vous avez pris l'argent...

— Oui, mais uniquement parce que j'avais peur de Bernie.

— Vous lui avez donné les vingt mille dollars que vous lui deviez? Ou vous l'avez arnaqué, lui aussi?

— Je ne sais pas ce que ça veut dire, « arnaquer ».

— Expliquez-lui, demanda Nellie à l'interprète.

— Il vous est arrivé de sortir d'un restaurant sans laisser un pourboire au serveur?

— Je laisse toujours un pourboire, répondit Lorenzo. Quel rapport avec Bernie?

— Elle veut savoir si, avec lui aussi, vous n'avez pas tenu parole, expliqua Moscowitz. C'est bien ça?

— A peu près, confirma Nellie. Demandez-lui, dit-elle à McNalley, qui traduisit la question.

— Je ne suis revenu sur ma parole ni avec lui ni avec personne, se défendit Lorenzo. Je n'ai pas arnaqué, comme vous dites. J'ai payé Bernie, et j'ai fait tout ce que Svetlana m'avait demandé de faire. Sauf pour le chat.

— Sauf pour le chat, exactement. Le chat, vous lui avez tiré une balle dans la tête.

— Ben...

— Vous l'avez fait ou non?

— Oui. Je n'aime pas les chats.

— Moi, je les adore, dit Nellie.

Et je suis adjointe au DA, pensa-t-elle.

— Qu'avez-vous fait des cinq mille dollars qui restaient?

— Je les ai joués aux courses.

— Vous avez gagné?

— J'ai perdu.

— Sur toute la ligne, ajouta Nellie.

Pendant tout le repas, Priscilla ne cessa de se plaindre de sa radine de grand-mère qui ne lui avait laissé que cinq mille balles. Georgie ne pouvait s'empêcher de penser aux quatre-vingt-quinze mille dollars cachés dans l'un des mocassins de cuir noir rangés dans une boîte à chaussures sur l'étagère du haut de son placard.

La première chose qu'il fit en rentrant chez lui, ce fut d'aller jeter un coup d'œil à sa planque. L'argent était toujours là, dans une enveloppe d'un blanc éclatant, entourée d'un élastique, aussi belle à voir que la veille, quand il l'avait rangée là, toute gonflée de billets. Il compta l'argent. Refrénant une envie de le jeter en l'air et de le laisser retomber sur sa tête, il le remit dans l'enveloppe, glissa celle-ci dans l'un des mocassins noirs, replaça le couvercle de la boîte à chaussures, la rangea de nouveau sur l'étagère du haut et referma la porte du placard. Le téléphone sonnait dans la cuisine. Il alla décrocher.

C'était Tony.

— Quand c'est qu'on partage? demanda-t-il.

— Je passe chez toi avant qu'on aille au club ce soir.

— Ça fait combien, la moitié de quatre-vingt-quinze?

— Quarante-sept et des poussières.

— Combien de poussières?

— Cinq cents.

— Apporte aussi les poussières, réclama Tony avant de raccrocher.

— Ce que nous avons là, purement et simplement, c'est un homicide par compassion, déclara Moscowitz.

— Ce que nous avons là, purement et simplement, c'est un meurtre au deuxième degré. En fait, nous avons peut-être même un meurtre sur contrat, ce qui pourrait lui valoir la peine de mort.

— Nellie, je vous en prie.

— Quand un homme accepte de l'argent pour tuer quelqu'un, pour moi, c'est un tueur à gages.

— Quand une femme donne de l'argent à un homme pour qu'il l'aide à se suicider, pour moi, c'est une sorte de *mitsva*.

— Qu'est-ce que c'est, une *mitsva*?

— Vous ne savez pas ce que c'est qu'une *mitsva*?

— Non, qu'est-ce que c'est, une *mitsva*?

— Vous exercez votre métier depuis combien d'années dans cette ville?

— Vous m'expliquez ce que c'est une *mitsva*, oui ou non? s'impatienta Nellie.

— Une bonne action.

— Un homme tue une femme...

— A sa demande.

— Pour vous, c'est une bonne action?

— C'est une *mitsva*. Nellie, cet homme n'est pas un criminel, c'est...

— Un ange? Il a assassiné une femme de sang-froid. Il lui a tiré deux balles dans la poitrine...

— Elle voulait mourir!

— Et la chatte? Elle voulait mourir aussi?

— Bon, pour la chatte, je vous l'accorde.

— Et vous allez m'accorder plus que cette satanée chatte, Alan.

— Qu'est-ce que vous avez en tête?

— L'acoustique est mauvaise dans cette pièce? Je vous l'ai dit. Meurtre au deuxième degré. Meurtre sur contrat. Voilà ce que j'ai en tête.

— Il ne s'agissait pas d'un contrat, et vous le savez.

— Il a touché vingt-cinq mille dollars pour la tuer!

— Mais c'est elle qui les lui a donnés, argua Moscowitz. Ce n'est pas un tiers qui l'a engagé pour la tuer. C'est la victime elle-même qui...

— La victime, c'est le mot, Alan.

— ... qui désirait mourir mais qui n'avait pas le courage de se tuer. Elle souffre d'arthrite, elle a une tumeur au cerveau, elle est sur le point de devenir sourde, de perdre l'usage de ses nerfs faciaux, tout ce qu'elle veut, c'est en finir. Mon client l'a aidée.

— Oui, c'est un bon Samaritain.

— C'est un homme compatissant qui...

— Qui l'a assassinée contre vingt-cinq mille dollars pour pouvoir payer son book!

— Au pire, ce que nous avons ici, c'est un cas d'euthanasie active. Mais cette affaire fera monter les larmes aux yeux des jurés. Disons euthanasie, et...

— Eutha... s'indigna Nellie, à qui le mot resta en travers de la gorge. Un délit de classe A!

272

– Bon, je n'ai rien dit. Alors, voyons du côté de l'article 120.30. Encouragement à une tentative de suicide. Une personne est coupable d'encourager une tentative de suicide lorsqu'elle incite...

– ... ou aide une autre personne à commettre une tentative de suicide, acheva Nellie à la place de l'avocat. Mais la « tentative » a pleinement réussi, Alan ! Cette femme est morte. Et son chat aussi.

– Laissez un peu tomber ce chat, voulez-vous ? Nous parlons d'une femme qui souffre, d'un homme plein de compassion qui...

– Vous parlez d'un pauvre petit crime de classe E, voilà ce dont vous parlez. Nous perdons notre temps, Alan. Autant aller devant le jury et jouer le coup.

– Bon, j'admets que la tentative de suicide a réussi...

– Quel suicide ? Il l'a assassinée.

– Vous venez de dire que la tentative a réussi. Pleinement réussi. Ce sont vos propre termes. Alors, il va falloir choisir, Nellie. Le type a pénétré chez elle et l'a tuée de sang-froid, ou il l'a simplement aidée à se suicider ? Si vous restez sur le meurtre au deuxième degré, c'est sur ce choix que le jury devra se prononcer.

– Eh bien, qu'il se prononce.

– Pensez au Michigan.

– Non, ne me serinez pas l'affaire Kevorkian.

– Dans ce genre de cas, l'accusation est rejetée à tous les coups.

– Nous ne sommes pas dans le Michigan. Et Kevorkian n'avait tiré sur personne.

– Le jury ne verra peut-être pas les choses de cette façon, Nell.

– Ne m'appelez pas Nell, je n'ai pas grandi dans les bois.

– Je vais vous dire...

– Allez-y, dites-moi.

– Nous laissons tomber le meurtre sur contrat, d'accord ?

– Qui a dit ça ?

– On discute. Vous savez, je présume, qu'une défense affirmative...

– Ne m'insultez pas, Alan.

273

– ... selon l'article 125.25, consisterait à soutenir que l'accusé a incité ou aidé une autre personne à se suicider.

– C'est effectivement ce qu'on appelle une défense affirmative.

– En l'occurrence, il s'agit bien d'un cas d'aide au suicide.

– Et alors?

– Vous avez absolument raison. Si vous en restez à meurtre au deuxième degré, vous allez devant le jury et vous jouez le coup. Mais vous pouvez perdre.

– Qu'est-ce que vous proposez?

– Homicide au deuxième.

– Pas question.

– Une personne est coupable d'homicide au deuxième degré...

– Je connais l'article.

– ... lorsqu'elle incite ou aide une autre personne à se suicider.

– Homicide au premier, c'est tout ce que je peux vous accorder, Alan. A condition que nous soyons d'accord pour la peine maximale.

– Trop cher payé pour une *mitsva*.

– *Mitsva* mes fesses. Homicide au premier. Le maximum, Alan. De huit à vingt-cinq ans. A prendre ou à laisser.

– Disons de deux à six.

– Non.

– Il est étranger, le pauvre.

– Pas de veine.

– Il parle à peine anglais, il ressemble à Robert Redford. Vous savez ce que les autres vont lui faire en prison?

– Votre client aurait dû y penser avant d'assassiner cette vieille femme.

– Allons, Nellie. Vous savez bien que ce n'est pas un tueur. Le minimum, d'accord? De deux à six ans, d'accord?

– Je vous offre de cinq à quinze. Et nous nous opposerons à une libération sur parole au bout de cinq ans.

– Vous êtes dure.

– Et je laisse tomber le chat. Marché conclu?

– Vraiment dure, renchérit Moscowitz en secouant la tête.

– C'est oui ou c'est non?

– Est-ce que j'ai le choix?

– Bien. Allez, on rentre à la maison.

Il était près de midi quand Carella et Hawes en eurent terminé avec la paperasse. Ils avaient tous deux l'air exténués.

– Rentrez chez vous, leur proposa Byrnes, vous avez eu une longue nuit.

– Uh-huh, fit Carella.

– Dormez un peu.

– Uh-huh, fit Hawes.

– Vous avez encore une putain morte au menu, leur rappela le lieutenant.

Pour être retenu, l'établissement devait répondre positivement à deux questions : « Avez-vous une équipe de football? » et « Les couleurs de l'école sont-elles bleu marine et blanc? »

Qu'il s'agisse du lycée St. Peter ou du lycée John Parker, s'il obtenait une réponse affirmative aux deux questions, il sellait son cheval et en route.

A une heure de l'après-midi, Ollie Weeks le Gros s'était personnellement rendu dans tous les établissements retenus de la zone métropolitaine et n'avait pas trouvé quoi que ce soit qui ressemblât, fût-ce de loin, à une piste.

Douze seulement des écoles bleu et blanc possédaient une équipe de football. Les élèves de huit d'entre elles seulement portaient une parka avec un grand P blanc dans le dos. De ces dernières, dans deux seulement il y avait une balle de foot sous la lettre P. Ollie interrogea quelque soixante joueurs, tous chiant dans leur froc, pour tenter d'établir ce que chacun d'entre eux faisait le week-end dernier, tandis qu'une pute blanche et deux Noirs se faisaient respectivement éviscérer, noyer et poignarder. Ces jeunes étaient accoutumés à la violence de la télé, mais là, c'était la réalité.

De toute façon, personne dans ce pays ne s'inquiétait

vraiment de la violence, pensait Ollie. Sinon, on interdirait les matches de foot et de hockey. Ce qui tracassait réellement les Américains, c'était le sexe. On pouvait en parler de façon indirecte dans toutes les émissions du matin et de l'après-midi à la télé, mais montrez deux personnes en train de faire l'amour, et la maisonnée se retrouve dans tous ses états, et tout le monde se met à courir pour protéger les têtes blondes en train de fumer du crack dans la pièce d'à côté. Le sexe est la grande obsession américaine, l'héritage de ces enfoirés de puritains venus d'Angleterre. A ce propos, ça faisait une semaine et demie qu'Ollie ne l'avait pas fait – l'amour, pas le puritain –, et il se cassait le cul à chercher partout trois joueurs de foot qui se seraient un peu laissés aller à la violence en dehors des terrains de jeu, et dont les cheveux correspondraient à ceux trouvés dans l'appartement.

Il fut de retour au 88ᵉ à une heure et quart.

Il consulta de nouveau sa liste.

Recommença à donner des coups de fil.

A deux heures et quart, il se mit en route pour un établissement du nord de l'État répondant au nom de Pierce Academy, dont les couleurs étaient bleu et blanc, dont les joueurs de football portaient des parkas à capuche avec un P blanc et une petite balle de foot dans le dos.

A deux heures et demie de l'après-midi, Georgie chercha le nom Karen Todd dans l'annuaire d'Isola et trouva une K. Todd au 1217 Lincoln Street. Un répondeur l'informa qu'on pouvait la joindre à son travail et lui communiqua le numéro de l'hôpital St. Mary.

Il ne savait pas qu'elle était infirmière – si elle l'était.

Cela ne fit qu'aiguiser son appétit.

Il composa le numéro, obtint une femme qui annonça, « Service dossiers », détruisant instantanément ses rêves d'adolescent.

– Karen Todd, s'il vous plaît.

Quand elle fut en ligne, il se présenta, rappela qu'il l'avait vue ce matin, est-ce qu'elle s'en souvenait ? Le grand plutôt bel homme, dit-il textuellement de lui-même, cheveux bruns, yeux marron.

— J'étais avec une blonde et un autre homme.

— Ah! oui, fit-elle. Bien sûr. La petite-fille de Svetlana, en fait.

— Oui.

— Je me souviens de vous, bien sûr. Vous avez retrouvé le gars qui a livré le poisson?

— Oui, la police le tient. C'est lui qui l'a tuée, je crois. D'après ce que j'ai compris.

— Sans blague? Wouah!

— Ouais. Euh, Karen, vous pensez que vous pourriez peut-être avoir envie de dîner avec moi, ce soir?

— Bien sûr, pourquoi pas?

De l'endroit où il se tenait, au dernier rang de la chorale, Richard Ier voyait par-dessus les têtes des deux autres Richard et de tous les autres chanteurs. Tel celui d'un monarque inspectant son domaine, son regard se promena sur l'allée centrale de l'église, au-delà du transept, jusqu'aux lourdes portes en chêne. Le soleil de fin d'après-midi faisait flamboyer les vitraux de part et d'autre de l'espace imposant surmonté d'une voûte, l'illuminait comme si un miracle était en train de s'accomplir. Le professeur Eaton, maître de chorale, venait de leur signifier qu'ils avaient fort mal chanté le cantique la fois précédente. Ils attendaient maintenant son signal pour reprendre le troisième couplet.

La main et la tête d'Eaton s'abaissèrent au même moment.

« Tu seras tout pour moi, Seigneur, je cacherai ma vie dans la Tienne...

Que Ta lumière sacrée éclaire mon chemin... »

Les portes centrales s'ouvrirent.

Une sorte de mastodonte s'avança dans le narthex, fit courir son regard le long de l'allée centrale.

« Soutenu par Ton amour, je porterai la Croix avec joie... »

— Professeur Eaton?

Le Gros.

Appelant du fond de l'église.

– Un instant, un instant, dit Eaton.

Il se tourna avec un agacement manifeste vers l'obèse qui remontait maintenant l'allée, un léger trench-coat ouvert sur sa bedaine de buveur de bière. Sous le trench, Richard remarqua une veste sport à carreaux, également déboutonnée, et une cravate criarde. L'homme plongea la main dans la poche arrière de son pantalon.

– Qu'est-ce que c'est? grogna Eaton.

Le Gros en sortit un petit étui en cuir, dont le rabat s'ouvrit tandis qu'il approchait de l'autel, la démarche dandinante. Le soleil fit étinceler l'or et le bleu émaillé de l'insigne, envoyant des éclairs dans le silence caverneux.

– Inspecteur Ollie Weeks, dit-il. J'ai des cheveux à comparer. Vous avez des joueurs de foot dans vos chanteurs?

Georgie l'attendait à six heures et demie. Il était convenu qu'elle passerait chez elle se changer après le travail et qu'elle viendrait ensuite prendre un verre chez lui avant qu'ils aillent au restaurant. C'était la raison pour laquelle il était descendu acheter une bouteille de Canadian Club au magasin du coin, parce que c'était ça qu'elle buvait, Canadian Club et ginger ale, elle l'en avait informé au téléphone. Il ne resta pas absent plus de quinze minutes. A son retour, le téléphone sonnait. Il posa le sac en papier brun contenant la gnôle sur le comptoir passe-plat séparant la cuisine du séjour, souleva le téléphone mural de son socle et dit :

– Allô?

C'était encore Tony.

– A quelle heure tu penses passer?

– Après le dîner. Un peu tard, peut-être.

– Qu'est-ce que t'appelles un peu tard?

– Onze heures, minuit.

– Pourquoi si tard?

– Ah-ah.

– Qui c'est?

– Quelqu'un.

– Qui ?

– Je te le dirai plus tard. Faut que je raccroche, Tony, elle va arriver d'un moment à l'autre.

– Rapporte-moi aussi la moitié de cette nana, suggéra Tony.

Souriant, Georgie reposa le combiné, regarda sa montre. Six heures vingt. Largement le temps d'aller jeter un coup d'œil à l'argent. Cela ne manquait jamais de le réjouir, la vue de tous ces billets. Toujours souriant, il passa dans la chambre.

La fenêtre était ouverte.

Le sourire quitta ses lèvres.

On avait vidé les tiroirs de sa commode, renversant chemises, chaussettes, sweaters et sous-vêtements un peu partout sur le sol et le lit. La porte du placard était ouverte, elle aussi. Les vestes, les costumes avaient été arrachés de leurs cintres et jetés n'importe où.

Une boîte à chaussures sans couvercle gisait par terre.

A côté, deux mocassins en cuir noir.

Vides.

Il était resté absent moins d'un quart d'heure.

Cette ville...

Carella se réveilla à sept heures moins le quart ce soir-là. La maison était silencieuse. Il enfila un jean et un T-shirt, partit en reconnaissance. Pas une âme en vue.

– Fanny ? appela-t-il.

Pas de réponse.

– Papa ?

Mark, qui appelait de sa chambre, au bout du couloir. Il lisait dans son lit quand Carella entra.

– Salut, papa. Bien dormi ?

– Oui. Comment tu te sens ?

– Beaucoup mieux.

– Voyons... (Il s'assit au bord du lit, posa la main sur le front de son fils.) Où sont les autres ?

– Fanny conduit April à sa leçon de danse, et maman fait du shopping.

– Du shopping ou des courses ?

– C'est quoi, la différence ?

– Environ cinq cents dollars.

– Comment tu peux dire si j'ai de la température comme ça ?

– Le front paraît chaud au début. S'il paraît toujours chaud au bout d'un moment, c'est que tu as de la fièvre.

– Je comprends pas.

– Fais-moi confiance.

– C'est quoi, alors, ma température ?

– 37 °C. Non, attends... (Carella regarda sa paume.) 37,2 °C, corrigea-t-il. De toute manière, tu seras en forme pour l'école demain.

– Tant mieux. Ça te plaisait, l'école, quand t'étais petit ?

– J'adorais ça.

– Moi aussi.

– Il est bien, ton livre ?

– Nul.

– Alors, pourquoi tu le lis ?

– M'man n'a rien trouvé de mieux, soupira-t-il.

Il ébouriffa les cheveux de l'enfant, l'embrassa sur la joue et se dirigeait vers la salle de séjour quand Fanny franchit la porte d'entrée.

– Tiens, qui voilà frais et dispos ? dit-elle. Essuie tes pieds, April.

La fillette frotta ses semelles sur le paillasson, posa son sac de toile noire frappé du nom et du logo de l'école de danse, s'assit sur la banquette de l'entrée pour retirer ses bottes.

– Comment va Mark ? demanda-t-elle.

– Mieux.

– C'est bien.

– Il faut que je commence à préparer le dîner, dit Fanny, prenant le chemin de la cuisine.

Carella observa sa fille qui, tête baissée, s'escrimait sur la fermeture éclair de sa botte gauche. Des jumeaux, c'était elle qui ressemblait le plus à Teddy. Les mêmes cheveux noirs, les mêmes yeux marron, le même beau visage expressif. Mark tient de son père, le pauvre, pensa Carella.

– C'était comment, la danse ?

– Pas mal, répondit-elle avec un haussement d'épaules. Où est maman ?

— Partie faire du shopping.

— Tu as bien dormi?

— Bah.

— Bah quoi?

— Pas très bien.

— C'est bête, dit l'enfant, qui leva soudain les yeux vers lui. Papa?

— Ouais?

— L'autre jour, quand Mark était très malade, tu sais?

— Ouais?

— Et que j'ai cru qu'il allait mourir?

— Il ne risquait pas de mourir, chérie.

— Je sais, mais c'est ce que j'ai cru.

— Ne t'en fais pas, il va bien, maintenant.

— Ce n'est pas ce que je veux dire, papa.

Elle semblait soudain désemparée, le front plissé, les yeux inquiets. Il la rejoignit sur la banquette, passa son bras autour d'elle et demanda :

— Qu'est-ce que tu veux dire, mon cœur?

— Quand je pensais qu'il allait mourir...

— Oui?

— Je me suis dit que j'aurais sa guitare.

Elle fondit tout à coup en larmes.

— Je ne voulais pas qu'il meure.

— Je le sais.

— Mais je voulais sa guitare.

— Ça ne fait rien, chérie.

— Je suis vraiment quelqu'un de méchant? hoqueta April entre deux sanglots.

— Non, chérie, tu es quelqu'un de formidable.

— Je l'aime à en mourir, papa.

— Comme nous tous.

— C'est mon meilleur frère.

— C'est le seul que tu aies, fit observer Carella.

April éclata de rire, faillit s'étrangler. Il la tint serrée contre lui et murmura dans ses cheveux :

— Pourquoi tu ne vas pas le voir?

— J'y vais, chuchota-t-elle. Merci, papa.

Elle s'arracha à ses bras et sortit de la pièce en braillant :

— Mark, réveille-toi! Je suis rentrée!

La vieille maison redevint silencieuse.

Il passa dans la salle de séjour, alluma la fausse lampe Tiffany, se laissa tomber dans le fauteuil confortable placé dessous en songeant à la guitare de Mark, au chat de Svetlana et à la prostituée morte avec un sac en plastique sur la tête.

Quand Teddy rentra, cinq minutes plus tard, il la regarda fermer la porte d'un coup de hanche, puis poser deux sacs à provisions débordant de victuailles sur le fauteuil, près du miroir. Il l'observa en silence tandis que, dans son monde silencieux, elle défaisait son manteau, l'accrochait dans le placard, et il songea que, dans cette ville violente où il accomplissait son travail quotidien...

Dans un univers qui semblait s'assombrir chaque jour, jusqu'à ce que chaque jour menace de se transformer en nuit éternelle...

Il y avait Teddy auprès de qui rentrer.

Il faillit l'appeler.

Mais elle ne l'avait pas encore vu, et elle ne l'aurait de toute façon pas entendu. Il continua à la regarder. Elle tourna la tête vers la salle de séjour, le vit enfin, surprise ; ses yeux s'agrandirent, un sourire s'épanouit sur son visage.

Il se leva et alla vers elle.